P9-AOP-694

НАСТОЯЩИЙ ДЕТЕКТИВ ЕЛЕНЫ МИХАЛКОВОЙ

Детективы

Елены Михалковой:

Знак истинного пути
Время собирать камни
Дом одиноких сердец
Темная сторона души
Жизнь под чужим солнцем
Остров сбывшейся мечты
Водоворот чужих желаний
Рыцарь нашего времени
Призрак в кривом зеркале
Танцы марионеток
Дудочка крысолова
Улыбка пересмешника
Манускрипт дьявола
Иллюзия игры
Золушка и дракон
Алмазный эндшпиль
Восемь бусин на тонкой ниточке
Комната старинных ключей
Котов обижать не рекомендуется
Кто убийца, миссис Норидж?
Тайна замка Вержи
Пари с морским дьяволом
Охота на крылатого льва

НАСТОЯЩИЙ ДЕТЕКТИВ

Елена Михалкова

ОХОТА НА КРЫЛАТОГО ЛЬВА

АСТ
Москва

УДК 821.161.1-312.4
ББК 84 (2Рос=Рус)6-44
М69

Дизайн обложки — Екатерина Елькина

Михалкова, Елена Ивановна

М69 Охота на крылатого льва / Елена Михалкова. — Москва: АСТ, 2015. — 350, [2] с. — (Настоящий детектив Елены Михалковой).

ISBN 978-5-17-085569-8

Если вам кажется, что вы проживаете не свою, а чью-то чужую жизнь, скучную и унылую, если мечты не сбываются и желания не исполняются, пора вырваться из круга однообразных будней!

Виктории Маткевич надоело тусклое существование, и она отправляется в Венецию — любоваться старинными палаццо, кататься по каналам под протяжное пение гондольеров и дышать новообретенной свободой. Но, сама того не подозревая, Вика переходит дорогу банде грабителей, планирующих преступление века... Стечение обстоятельств закручивает бешеный хоровод из побед и поражений, друзей и врагов. Справится ли Виктория с навалившимися неприятностями? Успеют ли ей на помощь частные детективы Макар Илюшин и Сергей Бабкин? И, главное, чем закончится охота на крылатого льва — победой или поражением?

Читайте в новом романе Елены Михалковой «Охота на крылатого льва».

УДК 821.161.1-312.4
ББК 84 (2Рос=Рус)6-44

Глава 1

1

Утром двадцать пятого октября по Рио деи Мендиканти мчалась встрепанная женщина в развевающейся рыжей юбке. К себе она судорожно прижимала сумку, но, взбежав на мост, вдруг кинулась к перилам и замерла, вытянув руки над водой, явно собираясь бросить свою ношу в канал.

Улицы за ее спиной содрогнулись от пронзительного свиста. Женщина испуганно отскочила. Длинная нить стеклянных бус зацепилась за железный завиток перил — и порвалась. Секунда промедления, а потом изумленный взгляд случайного прохожего словно подтолкнул беглянку.

Взметнулся огненный подол, ботинки выбили стремительную чечетку, и женщина скрылась в первом же проулке.

Прохожий, немолодой мужчина, покачал головой. Что за дела?

Он наклонился за зеленой бусиной, докатившейся до его ног. И тут же отлетел в сторону. Двое карабинеров, пыхтя, промчались по мосту, безжалостно расталкивая людей. Из-за угла выскочил третий, надрывно свистя на бегу. Взвилась в небо потревоженная стая голубей, и с жалобным хлопком взорвалась стеклянная бусина под тяжелой подошвой.

Женщина мчится по узким переулкам. Каменные стены сжимают ее в тиски. Сердце стучит дробно, словно бусины рассыпались в груди, а не на венецианском мосту. Голубая полоска неба запестрела белыми росчерками — это голуби с Рио деи Мендиканти поднялись ввысь.

Женщина бьется в двери, отчаянно ища укрытие. Но дома неприступны, как крепости. Пот заливает ей глаза, сумка вот-вот выскользнет из рук. Ни туристов, ни местных жителей, словно город расчистил место для азартной погони. Город, который был ей другом!

Жалобный стон срывается с ее губ.

Она ныряет в очередной проулок, потеряв счет безумным поворотам. Ее колотит от мысли, что она может выскочить прямо на карабинеров.

Выкрики доносятся все ближе. Грохот сапог неумолим, как поступь Командора.

Женщина обессилела. И, прижавшись спиной к каменной стене, она выдыхает по-русски:

— Господи, только не это!

Топот ближе.

Ближе.

Еще ближе...

2

За шесть дней до описываемых событий

Она проснулась даже не от толчка, а от аплодисментов. Когда самолет опустился на посадочную полосу, все вокруг захлопали. А громче всех — ее сосед, толстяк в щегольской рубашке, натянутой на его выпирающем животе так, что казалось, пуговицы вот-вот начнут с треском отскакивать от ткани.

Вика вздрогнула и открыла глаза.

— Венеция, синьора! — сказал толстяк, доверительно наклоняясь к ней. — Benvenuta!

«Бенвенута! — повторила про себя Вика. — Добро пожаловать!»

У стойки такси, на ходу вспоминая подзабытый итальянский, Вика заказала катер. Она так решила еще в Москве: потратится на быстроходную моторку, которая домчит ее до Венеции. Можно себе позволить раз в десять лет побыть транжирой?!

На пристани толпился народ, но все ждали морской трамвай, вапоретто. Когда, протиснувшись среди людей, Вика выбралась к причалу, лодка уже покачивалась внизу. Молчаливый водитель принял у нее чемоданчик и подал руку:

— Бонджорно!

Рассекая мутные волны, моторка заскользила к выходу из акватории порта. Вика только успевала вертеть головой. То слева, то справа поднимались из воды громадные деревянные столбы, на которых замерли грязно-белые чайки. Мелькнул и остался позади остров, плоский, как галечный блинчик.

Они неслись по морю к городу-на-воде.

Вику вдруг охватил страх. А если Венеция окажется не такой, какой она ее вообразила? Вдруг ее ждет выхолощенный туристический аттракцион? «Паршивая еда! Вонь из каналов! Каменный мешок!» — вопили отзывы в Сети.

Лодку тряхнуло. Водитель обернулся, прокричал что-то, весело скаля зубы. И рукой махнул — мол, не так уж далеко осталось.

А Вике в эту минуту остро захотелось, чтобы они плыли как можно дольше. Она еще не успела увидеть город, а он уже пугал ее несовпадением с ожиданиями.

«Да что ж ты за овца-то такая!» — в сердцах сказал внутренний голос.

Овца?!

«А кто же еще? Сперва тряслась, что не купишь билеты. Потом боялась, что не сможешь поехать. Кто воображал, что ногу сломает за день до вылета? Кому ночами снились кошмары о потерянном паспорте?»

Вика и рада была бы оборвать внутренний монолог, но голос разошелся не на шутку.

«В аэропорту паниковала, что не пропустит таможня! В самолете — что отравишься томатным соком. И вот прилетела, не отравилась, с такси разобралась, отель забронировала... И все равно блеешь, что все пойдет не так!»

— Я не...

«Блеешь! — отрезал голос. — Надо было тебе сидеть дома, в блокнотик строчить и ныть о несбывшемся!»

Ух, вот тут Вику задело за живое. Она и забыла, каким резким может быть этот ее внутренний человечек. Слишком редко он подавал голос в последние годы.

— Ничего я не трясусь! Я просто...

Катер обогнул еще один остров, и все оправдания разом вылетели у Вики из головы.

Солнце лежало, как жемчужина, на изнанке тихо светящегося перламутрового неба. А под этим небом поднималась из зеленых вод Венеция.

Вика широко раскрыла глаза. Брызги секли лицо, но она не замечала их. Перед ней открылся город, словно сотворенный взмахом волшебной палочки.

Заостренные башни, тянущиеся к облакам. Суровый красный камень и легчайшее кружево дворцовых арок на набережной. Пестрые крыши бегут навстречу пенным завиткам.

В этот миг Вика всей душой поверила в древнюю легенду, гласившую, что город поднялся из подводных глубин. Не земле, а морю принадлежал он, и море нежно обнимало его, подбрасывало, как мать ребенка, в упругих волнах. Чуть выше подкинь — и, кажется, город исчезнет. Вознесется в небо, к жемчужному мягкому свету, и там поплывет, как воздушный корабль, оставляя в кильватере клубящиеся облака.

— С ума сойти! — выдохнула Вика.

Кораблики прошивали морскую гладь, оставляя за собой белые пенные стежки. Катер Вики влился в их хаотический на первый взгляд бег. Венеция все ближе, несутся прямо на Вику дома и набережные, люди, скамейки, башни! Они вот-вот врежутся!...

Город распахнул каменные объятия, и моторка, стремительно снижая скорость, вошла в устье канала.

Отель назывался «Эдем». Дом был узкий и какой-то перекошенный, как старик, припадающий на одну ногу. Прочитав название, лодочник хмыкнул.

Но радужное Викино настроение ничто не могло испортить. Номера не слишком дорогие, от центра близко — что еще нужно путешественнице?

В холле, пока девушка за стойкой занималась ее паспортом, Вике бросилась в глаза витрина у дальней стены. В ней скупо сияли, освещенные специальными лампами, стеклянные птички размером с кулак. А над птичками возвышалась ваза дивной красоты, словно созданная из застывшей радуги.

— Муранское стекло!

Вика обернулась на сочный бас.

Широкоплечий мужчина, немолодой, чернобородый, как Карабас, улыбнулся ей и протянул руку.

— Орсо Иланти! — Он говорил по-английски. — Рад видеть!

Вика несмело пожала протянутую ладонь. Очевидно, этот вальяжный итальянец, которого портили только слегка обвисшие щеки, и есть хозяин отеля.

— Добро пожаловать в наш «Эдем»!

Синьор Иланти, сверкнув белоснежными зубами, торжественно обвел рукой холл.

Обстановка отеля, по мнению Вики, была из разряда «бедненько, но чистенько», однако с вкраплениями вопиющей роскоши. С потолка свисала огромная люстра удивительной формы. Больше всего люстра походила на прозрачных змей, собранных в пучок.

— Тоже муранское стекло? — Вика указала на потолок.

— Си! Восемнадцатый век!

Гостье устроили небольшую экскурсию. Иланти сыпал английскими, итальянскими и французскими словами вперемешку, вскрикивал «белиссима!» и «делицьоза!», порывался лобызать ручки. Через пять минут Вика ощутила себя задыхающейся под потоком его пылкой речи.

Но синьор Иланти рассказывал и впрямь интересное. О дубовом кресле, в резьбе которого было зашифровано послание. Об игривом столике с тайником, где всего десять лет назад нашли пузырек с выдохшимся ядом. И, конечно, о великолепном стекле, секрет которого мастера с острова Мурано хранили долгие годы.

Они сделали круг и вернулись к витрине с вазой. Цветные струи, перетекающие друг в друга, завораживали.

— Она продается? — спросила Вика.

Хозяин оживленно закивал, назвал цену и уставился на гостью выжидательно, будто говоря: вам сразу завернуть, или после ужина возьмете?

Вика сглотнула. Нет, ей, конечно, было понятно, что муранское стекло дешевым не будет. Но внутренняя жаба от названной суммы хрипло квакнула и потеряла сознание.

— Боюсь, я не ношу с собой столько, — пробормотала она.

Хозяин секунду смотрел на нее, а потом захохотал. Он смеялся, запрокинув голову, и черная борода топорщилась, будто корни выкорчеванного куста.

Отсмеявшись, он похлопал Вику по плечу.

— У синьоры хорошее чувство юмора! Я сделаю вам скидку за проживание. Пять процентов!

Он махнул девушке за стойкой.

Вика принялась благодарить, но итальянец снисходительно улыбнулся:

— Наш отель маленький, мы знаем и любим всех постояльцев. Рады будем видеть вас снова. Хорошего дня!

До номера ее проводил молодой смуглый парень с золотой серьгой в ухе, распахнул дверь:

— Прошу, синьора.

Вика поискала в карманах и сообразила, что у нее нет мелочи для носильщика. Она начала бормотать, что позже... обязательно...

— О, ниенте! — парень выставил вперед ладонь. Он держался независимо, почти надменно. Как будто не работал в отеле, а случайно проходил мимо и решил помочь с вещами. Показал, как открывается окно, небрежно кивнул и ушел.

«Решил, что я жлоб, — огорчилась Вика. — Жлобица... Жлобиха...»

«Жадина!» — подсказал внутренний голос.

Точно. Жадина.

Вика расстроилась было — такие мелкие происшествия всегда выбивали ее из колеи, — но потом вспомнила, что хозяин отеля сделал ей скидку, и повеселела. Приятный человек, что ни говори!

Она огляделась. Комната малюсенькая, как спичечный коробок. Окно, к разочарованию Вики, выходило во внутренний двор. Посреди двора сгрудились мусорные баки. За ними кто-то курил, сидя на корточках — с третьего этажа не разобрать.

Вика подняла взгляд выше. Черт с ним, с двором! Кому он нужен, когда горбатые крыши перекатываются одна за другой, а за ними вздымается медно-зеленый, огромный, как кит, купол собора. Ветер доносит шум толпы и смех, где-то хлопают двери, вдалеке звонит колокол. Пахнет помойкой, морем, сигаретным дымом, счастьем...

— Венеция, — сказала Вика и зажмурилась.

Невероятно.

Она все-таки сюда приехала.

Глава 2

1

Доменико Раньери, прихрамывая, вынес наружу стулья и пару легких плетеных столиков, поднял ставни. Мария возмущенно всплеснула руками, увидав это. «Ваша нога, Доменико!»

Но Раньери сделал вид, что ничего не замечает. Не так уж он стар! И в доказательство забрался по стремянке и демонстративно протер испачканную в голубином помете букву вывески.

Вот теперь можно и открывать.

Пока Мария выкладывала на витрину пирожные, он обжарил кофе. Не слишком много: что-то подсказывало ему, что до вечера наплыва клиентов ждать не стоит. За столько лет Доменико научился каким-то шестым чувством угадывать, будет ли у них очередь из желающих выпить чашечку кофе с бисквитом или нынче их навестят одни завсегдатаи. Мария, сколько ни старалась, не могла понять, как ему это удается.

Аромат обжаренных кофейных зерен поплыл по улице. Дурманящий. Манящий.

Кого он завлечет к ним сегодня?

Первые визитеры были ему хорошо знакомы. Семейная пара, троица болтливых школьников, старушка Магда со своей плешивой собачонкой...

Но где же новички? Где многообещающие незнакомцы? Они необходимы ему!

Раньери давно придумал эту игру. Круг клиентуры был, в общем-то, постоянный, к тому же кофейня располагалась в стороне от нахоженных троп. Типичному туристу, ошалело носящемуся, как весенняя муха, между Сан-Марко и Риальто, отыскать ее было не так-то просто. И тем ценнее, когда чужак все-таки появлялся перед окнами с голубыми шторами.

Доменико мысленно снимал с него мерку. Кто такой, как себя ведет? Запоминал — и сам с собой заключал пари: вернется клиент или нет.

Выиграв спор пять раз подряд, Доменико разрешал себе вечером выкурить крепкую сигару. Сигара в неделю — не так уж и много, а? Что бы там ни талдычили доктора, он просто обязан вознаградить себя за догадливость!

Раньери играл честно. Никогда, даже если очень хотелось курить, не применял запрещенных приемов: не заманивал туриста бесплатной чашечкой кофе, не соблазнял ни малютками-бриошами, ни белоснежными меренгами. Клиент должен сам принять решение.

Доменико уселся возле окна и развернул газету.

— Сегодня не дождетесь! — насмешливо фыркнула Мария. Она не знала деталей его развлечения, но давно заметила, что хозяин обращает особое внимание на незнакомцев.

Раньери зыркнул на нее поверх газеты. Помощница тут же исчезла. Она понимала, когда можно болтать, а когда лучше прикусить язык. Доменико держал ее в своем заведении не столько потому, что она варила вкуснейший кофе, сколько за эту удивительную для женщины способность.

Он смаковал эспрессо и с сожалением думал, что Мария права: сегодня ему новых посетителей не видать. А если и набегут, пользы от этого немного. В порту возвышалась «Магнифика», железная дура с пол-Венеции размером. Значит, город захлестнет толпа туристов-однодневок. Гигантский круизный лайнер утром вываливал из своего чрева сотни человечков, а вечером отплывал, забив пассажирами девятипалубное брюхо.

Они налетали как саранча: прожорливые, стремительные, жадные до впечатлений. Они пытались запихнуть в себя весь город целиком, давились им, но не сдавались! На первое — Сан-Марко, на второе — Риальто, на десерт — Дворец дожей, и закусить это все Кампанилой.

Доменико ненавидел их и презирал. Его высокомерный город захлопывал перед ними все двери, а они даже не догадывались об этом.

Раньери терпеть не мог «однодневок» еще и за то, что с ними у него не было ни единого шанса раскурить субботним вечером вожделенную сигару. Даже если они, отбившись от стада, и попадали в его кафе, вернуться второй раз не могли. Ночью лайнер уносил их прочь.

Доменико со вздохом поставил чашку на стол — и тут увидел ее. Она вывернула из-за угла, и серая улица вспыхнула, будто швырнули охапку осенних листьев.

Женщина в безумном шарфе. Шарф был ядреного зеленого цвета и наводил на мысль о безвременной гибели дюжины лягушек. И юбка вокруг ног вилась бешеная, рыжая, с рваными краями. Даже тканая сумка выглядела совершенно очумевшей, как будто все нитки в ней хором сбрендили и полезли наружу с криком: «Давайте свяжемся во что-нибудь новенькое!»

Доменико Раньери застыл с открытым ртом.

А женщина тем временем подошла к кофейне и запрокинула голову, прищурившись на вывеску. Он наклонился вперед, беззастенчиво рассматривая ее через стекло.

Лет тридцати, от силы тридцати двух — тридцати трех. Невысокая, худощавая, с живым миловидным лицом. Курносый нос и мягкий подбородок (русская, решил Раньери). Волосы светлые, небрежно схвачены на затылке резинкой.

Какая-то трогательная растерянность была в ее чертах. На губах играла недоверчивая, почти испуганная улыбка. Как у бедняка, которого привели к новогодней елке, а он все не верит, что можно взять подарки.

Женщина прочитала вывеску, покосилась на собачонку Магды. Постояла в нерешительности.

И тогда Раньери нарушил собственное правило. Он поднялся, доковылял до входа и распахнул дверь под изумленным взглядом Марии:

— Приветствую, синьора! Не хотите ли чашечку кофе?

2

Что ж, неплохо!

Вика направлялась к площади Сан-Марко, страшно довольная собой. В закоулках квартала ей повезло наткнуться на чудесное местечко. Конечно, не стоило объедаться пирожными, но очень уж хотелось сделать приятное пожилому владельцу.

Носатый, улыбчивый, немногословный, он проворно перемещался по своей кофейне, несмотря на хромоту. Копна пепельных кудрей придавала ему сходство с большим лохматым псом. Молчаливая женщина лет сорока сварила такой кофе, что Вика не сдержала вздох блаженства, сделав первый глоток.

Восхитительно.

Умопомрачительно.

Дельцьозаменте!

Итальянский быстро всплывал в памяти. Вика мысленно похвалила себя. Молодец, Маткевич, что не забросила итальянский, даже когда он был нужен тебе как коту пижама. Кто бы мог поверить, что все это пригодится много лет спустя.

Она обошла площадь, жадно разглядывая магазинчики на первом этаже Прокураций, полюбовалась на красную иглу Кампанилы, воткнутую в голубую подушку неба. Перед входом в собор Сан-Марко извивалась длиннющая очередь, точь-в-точь как в детстве за мандаринами перед Новым годом, разве что без авосек, и Вика двинулась к набережной.

Около двух гранитных колонн она замедлила шаг. На одной святой с копьем попирал существо, похожее на варана. При ближайшем рассмотрении это оказался крокодил.

Вторую колонну венчал крылатый лев. Лев этот чрезвычайно понравился Вике. Во-первых, он ухмылялся во всю пасть. Во-вторых, передними лапами зверь прижимал раскрытую книгу.

«Первоначально колонн было три, — прочитала она в путеводителе, — но при разгрузке одна упала в море, затонула и была утеряна».

Все как в России, умилилась Вика. Одну сломали, другую потеряли.

Она неспешно двинулась дальше.

Крылатый лев теперь встречался ей повсюду. Над аркой Дворца дожей он стоял с суровым видом перед священником, протягивавшим ему гигантскую расческу. «Лева, Христом-богом прошу, расчешись!» — было написано на лице почтенного старца. Царь зверей зыркал в ответ негодующе. Было ясно, что гриву на поругание он не отдаст.

Вике так понравился их безмолвный диалог, что она сфотографировала скульптуру со всех сторон. Тут подошел экскурсовод с русской группой, и выяснилось, что в руках святой старец держит не расческу, а флаг Венеции.

— Моя версия была лучше, — пробормотала женщина, выбираясь из набежавшей толпы.

Она отправилась куда глаза глядят, без всякого плана. Шла вдоль каналов, где дома стоят по колено в серо-зеленой воде. Перебегала каменные мосты, выгибающие спины, как кошки. Улыбалась гондольерам, пробовала вкуснейшую пиццу в крохотных забегаловках, глазела на стеклянные фигурки в витринах и повсюду вдыхала запах города.

Вика с детства знала: у каждого места есть свой неповторимый аромат. Прага пахнет мокрой собачьей шерстью, Стокгольм — вафельным рожком от мороженого, Москва — навсегда трамваями: старыми, с тупыми носами, как у ласковых дворняг.

Венеция пахла кофе и болотными кувшинками.

Вика дышала и не могла надышаться. Она ощущала себя немножко сумасшедшей. Как говорил ее младший сын: «Я словно воздушных шариков объелся».

Ее радовало все, от трещин на стенах до дрейфующего по каналу презерватива.

Когда зазвонил телефон, Вика сидела на берегу канала, сбросив кроссовки, и легкомысленно болтала босыми ногами над водой. Рядом с ней лежала надорванная пачка печенья в красной упаковке со смешной детской рожицей, которое она по утрам бросала в сумку на случай, если захочется перекусить на ходу.

Она взглянула на экран, и улыбка сползла с ее лица.

3

Незадолго до описываемых событий

Все началось с блокнота.

Блокнот она углядела в россыпи рукодельной ерунды на прилавке и сразу, не раздумывая, потянулась к нему. Обложка нежно-голубая, в центре — ярко-красный велосипед с корзинкой на руле. Вика в юности обожала кататься на велосипеде.

Она купила блокнот, не торгуясь.

Он был создан, чтобы хранить мечты. Пухлый, с желтоватыми мягкими страницами и атласной ленточкой-закладкой. Женская-женская вещь, к которой непременно нужна изящная ручка, маленькая сумочка, пальто с меховым воротничком, и неплохо бы шляпку.

Из всего этого списка у Вики имелась только ручка. Как-то сразу само собой и записалось:

Чашка кофе по утрам

Как она мечтала о кофе! Обязательно в одиночестве, в чистой квартире с ее уютной, обволакивающей тишиной. И чтобы никто не смел крикнуть над ухом: «Ма, я жрать хочу! Где завтрак?!»

Вика пообещала себе, что обязательно купит кофемашину. С премии. Олег всегда твердит, что кофеварка — блажь и ставить ее некуда, но она попробует его переубедить.

«А что бы я еще сделала, если бы жила одна?»

Вика даже тихонько рассмеялась от удовольствия, представив, что бы она придумала, если б с нее сняли все обязанности.

О, ее ждала бы полная свобода.

Никаких завтраков на всю семью!

Никаких подъемов в шесть!

Никаких изматывающих развозов детей по кружкам!

Никаких праздников в компании свекра и свекрови!

Она жила бы совершенно иначе!

Завести кота, назвать Максимилианом

Глупость, конечно... Но она мечтала не о любом коте, а об особенном: бесшерстном, породы сфинкс. У них замшевая шкурка, а глаза как у инопланетянина. И морщинки на лбу.

Одного потрясающего сфинксёнка Вика приглядела на выставке год назад. Хозяйка позволила взять котенка на руки, и тот угнездился у Вики в изгибе локтя, уши размером с ладонь растопырил, как локаторы, — и замурлыкал звонко-звонко, будто внутри зазвенел маленький будильник.

Вика закрыла глаза и стояла так очень долго. А потом подошел Олег, котенка с ее руки снял, хозяйке обратно сунул. «Совсем с ума сошла — этого лысого урода покупать?» — «Олег, пожалуйста!» — «Все, успокойся. Пошли отсюда».

«Лысый урод» смотрел Вике вслед, и она все оборачивалась на него, пока муж не вытащил ее из зала.

Если бы она жила одна, этот кот принадлежал бы ей.

Научиться водить

Сейчас на это нет времени. Но когда-нибудь она обязательно найдет хорошего инструктора и будет ездить сама, на собственной машине.

Попробовать рисовать

Вика даже отыскала подходящие курсы, но оказалось, что занятия начинаются в восемь вечера. Кто будет готовить ужин? Делать с мальчишками уроки? Пылесосить? Гладить? Вопрос с уроками рисования отпал на неопределенное время.

Записи, записи, записи... Блокнот стал ее маленькой тайной, окошком в несуществующий мир. Когда-нибудь все мечты воплотятся в реальность, а пока Вика заносила на бумагу все, что приходило ей в голову.

Что доставляет ей радость? Чего она не может себе сейчас позволить?

Купить абонемент в бассейн

Отличный спортивный центр находился в двух остановках от дома, но Вика понимала, что денег на него нет. Среди ближайших трат — подарок свекрови на юбилей, какой уж тут абонемент.

Гулять по утрам в парке и фотографировать

Не сейчас, конечно. Позже. Когда дети закончат школу. Ей не нужно будет по утрам варить на всех овсянку, а потом собирать мальчишек, потому что Колька обязательно забудет шапку и перчатки, а Дима может запросто оставить портфель. Да и Олег не поймет, если она утром возьмет и уйдет из дома. Нет, невозможно.

Посмотреть кучу сериалов

О, живи Вика одна, она не хлопотала бы по дому вечерами, а садилась бы в обнимку со своим ушастым котом и смотрела все подряд. «Аббатство Даунтон», «Игра престолов», «Эркюль Пуаро»: старые и новые, умные и не очень — ей бы все сгодилось!

Взять из собачьего приюта щенка

Неисполнимое желание. Олег никогда не согласится на приютскую собаку. Он хочет крепкого породистого пса, обязательно служебного, злого и молчаливого. Ротвейлера. Или добермана.

Но почему бы и не помечтать?

Вика представила, как она бредет ранним утром по осеннему парку, а рядом с ней бежит щенок, похожий на швабру с ушами.

Блокнот понемногу заполнялся, накапливая ее мечты. Вика приобрела привычку записывать все, от мелочей («купить юбку апельсинового цвета!») до больших пожеланий («никогда больше не ездить к свекрови на дачу»). За юбку ее высмеяли бы и дети и муж, а про свекровь и заикаться нельзя. Мама в жизни Олега — это святое.

Полосатые колготки!
Навестить Маринку в Пскове!
Путешествовать! Куда угодно!
Но первым делом обязательно в Венецию.
Ходить в кафе хотя бы раз в неделю!
Опять начать петь!

По кирпичику, по желанию выстраивалась совсем иная жизнь, где были кошка, собака и крыса, много поездок, друзья, увлечения, фотографии, веселые пустяки и разноцветная одежда, свобода, свобода, свобода...

Вика вышла замуж сразу после консерватории. Через год родился Колька, а еще через пару лет — Дима. Диплом вокального факультета из верхнего ящика стола сначала переместился в нижний, а потом и вовсе был похоронен под грудой бумаг и квитанций. Дети много болели, старший оказался совсем несадиковским ребенком. А когда он поступил в первый класс и Вика бросилась искать работу по специальности, выяснилось, что ее поезд ушел. Она потеряла драгоценное время. Другие вокалисты участвовали в конкурсах, ездили за границу, пели в театрах, пока она носилась между педиатром и аллергологом. Теперь можно было в лучшем случае устроиться руководителем музыкального кружка в соседнем доме и получать маленькую стыдную зарплату, надеясь, что за мамонта будет отвечать муж.

Подумав хорошенько, Вика выбрала другой путь.

Распихав сыновей по школам и садикам, она два месяца ходила по собеседованиям и в конце концов устроилась менеджером в банк. Через три года ее перевели в кредитный отдел.

Два дня она работала с утра до вечера, а в среду-четверг-пятницу сразу после обеда неслась домой, чтобы схватить мальчишек и на маршрутке с пересадкой сначала доставить одного на айкидо, потом второго в музыкалку, потом забрать первого, отвезти домой и спешно мчаться за вторым. Где-то в перерыве Вика одной рукой готовила ужин, второй гладила, третьей делала с Димкой уроки, четвертой перешивала Колькину форму, сама себе порой напоминая обезумевшего осьминога.

А вечером с работы приходил Олег, садился ужинать и говорил: «Счастливый ты человек, мать. Три раза в неделю работать по полдня — это ж кайф!»

Олег к жене относился снисходительно. Укорял: «Суетливая ты. Прямо бешеная тарашка». Дети смеялись, Вика оправдывалась: как не быть тарашкой, когда целый воз дел. «Учись правильно распределять время, — веско советовал Олег. — Другие же как-то успевают».

По утрам Вика с всклокоченной головой и одним накрашенным глазом скакала между кухней и детской, пока Олег спокойно завтракал. Он работал в фирме, занимавшейся металлоконструкциями. Металлоконструкции не терпели суеты.

Когда они только поженились, Вика в него была ужасно влюблена. Изо всех сил пыталась заслужить расположение Олеговой мамы, даже когда стало ясно, что та терпеть не может «певичку». В доме свекрови авторитет мужа был непререкаем. Если бы у семьи Олега имелся герб, девизом на нем была бы начертана фраза слесаря Гоши из фильма «Москва слезам не верит»: «А заодно запомни, что я всегда и все буду решать сам. На том простом основании, что я мужчина».

Любовь — хорошее топливо. Вика протянула на нем одиннадцать лет, твердя себе, что все нормально, нужно просто немножко потерпеть.

Пока на глаза ей не попался голубой блокнот с красным велосипедом на обложке.

...Она заносила в него все новые подробности воображаемой жизни. Вспоминала, о чем мечтала в юности. И сама не замечала, как постепенно в ней просыпается и поднимает голову совсем другая женщина. Та, которая знала, чем пахнут города. Которая приезжала в Питер, чтобы ходить по крышам. Та, которой она могла бы стать, если бы все сложилось немножко иначе.

Конец этой игры наступил неожиданно.

«Купить велосипед и кататься летом по Москве», — написала Вика, перевернула страницу...

И увидела, что блокнот закончился.

Вика сердито пролистала его, ища незаполненные разделы. Они найдутся! Должно быть, она пропустила десяток страниц.

Но все листы были исписаны ее почерком. На них не осталось свободного места.

Вика провела рукой по лбу.

Ей впервые стало по-настоящему страшно. Она держала в руках свою непрожитую жизнь, несбывшиеся мечты, неисполненные желания. Пятьдесят восемь страниц того настоящего, чем она хотела бы наполнить каждый день.

И ничего из этого не существовало на самом деле.

Она переворачивала странички, выхватывая взглядом одни и те же отговорки.

«Когда-нибудь». «Когда-нибудь потом». «После». «Не сейчас». «Когда появятся деньги». «Когда появится возможность».

— В моей жизни нет ничего, о чем я мечтаю!

«Нет, постойте! — встрепенулся внутренний голос. — А дети? А муж?»

До того, как появился блокнот, Вика спасовала бы перед этим вопросом. Ну конечно, покорно согласилась бы она, разве может быть что-то важнее для женщины, чем муж и дети!

Но это было пятьдесят восемь страниц назад. За прошедшее время в ней что-то изменилось. И потому ответ прозвучал с горькой честностью:

«Мне этого мало».

«Мало?! — взвизгнул голос. — Что ты несешь? Дети здоровые, муж непьющий. С жиру бесишься! Ишь, колготки цветные ей захотелось! Юбку апельсиновую! Да ты в ней будешь как дура, верно Олег говорит!»

«Заткнись».

Вика поднялась, сжимая в руках блокнот.

— Я живу жизнью, которая мне не нравится.

Она впервые проговорила это вслух.

«Все так живут!» — надрывался внутренний голос.

Вика прижала ладонь ко лбу. Кого она обманывает? Никогда не сбудется то, что она напридумывала. Не будет лохматой собаки, корявых рисунков, маленького фотоаппарата, который можно носить с собой в рюкзаке... Разве что когда ей стукнет пятьдесят. Мальчишки к тому времени вырастут, а Олег, быть может, согласится готовить завтрак себе сам.

Или не согласится.

Остаток дня она ходила как в воду опущенная. От сочувственного внимания коллег отговорилась заболевшей головой, но вечером осталась на работе позже всех. Ей не хотелось домой.

«Мне почти никогда не хочется домой. Мне *нужно* домой. Это разные вещи».

Долг, обязанность, необходимость... В ее жизни их хватало с избытком. Не было лишь того, чего бы хотелось ей самой. Ей, Вике Маткевич, а не Олегу, его маме или детям.

«Что же со мной будет дальше?»

Ей вовсе не хотелось искать ответ. Как вдруг на мониторе замигал красным значок в верхнем углу, и выскочила надпись:

«Вы работаете на резервном питании аккумулятора».

Тогда Вика начала смеяться. Сидя одна в пустом кабинете перед тусклым монитором, она смеялась, потому что случайно получила исчерпывающий ответ на свой вопрос.

Она работает на резервном питании аккумулятора.

Скоро оно закончится.

Вика сидела перед монитором до тех пор, пока он не погас, выдав перед этим еще с десяток предупреждений. Охранник заглянул в кабинет, увидел смеющуюся в одиночестве Маткевич, и на физиономии его ясно отразилось все, что он думает о ее психическом здоровье.

Но Вике впервые было на это абсолютно наплевать.

4

— Олег, я собираюсь поехать в Венецию.

Вика сказала это за ужином. Неделю спустя после вечера, который она провела в компании погасшего монитора.

Муж был слишком увлечен чтением автомобильного форума, чтобы обратить внимание на ее слова.

— Я договорилась с Ольгой Семеновной, она будет провожать мальчишек на кружки.

Олег по-прежнему не реагировал.

— Мой самолет в пятницу. Вернусь ровно через неделю, утренним рейсом.

Слова про рейс пробились сквозь его избирательную глухоту. Олег поднял голову и недоуменно уставился на жену:

— Что? Какой еще рейс?

— Я улетаю в Венецию, — твердо повторила Вика. — Хочу отдохнуть. Меня не будет неделю.

Олег заморгал:

— Не понял... В командировку, что ли?

Она покачала головой:

— Не в командировку. Сама.

— Что за бред ты несешь?!

Вика побледнела — и вдруг выпалила:

— Не смей так со мной разговаривать!

От неожиданности Олег осекся и замолчал.

— Я не бред несу, как ты выразился! — она прикусила губу. — А говорю, что я устала и хочу отдохнуть!

— От чего?!

— От работы. От тебя. От детей. Последние десять лет я езжу только в гости к твоей маме.

— Ты что-то имеешь против моей мамы?

Но жена не поддалась на провокацию.

— Я взяла на работе отпуск и купила по акции недорогие билеты, — понемногу успокаиваясь, сказала она. — Вы прекрасно справитесь без меня.

Это было что-то новенькое! Олег захлопнул ноутбук и отодвинул в сторону. Подумав, отодвинул и тарелку. Чертовщина какая-то творилась, надо разобраться.

— Почему Венеция? — спросил он первое, что пришло в голову.

— Она уходит под воду на четыре миллиметра в год.

— И что? — не понял Олег.

— Я могу не успеть.

Он посмотрел на жену внимательно — первый раз за весь вечер. Она что, издевается?

По ее лицу действительно блуждала слабая улыбка. Но что-то подсказало Олегу — Вика вовсе не шутит.

Вглядевшись пристальнее, он увидел то, что должен был заметить раньше. Жена похудела и выглядела измученной, но глаза ее странно блестели. Он заподозрил было, что она выпила, и даже принюхался. Спиртным не пахло.

Самое главное, он все еще не понимал, как реагировать на ее слова. Семейная жизнь до сих пор исчерпывалась набором ситуаций, каждая из которых была ему знакома. Или ее можно было уложить в готовый шаблон по образцу семьи его родителей: мужик в доме хозяин, жена занимается детьми, главное слово за мужем, родители — это святое. Но сейчас нужная карточка не выскакивала из картотеки.

Олег испытал короткий приступ замешательства.

— Ты правда хочешь уехать?

— Если я не сделаю этого сейчас, то не сделаю никогда.

— А со мной ты почему не посоветовалась?

В глазах ее мелькнула затравленность, но голос был тверд, когда она возразила:

— Ты был бы против.

— Вот именно! Я против!

Она посмотрела прямо на него. На этот раз Олегу почудилась в ее взгляде... неужели враждебность? Да нет, ерунда.

Он начал сердиться уже всерьез. Что еще за ахинея!

— В Италию, значит, намылилась.

Жена кивнула.

— И считаешь, что с мужем это можно уже не обсуждать?

И снова Вика ответила так, как не отвечала никогда:

— Ты никогда не обсуждаешь со мной свои поездки, а ставишь меня перед фактом. Теперь моя очередь ставить перед фактом тебя. Я мечтала поехать в Венецию много лет. И я туда поеду.

— А я? А дети?

— Ну, уж неделю-то вы без меня справитесь, верно?

И снова эта странная полуулыбка.

Черт, да при чем здесь «справитесь», хотел рявкнуть он. Но после того, как Вика осадила его, поостерегся. Конечно, они проживут без нее эту неделю, но она не имеет права вот так запросто взять и куда-то свалить, просто сообщив ему дату отъезда! Олег не умел этого высказать, но смутно чувствовал, что с ее стороны это бунт!

— Ты не можешь уехать, — в конце концов мрачно сказал он.

Вика вцепилась в стол:

— Почему же?

— Потому что ты, мать твою, замужняя женщина!

— Звучит как «арестованная».

— Ты должна своей семье, — упорствовал он. — У тебя есть перед нами обязательства!

— А себе я ничего не должна? — перебила она с болезненной усмешкой.

Олег замолчал не столько от ее слов, сколько из-за гримасы, исказившей ее лицо. Он по умолчанию полагал, что женщина счастлива, имея такого мужа, как он, и таких детей. Как там в песне поется: «Женское счастье — был бы милый рядом».

И тут его осенило.

— У тебя что, пэмэс?

Черт, ну конечно! Надо было сразу сообразить, что дурость прет из нее из-за женских дел. Чего-то там у теток происходит с головой то ли перед месячными, то ли после, он не помнил и не считал нужным держать в памяти.

Найдя причину происходящего, Олег сразу ощутил себя хозяином положения.

— Все, тема исчерпана. Никуда ты не едешь. И, пожалуйста, не грузи меня больше такой ерундой!

Он придвинул к себе тарелку, убежденный, что разговор закончен. Потом мельком глянул на жену и застыл с ложкой в руке.

Вика выпрямилась. Куда только делась вся нервозность! В ее глазах оторопевший Олег прочел нескрываемую злость. Губы сжались в тонкую линию, рука дернулась, и какую-то долю секунды он всерьез ждал, что сейчас она влепит ему пощечину.

Он не мог знать, что Вика явственно узрела перед собой объяснение тому, почему пятьдесят восемь страниц блокнота остались исписанной бумагой. И уж конечно, Олегу не могло прийти в голову, что жена отчетливо вспомнила ощущение его крепких пальцев, стиснувших ее руку, и зеленоглазого котенка с растопыренными ушами, грустно глядящего ей вслед. Для него этот мимолетный эпизод забылся почти сразу. Для нее — впечатался в память накрепко и выстрелил в самый неподходящий момент.

— Нет у меня никакого пэмэс, — очень медленно проговорила Вика. Она так побледнела, что Олег даже испугался. — И я поеду в Венецию! Поеду, ты понял?!

Она стукнула маленьким кулачком по столу — получилось до смешного неубедительно, но Олегу было не до смеха, — и выбежала прежде, чем он спохватился.

— Не хочешь обсуждать? Да кто тебя спрашивает?! — крикнул Олег вслед, придя в себя. — А ну иди сюда!

На двери в ванную комнату щелкнула задвижка. Зашумела вода. Стало ясно, что в ближайшее время жена к нему не выйдет.

Удрала, как трусливая собачонка! Олег подошел к ванной и некоторое время всерьез раздумывал, не выломать ли дверь. Но тут из детской высунулись две курчавых головы, и он опомнился. Ну, выломает, и что дальше? Тащить ее из ванны, мокрую и голую? На глазах у детей?

— А ну брысь! — приказал он, и Колька с Димкой, толкаясь и шепотом бранясь, исчезли.

На следующее утро Олег уехал на работу рано: жена и дети еще спали. У него было время обдумать ее неожиданный бунт, и, поразмышляв, он пришел к верному, как ему казалось, решению.

Да, Вика учудила. Но наверняка уже раскаивается во вчерашней ссоре и в своем глупом намерении. Он будет великодушен и даст ей возможность отступления. Никакой ругани! Он всего лишь напомнит, что в следующие выходные надо бы помочь его матери с переездом на дачу. Жена отступит от своей бредовой затеи, не потеряв лицо, и все пойдет как раньше.

С этими, несомненно, благими намерениями Олег вечером вошел в квартиру.

И застыл в дверях.

Вика сосредоточенно рассматривала себя в большом зеркале. Вокруг ее ног струилась оранжевая юбка, до того яркая, что хотелось зажмуриться. И рубашка на Вике была новая, зеленая, как весенняя трава, а на шее болтались идиотские разноцветные бусы из стекла.

«Сбрендила», — осознал Олег.

Навстречу ему выбежали мальчишки, завопили, повисли с двух сторон.

— Па, привет!

— Папа пришел!

Он облапил сыновей, чмокнул каждого в макушку. Покончив с ритуалом приветствия, те переключились на мать.

— Ма, сними это! — потребовал Колька. — Тебе не идет.

— Не идет! — поддакнул Димка. Он сам не знал, так ли это, и рыжий цвет ему, пожалуй, даже нравился, но он привык во всем следовать за братом.

— Я сама решу, идет мне или нет. — Вика обернулась к мужу. — Привет! Ты сегодня рано.

— Ма, ну правда! — не отставал старший сын. — Ты в ней глупо выглядишь!

— Это точно, — буркнул Олег.

Ободренный поддержкой отца, Колька подбежал к матери и, дурачась, потянул за юбку.

— Прекрати! — потребовала Вика.

— Фу! Гадость! Сними!

Димка одобряюще захихикал. Ему нравилась эта игра.

— Я сказала, перестань!

Что-то в голосе жены подсказало Олегу, что сына нужно немедленно остановить. Но он не успел. Колька, привыкший к безнаказанности, дернул резче, а секунду спустя ладонь матери обрушилась на его затылок.

Подзатыльник получился слабым. Но ошеломил мальчика сильнее, чем любой шлепок от отца.

Димка, глядя на мать и брата, заревел от ужаса.

Не обращая внимания ни на его рев, ни на вытянувшееся лицо мужа, Вика наклонилась к старшему сыну и хорошенько тряхнула его:

— Никогда больше не смей так себя вести! Ты меня понял?

Перепуганный Колька отчаянно закивал.

— Хорошо! — У Вики тряслись руки, но она заставила себя говорить медленно. — Иди в свою комнату. Придешь, когда будешь готов извиниться.

Колька растворился в воздухе, как только она отпустила его, а следом за братом сбежал и Димка. Вика с пылающими щеками обернулась к мужу:

— Ты должен объяснить ему, что это свинское поведение!

— А я тут при чем?! — вскинулся Олег.

— Он берет пример с тебя.

Вика развернулась и ушла. А Олег, глядя ей вслед, отчетливо понял, что никакие пути к отступлению его жене не нужны.

Она вовсе не собиралась отступать.

5

Телефон настойчиво звонил. Поборов искушение швырнуть его в канал, Вика нажала «ответить».

— Ты на кого детей бросила? — спросил в трубке ласковый женский голос.

Приветствия, конечно, не прозвучало. Когда Лариса Витальевна приходила в бешенство, она не давала себе труда оставаться вежливой. Во всяком случае, по отношению к невестке.

Вика сглотнула.

Свекровь она боялась до оторопи. Лариса Витальевна органично сочетала в себе мягкость медузы с убедительностью гюрзы. В разговорах мама Олега всегда делала большие паузы, которые собеседник мог заполнить по собственному разумению. Обычно интонация Ларисы Витальевны не оставляла пространства для полета фантазии.

«Ты на кого детей бросила, дрянь такая?» — услышала Вика.

И она ни секунды не сомневалась, что именно это имела в виду свекровь.

Человек, не знакомый с мамой Олега, удивился бы, отчего Вике просто не прервать разговор. Но брошенная трубка означала войну, а воевать с Ларисой Витальевной мог только самоубийца. За годы брака Вика твердо уяснила: Олег всегда будет на стороне своей матери. «Жен может быть сколько угодно, мама всегда одна», — мимоходом напоминала свекровь на каком-нибудь семейном торжестве и любовно трепала Олегову густую шевелюру.

Сына она обожала.

Внуков, надо признать, тоже. Мальчишек не называла иначе как «мои принцы». Вике иногда хотелось спросить, кем же она состоит при особах королевской крови, но всякий раз она благоразумно сдерживалась.

Их брак с Олегом строился на благоразумии. Ее благоразумии, естественно.

Вике с первой секунды разговора было ясно, как станет развиваться беседа. Сначала она поздоровается. Потом начнет оправдываться. Потом Лариса Витальевна скажет, что она уже посмотрела расписание — обратный рейс через восемь часов, билет заказан.

И все.

Абсолютная уверенность свекрови в своем праве распоряжаться чужой жизнью гипнотизировала. Вика замирала, как кролик перед удавом, презирая себя за трусость и не в силах пошевелиться.

Она уже хотела с привычной заискивающей доброжелательностью воскликнуть: «Здравствуйте, Лариса Витальевна», как вдруг взгляд ее скользнул по дворцу на другой стороне канала. С фасада палаццо горделиво взирал крылатый лев — символ Венеции.

Две секунды Вика, не отрываясь, смотрела на бесстрашного зверя. А потом, совершенно неожиданно для себя, сказала, не здороваясь, в тон свекрови:

— Я их оставила на родного отца.

Тишина на том конце трубки. Лариса Витальевна осмысливала только что брошенный ей вызов.

— Их отец, если ты забыла, работает с утра до вечера, — пропела она наконец.

Крылатый лев улыбался Вике ободряюще.

— Им поможет соседка, — снова удивляясь себе, сказала Вика. — Мальчишки к ней очень привязаны.

— Она старуха!

— Она на три года младше вас.

Ей почудилось, что на том конце провода клацнули челюсти. Снова молчание, тяжелое, почти осязаемое. Его можно бросить, как камень, и что-нибудь разбить.

Например, чью-нибудь семейную жизнь.

Вика знала, что счастье разбивается не разговорами, а молчанием. Ей было тринадцать, когда папа с мамой перестали разговаривать друг с другом. Потом у них нашлись слова, даже слишком много слов, но было уже поздно: молчание разъело их брак, точно кислота.

Глядя на то, во что превратилась потом мать, маленькая Вика твердо уяснила одно: самое страшное для женщины — быть брошенной мужем. Это было не рациональным пониманием, а чистой эмоцией, сродни ужасу перед высотой.

Но вот что удивительно: она, столько лет дрожавшая при мысли, что свекровь вдребезги рассорит ее с Олегом, сейчас ощутила, как на нее нисходит спокойствие. Это все город! Он придавал ей сил.

Ты не можешь уехать, шептала зеленая вода, ты еще не видела Венецию по-настоящему. Ты не можешь уехать, пел ветер, у меня для тебя столько сокровищ!

— Коля сегодня кашлял, — веско уронила свекровь.

И снова долгая пауза, в которой внятно читалось: «Если ты не вернешься, он заболеет воспалением легких и попадет в больницу».

Вика никогда не могла понять, как у Ларисы Витальевны это получается. Иногда ее даже охватывало подозрение, что свекровь телепат и способна вкладывать свои мысли в головы других людей. У Вики никаких собственных мыслей в эту минуту не было, только тоскливый страх, что ее снова заставят делать что-то ненавистное. Так что ее голова — идеальный ящик, пустой и вместительный.

— Я всегда считала тебя хорошей матерью, — с легкой укоризной добила свекровь («Никогда не сомневалась, что мать из тебя никудышная»).

И тут Вика разозлилась. Может, она и ящик, может, и пустой, но она никому не позволит запихать в себя еще и чувство вины!

— Кашлял, так пусть пектусин на ночь рассосет, — сухо сказала она. — Вы все лучше меня знаете, Лариса Витальевна. Простите, экскурсовод ждет. До свидания.

И отключила телефон.

Крылатый лев с барельефа уважительно смотрел на нее. Вика глубоко вдохнула — и почувствовала, как напряжение отпускает ее. Она перевела взгляд на телефон и только сейчас заметила, что сжимает его так крепко, что побелели костяшки пальцев.

«Господи, я дала ей отпор. Не может быть!»

Ей захотелось плакать и смеяться одновременно. Одиннадцать лет! И впервые она, а не Лариса Витальевна, закончила разговор.

Впервые последнее слово осталось за ней.

— Я люблю тебя, — облегченно выдохнула Вика, адресуясь Венеции.

И наконец-то сделала то, что давно хотела: макнула голую пятку в прохладную текучую воду.

Глава 3

1

В отель она забежала всего на десять минут, переодеться. Выйдя из номера, Вика начала спускаться по лестнице и услышала снизу голоса.

Один, басовитый и сочный, принадлежал хозяину гостиницы. Другой показался ей смутно знакомым: сиплый, небрежно тянущий слова.

Вика перегнулась через перила, и перед ней открылась вся сцена.

Чернобородый хозяин яростно отчитывал высокого смуглого парня в драных джинсах, с золотой серьгой в ухе. Вика понимала едва ли половину, но уловила, что смуглого увольняют за какую-то провинность. Тот возражал с ленцой в голосе, и эта ироничная отстраненность окончательно вывела хозяина из себя.

— Пошел вон, свинья! — на этот раз Вика разобрала отчетливо каждое слово. — Мерда!

Парень огрызнулся. Фраза была короткой, однако подействовала как пощечина. Чернобородый схватил наглеца за грудки, тряхнул — и оттолкнул к стене. Спиной вперед перелетев через весь холл, парень врезался в витрину.

Хрусть!

Вика, словно зачарованная, смотрела, как мелкой сияющей крошкой взрывается стекло, витрина накреняется, а волшебная переливчатая муранская ваза летит вниз, навстречу каменному полу.

Дзынь! — жалобно сказала ваза.

— Ах! — сочувственно вскрикнула Вика, глядя сверху на две половинки.

— Порка мадонна! — задохнулся хозяин.

Парень поднялся, потирая локоть. За окном мелькнули фигуры в синих форменных куртках.

— Сюда! — заорал чернобородый. — Скорее!

Парень быстро, как рыба, скользнул к черному ходу, но был перехвачен на полпути широкоплечим блюстителем порядка.

В потоке слов, которые хозяин отеля обрушил на полицейских, мог бы утонуть и более сведущий в итальянском человек. Вика еле успевала вычленять главное.

— Сволочь! — хозяин тыкал пальцем в провинившегося. — Он давно хотел напакостить! Вы знаете, во сколько обошлась мне эта ваза, синьоры?!

— Сам виноват! — брезгливо выплюнул парень.

— Я виноват?! Я?! Ты разбил бесценную вещь! У тебя не хватит денег, чтобы расплатиться со мной! Ублюдок!

— Пошел ты!

Карабинер хмуро покосился на обвиняемого и вытащил наручники.

Постояльцы, наводнившие холл, боязливо обходили место стычки. Пожилая горничная собирала осколки. Смуглый скривил губы, словно не желал снисходить до объяснения с этими людьми, — и Вика не выдержала.

— Эй! — крикнула она сверху. — Стойте!

Все головы задрались к ней.

Вика торопливо спустилась, с каждым шагом чувствуя, что влипает в дурацкую историю.

За ушами стало горячо — как всегда, когда на нее обращали внимание. А сейчас смотрели все, от горничной до японского туриста в панамке.

— Я видела! Я свидетель! Его толкнули!

Запас итальянских слов от волнения закончился, и Вика, как могла, изобразила, что произошло до прихода полиции.

Ее выразительная пантомима произвела впечатление. Горничная попятилась, а японец в панамке, наоборот, засеменил вперед, на ходу доставая камеру.

— Этого джентльмена толкнули, — повторила Вика, стараясь, чтобы голос звучал твердо. И ткнула пальцем в смуглого.

При слове «джентльмен» парень оскалился. На лицах полицейских отразилось сомнение.

— Женщина что-то путает, — заверил их хозяин отеля. — Вы же видите, она плохо говорит на итальянском. Она совсем недавно приехала!

Он улыбнулся ей — ласково и снисходительно, будто ребенку. Это была улыбка прощения, великодушная возможность для отступления. «Скажи, что ты все перепутала — и замнем на этом. Не выставляй себя еще большей дурой».

И тут всю неловкость Вики как рукой сняло. О, эти снисходительные улыбки, за каждой из которых стоит «помни свое место».

— Вы думаете, раз я туристка — значит... — она пощелкала пальцами, вспоминая, — *mentalmente difettoso*? Нехватка ума?

— Никто так не думает, синьора...

Но Вику уже было не остановить.

— Вы толкнули этого человека. Это вы виноваты!

— Успокойтесь, синьора!

— Я буду волноваться, если потребуется!

— Хорошо-хорошо...

Вика обернулась к полицейским. Два красавца, как на подбор. Раньше бы она смутилась, но сейчас ее только сильнее рассердил вид этих истуканов, игравших роль декораций (правда, весьма внушительных декораций).

— Я пойду с вами в участок! Я — свидетель.

Повисло молчание. Смуглый стоял, отвернувшись, словно происходящее его не касалось. Карабинеры с бесстрастными лицами разглядывали Вику.

— Стационе ди полиция, — чуть менее уверенно повторила она. — Иль тестимона!

«Или все-таки не тестимона? Как будет «свидетель» по-итальянски? Тестимона я дрожащая, или право имею?»

Под холодными взглядами карабинеров ее решительность начала улетучиваться. «А жандармы-то у хозяина отеля наверняка прикормлены, — вдруг заметил трезвый голос в голове. — Обвинят тебя в сговоре с этим драным бродягой... Будешь звонить мужу и объяснять: в милицию замели, дело шьют».

Горничная с открытым ртом таращилась на нее.

«Боже, во что я вляпалась...»

Но тут чернобородый принял решение.

— Я не хочу создавать вам хлопоты, синьора, — подчеркивая каждое слово, выговорил он. — Маленький инцидент не стоит большого шума!

Он отвернулся и вполголоса затараторил с карабинерами. Воспользовавшись паузой, смуглый скользнул к выходу и тотчас растворился в толпе.

На том скандал и прекратился — стремительно и неожиданно. Полицейские ушли, хозяин принялся давать указания горничной, подчеркнуто не обращая на Вику внимания. Она немного помялась, не зная, что делать дальше. Казалось, победа осталась за ней, но у нее был странный привкус незавершенности. Как-то иначе все это должно было закончиться...

Вика вдруг почувствовала себя виноватой.

Она чуть было не предложила горничной свою помощь, словно разбитая ваза была делом ее рук. Но вовремя спохватилась и последовала примеру беглеца в рваных джинсах.

2

Пестрая толпа текла по каменному руслу извилистой улочки. Вика влилась в нее и замедлила шаг, только когда отель остался далеко за спиной. Никакой радости от своей победы она по-прежнему не испытывала.

«Восстановила справедливость, называется. Даже спасибо не получила в ответ».

Но как у нее хватило храбрости налететь на хозяина? Вике самой было удивительно думать о том, что она на такое решилась. «Этот город что-то делает со мной. Он выдавливает из меня тихоню, которой я была последние десять лет. Он бодрит, как отличный крепкий кофе, который здесь можно выпить на каждом углу».

Переулок, поворот... Ноги сами вынесли ее к белоснежной глыбе собора Санта Мария делла Салюте. Оглядевшись, Вика решила последовать примеру многочисленных туристов и села на лестнице перед входом.

По воде переваливались забитые народом катерки-вапоретто, на той стороне канала три черных гондолы плыли одна за другой, величавые и строгие, как птицы. Юноша и девушка фотографировались на фоне церкви, хохотали, дурачились и выглядели так глупо и прекрасно, как только могут выглядеть влюбленные. А неподалеку от них площадь пересекала пожилая пара. Седая женщина придерживала спутника под локоть.

Вика пригляделась к ним и вздрогнула. Двое стариков невероятно походили на этих юношу и девушку. Будто смешались временные пласты, и пожилая пара шла в двадцати шагах от самих себя, молодых и восторженных.

Долю секунды ей казалось, что старик вот-вот обернется к юноше и узнает его. Но пожилая пара, не оборачиваясь, миновала церковь и скрылась за углом. Воздух на миг загустел, а когда прояснился, время вернулось на свое место.

— Любопытные фокусы выкидывает этот город, — прошептала Вика.

Неприятная сцена в отеле начисто вылетела из головы. Разве можно было думать о таком вздоре, сидя на площади перед Санта Мария делла Салюте!

Все вокруг казалось неправдоподобно гигантским. Мощные стены базилики, шапка купола, ступеньки, разбегающиеся вокруг собора, как подол разложенной пышной юбки... Вика вспомнила путеводитель: на строительство базилики ушел миллион свай. Миллион! Врут, наверное.

«Здесь на каждом шагу проваливаешься в новое измерение, — думала она, разглядывая огромное небо над собором. — Сейчас я лилипут в стране гулливеров. Куда попаду в следующий раз?»

На нее вновь нахлынула детская беззаботность. Хотелось прыгать, пройтись колесом по площади, станцевать на ступеньках. Мертвый город? Чушь! В нем больше жизни, чем в любом другом! Того, кто способен почувствовать это, Венеция посадит себе на колени, как ребенка, напоит крепчайшим кофе и покажет тысячу картинок в волшебном фонаре — только успевай смотреть!

«Что ты подаришь мне завтра, город?»

Вика легко вскочила и изобразила несколько па. Люди одобрительно захлопали, глядя на танцующую женщину в развевающейся рыжей юбке, и она смущенно рассмеялась.

Но если бы Вике открылась хотя бы десятая часть того, что ее ждет, она не смогла бы даже подняться со ступенек базилики Санта Мария делла Салюте.

3

Номер в отеле встретил ее чужим запахом.

В первую секунду Вика не поверила самой себе. Но обоняние у нее было прекрасное. Входя в переполненный вагон метро или здороваясь с коллегой, переборщившим с парфюмом, она не раз сожалела о том, что Создатель наградил ее чутким носом.

Сейчас в номере выразительно воняло мужским дезодорантом, смешанным с потом.

Здесь был чужак!

Первым побуждением Вики было выбежать из номера. И захлопнуть дверь, чтобы мерзкая вонь не просочилась следом. Она успела обжить эту комнату, превратить ее в пусть временный, но дом, и теперь чувствовала себя, как хозяйка уютной норы, которую обгадил скунс.

Но Вика стиснула зубы и подошла к окну. Нет уж, так легко ее не вытуришь! Стараясь не вдыхать глубоко, она распахнула створки, и ветер щедро плеснул ей в лицо пригоршню свежего воздуха.

Продышавшись и проветрив комнату, она огляделась.

Чужак не просто заходил сюда.

Он рылся в ее вещах.

Чемодан был сдвинут с места, из-под крышки розовым языком вываливалась ее ночная майка. Вика совершенно точно помнила, что сворачивала ее и укладывала на дно.

Дверца шкафа, куда она сложила нижнее белье, оказалась приоткрыта. С отвращением заглянув внутрь, она обнаружила, что в нижнем белье основательно покопались.

— Ах ты мстительный поганец!

Вика заглянула в ванную. Ее зубная щетка, прежде стоявшая на своем посту в стеклянном стакане, теперь лежала на раковине. Вика выкинула ее в ведро, не раздумывая.

Косметика, кремы, расчески... Все было переложено, захватано чужими руками. Везде остался невидимый след скунса, испакостившего ее жилище.

«Сейф!»

Вика кинулась к шкафу в прихожей.

Из сейфа ничего не пропало. Украшения, лежавшие в косметичке, тоже остались нетронутыми. Она проверила, не позаимствовал ли гость что-нибудь из чемодана, и в задумчивости села на кровать.

Итак, вещи остались на месте. Скунсу не нужна была здесь полиция. И скандала с обвинением в воровстве он не хотел.

Ухмыляющееся лицо чернобородого встало у Вики перед глазами. Ее передернуло. Бр-р! Как он мог казаться ей обаятельным! Злопамятный гнусный тип.

Тщание, с которым визитер «пометил» все ее вещи, наводило на мысли. Даже очень рассеянный человек не смог бы пройти мимо этого послания.

«Он предупреждает меня. Дает понять, что спокойной жизни в его отеле можно не ждать».

Маленькая ноющая женщина внутри нее на секунду подняла голову и скривилась: «Что же я буду де-е-е-е-лать? Надо пожаловаться!»

Глупости, одернула ее Вика. Кому жаловаться? Хозяину отеля? Он-то все это и придумал.

Ноющая женщина обиженно захныкала. «Пусть кто-нибудь придет и поможет! Я сама не смогу. Я не уме-е-е-е-ею!»

«Я и правда не умею, — мелькнула у Вики предательская мысль. — Не знаю, что мне делать. Жаловаться в полицию? Смешно! А ведь он наверняка придумает новую гадость».

Створка окна стукнула от влетевшего в комнату ветра. Сквозняк взъерошил ей волосы, и Вика ощутила прикосновение на своем плече, как будто кто-то ободряюще похлопал ее теплой ладонью. Правда, вместе с запахом моря ветер принес легкую вонь из мусорных баков, но после чужого дезодоранта Вику она не испугала.

«Я тоже что-нибудь придумаю! — вдруг расхрабрилась она. — Для начала узнаю, где есть свободные номера».

Однако спустя час ее решимость поутихла. Вика обзвонила два десятка отелей и выяснила, что все они забронированы на месяц вперед.

Что же делать, что же делать...

Стены комнаты теперь давили на нее. И этот запах, въевшийся в портьеры!

Вика поспешно собрала сумку и вышла из номера. Она сама не знала, куда идет, лишь бы подальше от оскверненной комнаты. Ей казалось, будто кто-то провожает ее внимательным взглядом, и от этого по спине ползли противные мурашки.

Но, оказавшись на улице, Вика сразу успокоилась. «Я что-нибудь придумаю», — повторила она. Мерзкий голосок выжидательно молчал. Вика знала, чего он ждет: чтобы ей не удалось найти никакого выхода, кроме как вернуться в отель. Тогда это ноющее существо злорадно запищит: «Я же говори-и-и-ила!»

Завернув за угол, Вика оказалась перед знакомой кофейней. На спинках стульев дрожали солнечные пятна, алели петунии в подвесных горшках, и по всей улице разносился аромат кофе и теплых булочек.

Вот оно, поняла Вика. То, что мне сейчас надо.

Она села в тихом углу, подальше от остальных посетителей. Хозяин, узнав ее, приветственно помахал рукой.

— Бонджорно, синьора! Эспрессо? Капучино?

Вскоре перед Викой стояла чашечка с благоуханным напитком. Хозяин принес тарелочку с пирожным, которого она не заказывала, и улыбнулся:

— Комплимент!

Вика, отпивая дымящийся кофе, разглядывала фотографии на стенах. Один снимок притягивал взгляд. Лысый немолодой мужик ухмылялся прямо в объектив, и прищуренные голубые глаза у него были до того ярки, что она заподозрила фотошоп.

— Мой друг, — сказали за ее спиной.

Вика обернулась. Хозяин, склонив голову, смотрел на снимок.

— Старинный друг! Очень-очень много лет его не видел. Моряк!

— Вы тоже были моряком?

— О-о, нет-нет, — он рассмеялся и указал на ногу. — Вот что помешало. Еще пирожное?

— Спасибо. Очень вкусно.

Он принес тирамису и, ставя на стол, шутя заметил:

— Вам нужно есть больше сладостей.

— Почему?

— Когда чем-то огорчен, сладкое помогает. А вы, мне кажется, немножечко огорчены.

Вика вскинула на него беспомощный взгляд. Улыбка исчезла с лица хозяина.

— О-то-то! — озабоченно проговорил он. — Простите, синьора, я не хотел вас обидеть. У вас что-то случилось?

В голосе его звучало искреннее участие, и Вика с каким-то облегчением призналась:

— У меня проблема. Я не знаю, куда переехать из моей гостиницы.

Хозяин придвинул стул и выслушал ее рассказ, хмурясь и покачивая головой.

— Может, вы знаете какой-нибудь маленький отель неподалеку? — со слабой надеждой закончила она. — Я не рисую на обоях и не курю.

Он покачал головой.

— Сейчас высокий сезон, синьора. С отелем я вам ничем помочь не могу. — И, глядя на ее погрустневшее лицо, добавил с улыбкой: — Но, может быть, вам подойдет квартира?

Вика в изумлении уставилась на него. Она, должно быть, не расслышала...

— Я сдаю квартиру неподалеку отсюда, — объяснил хозяин, верно поняв ее замешательство. — Прекрасную квартиру, поверьте мне! — он клятвенно приложил растопыренную пятерню к груди. — Не слишком большую, но чистую и уютную. Вчера жилец неожиданно съехал, и я остался без квартиранта. Вас мне послало само Провидение!

И он несколько театрально указал на небеса.

— И сколько же стоит ваша маленькая квартира? — осторожно спросила Вика.

Он назвал цену. Она оказалась намного ниже, чем в ее отеле.

— Вы можете приходить сюда на завтраки или готовить дома. Там есть кухня.

— А можно ее посмотреть? — Вика по-прежнему ожидала какого-нибудь подвоха. Правда, хозяин вызывал доверие, но ведь мошенники и должны его вызывать.

Старик погрузил руку по локоть в глубокий карман брюк, порылся и извлек на свет связку ключей.

— Этот от нижней двери, эти два от верхней. Я сейчас нарисую, как идти...

Расстелив на столе салфетку, он быстро набросал схему. Вика недоверчиво следила за ним.

— Подождите, — не выдержала она. — Вы хотите, чтобы я отправилась туда одна?

— Вы найдете. Идти недалеко.

— Дело не в этом... — Она запнулась, подбирая слова. — Вы меня совсем не знаете. И хотите дать мне ключи?

Он расхохотался:

— Не украдете же вы мою квартиру!

— А вдруг я сбегу с ключами?

— У меня есть запасные. — Он улыбнулся ее замешательству. — Да, и позвольте представиться: Доменико Раньери.

4

Три часа спустя, не веря своему счастью, Вика поднималась по узкой темной лестнице, покрытой ковром (подумать только — ковром!), на четвертый этаж. За ней следовали два дюжих юноши, тащившие чемодан и сумку. Это были сыновья синьора Раньери. Как ни уверяла Вика, что сама прекрасно справится с вещами, старик был непреклонен: дама не должна нести тяжести, для этого у него есть два мальчика, им будет только приятно помочь.

Мальчики оказались крепкими парнями, молчаливыми и угрюмыми. У Вики мелькнула мысль, что выглядят они как молодые бандиты, специализирующиеся на отъеме денег у недалеких туристок.

Когда добрались до четвертого этажа, один из «мальчиков» распахнул перед запыхавшейся Викой дверь.

— Бенвенута!

Цветы на подоконнике, полосатый диван, на столе газета... В кухне приветственно затрясся холодильник. За распахнутыми створками — руку протяни и, кажется, дотянешься — каменная стена соседнего дома.

Она высунулась из окна. Ого, внизу канал! Возле узенькой пристани торчали три гондольера: один курил, двое других болтали, развалившись в креслах. Вика решила, что у них здесь что-то вроде парковки.

У порога деликатно откашлялись. Синьор Раньери со своей неизменной палкой!

— Пьетро, Даниэле, попрощайтесь с нашей гостьей.

Буркнув поочередно «аддио», сыновья Доменико исчезли.

— Располагайтесь, синьора. Вечером лучше закрывать окно, с канала дует сильный ветер. Внизу всегда собираются лодочники, если они будут вам мешать своими воплями — только скажите. Я живу на третьем этаже, дверь напротив.

Доменико стоял, скособочившись, перенеся вес тела на здоровую ногу. Вика поспешно предложила ему присесть, но тот с улыбкой отказался.

— В кафе много дел. Если завтра решите пойти на выставку, советую встать пораньше. К обеду там будет толпа.

— На выставку?

— Перстень Паскуале Чиконья. Разве вы не слыхали? Сегодня был первый день, но слишком много народу, слишком! Если вы читаете по-итальянски, можете посмотреть здесь, — старик кивнул на газету, лежащую на столе. — Я сам собираюсь пойти ближе к обеду. Всего хорошего!

— Постойте, синьор Раньери! А кто был этот... Паскуале?

Хозяин кофейни усмехнулся:

— Субдоля! Гранде субдоля!

Едва дверь за ним закрылась, Вика полезла в словарь. Она совершенно не помнила, кто такой «субдоля».

Оказалось — хитрец. Великий хитрец, значит, был товарищ Паскуале.

Разбирать вещи, наспех побросанные в чемодан, не хотелось. Идти на прогулку тоже. Взяв газету, Вика на второй странице обнаружила большую статью: «Возвращение реликвии». Она придвинула к себе словарь и уселась поудобнее.

Выяснилось, что Паскуале Чиконья был дожем Венеции в конце шестнадцатого века, а стал он им, когда ему было семьдесят шесть. Несмотря на почтенный возраст, Паскуале был ясен умом и тверд в решениях. В Венеции существовала традиция: когда новый дож заступал на пост, он разбрасывал в толпу золотые монеты. Чиконья заявил, что это слишком расточительно для казны и заменил дукаты серебром.

Экономный Паскуале правил семь лет. Это при нем знаменитый мост Риальто, бывший тогда деревянным, перестроили в каменный. По слухам, дож потратил часть собственных денег на строительство, за что и был особо любим венецианцами.

Заинтересовавшись, Вика полезла в Интернет. Синьор Чиконья оказался яркой и самобытной фигурой. Покровительствовал ученым и людям искусства, успешно интриговал и при этом неуклонно пополнял казну Венеции.

Но больше всего Вике пришлась по душе идея Паскуале с перстнем.

С двенадцатого века, читала она, в Венеции существует традиция обручения города с морем. Весной, в день Вознесения, дож появлялся на пристани в великолепной пурпурной мантии и спускался в огромную позолоченную галеру, Бучинторо. Под колокольный звон и крики толпы галера отплывала в окружении гондол и барок, украшенных со всевозможной роскошью.

Город, судьба которого зависела от моря, представал перед ним в своем самом нарядном обличье.

У входа в канал Порто сан-Николо ди Лидо галера останавливалась. Патриарх кропил поверхность моря святой водой, а затем наступала очередь дожа. «Мы обручаемся с тобой, о море, чтобы вечно владеть тобой!» — объявлял он и бросал в лагуну золотое кольцо.

Этот ритуал был освящен столетиями и никогда не прерывался.

Пока дожем не стал Паскуале Чиконья.

Собственно говоря, хитрый старик формально не нарушил традицию. Как и его предшественники, он спустился в галеру, доплыл до канала и, сняв с пальца великолепный перстень с яблочно-зеленым халцедоном, бросил его в воду.

История умалчивала о том, сам ли дож догадался привязать нить к перстню или ему подсказали. Вика, кратко ознакомившись с биографией любимца венецианцев, решила, что это, без сомнения, была затея самого Паскуале. «Великий хитрец» не считал нужным разбрасываться ценными кольцами.

В эту затею было посвящено лишь несколько приближенных к дожу людей. Проведя церемонию, Паскуале дал знак, и огромная гондола двинулась к берегу, а за ней и вся свита. Никто не обратил внимания на то, что на месте церемонии осталась маленькая лодчонка. В ней сидел доверенный человек, которому Паскуале незаметно передал кончик нити.

Благодаря этому человеку, скромному аббату Педро Россини, оставившему зашифрованные воспоминания, потомкам и стала известна загадочная история. Потому что когда Россини вытащил мокрую нить, на конце ее болталась ракушка.

Перстень пропал бесследно.

Старый дож пришел в ярость. Его перехитрили! Лишь три человека знали о том, что он собирается поднять перстень из водных глубин. В то, что морской царь решил показать ему, кто в действительности владеет и будет владеть всеми богатствами Венеции, трезвомыслящий Паскуале не верил.

Дож предпринял расследование, но ничего не добился. Один из троих посвященных был слуга, неотлучно находившийся при нем последние двадцать лет, второй — аббат, третий — его собственный брат, один из самых состоятельных людей города. Кто из них вор?

«Аббат!» — хором сказали исследователи много лет спустя.

Слуга долгие годы доказывал свою верность и неподкупность. Брат дожа был богат — к чему ему перстень? И только скромный Педро Россини, помогавший Паскуале приводить в порядок его библиотеку, был не так прост, как хотел казаться.

Об этом стало известно, когда при раскопках архивов старого монастыря обнаружились его мемуары. Их нашли и расшифровали во второй половине двадцатого века. Из воспоминаний аббата следовало, что он был соглядатаем при доже, ставленником венецианской знати, озабоченной ростом популярности старого лиса среди народа. Столько лет власть дожей ограничивали, отбирали одно право за другим, опасаясь узурпации власти, — и вдруг должность занимает Паскуале, всеобщий любимец! Толпа при каждом появлении старика взрывалась приветственными криками.

Чиконья не догадывался, что скромный аббат шпионит за ним. Как трудолюбивая пчела, несущая в улей пыльцу, аббат доносил каждое слово старика до его врагов.

Но истории с перстнем Чиконья не простил. Он рассудил, что никто другой не мог украсть кольцо. Никаких доказательств у дожа не было, и аббата просто изгнали из дворца.

Остаток жизни он провел в бедности, живя при монастыре — том самом, где позже найдут его мемуары. Весь смысл существования Россини свелся к тому, чтобы записать свои воспоминания. Аббат потратил на это шесть лет. Закончив же, умер практически в нищете.

Если перстень был у него, отчего Россини его не продал?

Отчего до конца жизни доказывал свою невиновность?

Во всем случившемся имелось еще кое-что необъяснимое.

Паскуале Чиконья бросил перстень в воду на глазах сотен человек. Кольцо видели все. Оно упало в море, в этом не было никаких сомнений.

Когда же его подменили? И кто?

«Похоже, все-таки аббат, — решила Вика, дочитав до этого места. — Только у него была возможность привязать ракушку к нити, пока он находился в лодке».

Она отложила словарь и стала разбираться дальше.

После расшифровки архивов десятки людей, увлеченных загадкой, бросились искать перстень. Предполагали, что, если вор перепродал украшение, оно неминуемо должно было появиться вновь. Искали по картинам, по описаниям драгоценностей. «Яблочно-зеленый халцедон овальной формы в окружении крупных розовых жемчужин, числом восемь, — гласило описание. — На внутренней стороне клеймо мастера в виде крылатого льва». Энтузиасты перерыли все парадные портреты той эпохи, рассматривая украшения на пальцах дам и мужчин. Перстень стоил целое состояние!

Но и тут всех ждало разочарование. Очевидно, вор решил не рисковать и продал отдельно халцедон, отдельно жемчужины.

Расследование постепенно затихло. Все признали, что восстановить правду за давностью лет немыслимо, и шумиха, поднявшаяся после расшифровки записей Россини, мало-помалу сошла на нет.

А через двадцать восемь лет после обнаружения мемуаров аббата грянул гром среди ясного неба.

Перстень нашелся.

Помогла в этом, как ни странно, старинная лодка.

Парадная галера дожа, Бучинторо, хранилась в музее истории военно-морского флота в Венеции. Вернее, не сама галера, а ее копия. «Золотых кораблей» существовало несколько, и последний был разобран в тысяча восемьсот двадцать четвертом году.

Однако копия была собрана в том числе из тех деталей, которые по чистой случайности уцелели после разрушения последнего экземпляра. По словам сотрудников музея, выставочный образец на двадцать процентов состоял из «настоящего» Бучинторо.

Ночью две тысячи двенадцатого года сторож музея услышал в одном из залов какой-то треск. Он бросился туда, но вместо грабителей увидел, к своему изумлению, как праздничное судно рассыпается на его глазах. Отвалились весла, рухнула и сломалась мачта, с жутким треском обрушился крылатый золотой лев, украшавший нос галеры. Позже выяснилось, что жучки-древоточцы буквально выели несчастный корабль изнутри. Осталась одна оболочка, хрупкая, как скорлупа, которая и развалилась на глазах обомлевшего сторожа.

Старик успел отскочить, когда доска с барельефом — та самая, оставшаяся от настоящего корабля, — упала ему под ноги. Дерево разлетелось, и сторож, на минуту переставший отличать реальность от иллюзии, увидел в выемке тусклый металл, в котором зеленел яркий, как мох, камень.

Это и был перстень Паскуале Чиконья.

После дружного ликования настало время для новых вопросов. Каким образом перстень оказался спрятан в галере, если это было *не то же самое* судно, на котором плавал Чиконья? Ответ на эту загадку был вскоре найден. Когда ученые исследовали доску с тайником, выяснилось, что ей значительно больше лет, чем предполагалось. Очевидно, она перекочевала с борта лодки старого дожа на свою преемницу. Таким образом, барельеф добрался до нашего времени целым и более-менее невредимым.

Но кто спрятал кольцо в галере? Ответ на этот вопрос не был известен никому.

Как только подлинность перстня была подтверждена, народ пожелал увидеть сокровище, вокруг которого ходило столько легенд. Для выставки была выбрана церковь Святого Гаэтано. Но за два дня до предполагаемого события с ее сводов вдруг посыпалась штукатурка. В срочном порядке демонстрацию украшения перенесли в выставочный центр.

Вика сверилась с картой: до центра оказалось недалеко, во всяком случае, на первый взгляд. Она уже успела почувствовать, что этот город ненавидит карты и при каждом удобном случае водит путника кругами.

«Ничего, доберусь!»

Глава 4

1

Если бы не помощь древней старушки, сжалившейся над бестолковой туристкой, Вика ни за что не попала бы на выставку. Она заплутала в одинаковых улочках, причем карта уверяла, что за углом вот-вот покажется нужный дом. Но тот как сквозь брусчатку провалился. В конце концов, узрев крохотную старушку с черной собачонкой на поводке и признав в ней местную, Вика бросилась к ней.

Старушка, лукаво усмехнувшись, взяла ее за руку, свернула в какую-то подворотню (Вика могла бы поклясться, что пять минут назад на этом месте была стена!), и через двадцать шагов они вынырнули напротив желтого здания без окон.

— Тысяча благодарностей, синьора!

Собачка тявкнула, старушка подмигнула, и обе растворились в кривых закоулках.

Вика выстояла небольшую очередь в кассу и мысленно сказала спасибо синьору Раньери: людей в этот утренний час и впрямь было немного. Десять минут спустя она уже входила в небольшой зал со сводчатым потолком. Справа экскурсовод вела за собой стайку туристов, монотонно бормоча на немецком. Слева семейная пара, недовольная тем, что их заставили сдать рюкзаки в камеру хранения, шепотом ругалась по-английски.

Вика поскорее миновала их и замедлила шаг.

В центре зала на высоком постаменте стоял ярко освещенный стеклянный куб. По обеим сторонам от него высились два охранника. Взгляд одного из них цепко скользнул по Викиному лицу. Ощущение было неприятное. Словно муха проползла по коже и улетела, а легкий зуд от ее лапок остался.

«Ему по должности положено», — успокоила себя Вика. Охранник напомнил ей кого-то, но приглядываться она постеснялась.

К тому же здесь имелось кое-что намного более интересное!

Перстень Паскуале Чиконья.

Придвинувшись вплотную к кубу, Вика уставилась на него во все глаза.

Фотографии не передавали его размера. Больше всего перстень оказался похож на небольшое зеркало, поднесенное к водам венецианского канала. Зелень халцедона была глубока и таинственна, а крупные розовые жемчужины, обрамлявшие камень, словно придавали ему свечения.

На месте дожа Вика тоже не спешила бы расстаться с таким украшением.

Семейная пара, скандалившая из-за рюкзаков, оттеснила Вику в сторону. Женщина застыла перед витриной, восхищенно бормоча ругательства себе под нос. Мужчина крутился вокруг и пытался сфотографировать перстень на камеру телефона.

— Ноу фото, — предупредил охранник.

Недовольно ворча, турист отступил.

Вика не стала толкаться. Отойдя, она остановилась возле пояснительной таблички. Новых сведений из истории перстня почерпнуть не удалось, но зато ей впервые попалась на глаза информация о его стоимости.

На английском, итальянском и немецком языках табличка извещала, что примерная оценка экспертов — полтора миллиона евро.

Полтора миллиона евро! Вика попыталась перевести эту сумму сначала в рубли, а потом в квартиры. Лютое количество нулей ошеломило ее. Выходило, что, будь Вика обладательницей перстня, она могла бы купить весь Московский Кремль и еще чуть-чуть осталось бы на кусок Тверской.

Вика хмыкнула и пересчитала еще раз.

Теперь получилось, что в перстне укладываются четыре их квартиры.

«Вот это ближе к реальности. А то — Кремль, Кремль... Размахнулась».

Вика взглянула на перстень с некоторым даже пренебрежением. Четыре средненьких квартирки в довольно паршивом районе! Подумаешь!

«Восемьдесят лет ипотеки в общей сложности», — бесстрастно сообщил внутренний голос.

Вика сглотнула.

«А если только с твоей зарплаты, то сто шестьдесят», — добил голос.

Вика помрачнела. «Стыдно! Стыдно думать о таких приземленных вещах, когда рядом многовековая реликвия».

Она снова попыталась подойти к стеклу, но теперь куб прочно был окружен немцами во главе с экскурсоводом. Они ахали, качали головами и цокали языками.

Один, пожилой и толстый, крутил головой по сторонам и на что-то указывал своей спутнице.

Вика проследила взглядом за его рукой. Камеры! Змеиные их головки торчали из всех углов.

Она еще немного побродила по залу, ожидая, пока рассосется толпа. Мысли об ипотеке отчего-то испортили ей настроение.

Наконец возле куба образовался небольшой просвет. Вика торопливо протиснулась и стала глядеть изо всех сил, стараясь напоследок сохранить в памяти перстень дожа. Они ей нравились — и перстень, и дож. И еще, как ни неловко было в этом признаваться, ей нравился плут, который стащил кольцо. Перехитрить самого «гранде субдоля» — в этом был размах!

«Жаль, что мы никогда не узнаем, как он это проделал».

Сейчас, когда она стояла, плотно стиснутая людьми, перстень отчего-то потерял часть волшебства. Халцедон больше не завораживал игрой глубины. Жемчужины выглядели как розовые бусины из детской заколки. Вика вздохнула, отодвинулась от англичанки, толкавшей ее сумку, и выбралась из скопища зевак.

Она пересекла зал, миновала, зачем-то подняв руки, металлическую рамку, дошла до выхода. Ее беспечному туристическому существованию было отведено не больше минуты, но Вика об этом не знала. Голова была занята мыслями, в которых фигурировали обед на набережной, великолепный Тинторетто в одной церквушке неподалеку, чашечка кофе возле Риальто, а также лавочка с украшениями в переулке за часами (и не забыть забежать в аптеку за пластырем: похоже, она натерла пятку!).

Стеклянные двери разъехались перед ней, сверкнув на солнце и на миг ослепив. А в следующую секунду сумку дернули из Викиных рук.

Рывок был сильный. Но Вика выросла не в расслабленной Европе, а в России, где навык удержания родной сумки является одним из базовых для каждой женщины, хотя бы раз в неделю покидающей стены дома.

Вика пять лет подряд ездила по Сокольнической ветке, дважды в день совершая переход с «Библиотеки имени Ленина» на «Боровицкую» и обратно. Она не выпустила бы сумку из рук, даже если б на другом конце болталась собака Баскервилей.

А до страшного чудовища грабителю было далеко. Мелкий тщедушный шкет, злобно оскалившись, тянул на себя Викин баул. В трех шагах от выставочного центра, среди шумной толпы, не боясь ни туристов, ни полицейских.

Если Вика и опешила в первую секунду, то во вторую злость вытеснила в ней растерянность.

А в третью в дело вступили навыки выживания, приобретенные в российском мегаполисе.

Она подалась навстречу грабителю, а когда тот потерял равновесие, от души лягнула поганца. Удар пришелся в голень. Грабитель взвыл, и тогда Вика изо всех сил дернула сумку на себя.

Парень выпустил несостоявшийся трофей и чуть не повалился на спину. Извернувшись, как кошка, он едва коснулся брусчатки ладонью, вскочил и бросился бежать, заметно прихрамывая на правую ногу.

Вика проводила его воинственным взглядом. В ней даже зародилась мысль, не броситься ли следом. «А что? Догнать, избить сумкой...»

«Отобрать деньги, часы и проездной на вапоретто», — закончил внутренний голос, возвращая трезвый взгляд на вещи.

Вика усмехнулась. Хороша она была бы, рванув за местным воришкой в лабиринт венецианских улиц.

Она отошла в сторону, переводя дух. Кажется, никто вокруг даже не обратил внимания на эту молниеносную стычку. Так, теперь проверить, все ли на месте...

Вжикнув молнией, Вика склонилась над богатым сумкиным содержимым. Паспорт, расческа, кошелек, билет на выставку (надо бы выкинуть!), русско-итальянский словарь, телефон, блеск для губ...

И перстень дожа Паскуале Чиконья.

Несколько секунд Вика оторопело смотрела на него, а затем в глазах у нее внезапно потемнело. Она зажмурилась.

«Этого не может быть».

Но когда она разомкнула веки, перстень никуда не исчез. Он лежал на дне ее сумки между блеском и телефоном, огромный, зеленый, тускло сияющий золотым, и жемчужины больше не походили на бусины из детской заколки.

У Вики перехватило дыхание. Она очень медленно и осторожно просунула ладонь в сумку и пощупала перстень. У нее оставалась слабая надежда, что пальцы пройдут сквозь хризолит, что это всего лишь иллюзия, солнечный удар, наваждение...

Перстень был тверд и холоден, как речной камень.

Он был настоящий.

Все мысли и чувства Вики куда-то испарились, вытесненные столкновением двух взаимоисключающих фактов. Перстень не мог оказаться в ее сумке. Перстень был в ней.

2

И тут завыла сирена.

Пронзительный звук воткнулся в беззаботную туристическую разноголосицу, точно сверло. Виу, виу! —

надрывалась сирена. Кое-кто на площади в ужасе поднял голову к небу, словно ожидая атаки бомбардировщиков.

Толпе, еще миг назад неторопливой и расслабленной, будто сделали инъекцию страха. Люди побежали во все стороны сразу, сталкиваясь, как молекулы в броуновском движении. Больше всего это походило на ускоренную перемотку.

Хлопнула дверь, раздался топот, крики, заплакал ребенок, и вдруг совсем рядом оглушительно залаяла собака.

Оцепеневшую Вику этот лай привел в себя.

Площадь, люди, крики, сирена — все обрушилось на нее с разных сторон. Ступор сменился отчаянным страхом. Ее схватят, и она никогда не докажет, что не имеет отношения к краже.

«Полтора миллиона евро! Я буду сидеть в тюрьме до конца своих дней!»

На дальнем конце площади замелькала синяя форма. Карабинеры! Двое! Еще двое выскочили из дверей, рядом с которыми стояла Вика, их крики вплелись в какофонию улицы.

Панический страх ошпарил ее. Страх заставил сорваться с места, сжимая в руке сумку. Страх гнал ее прочь от места преступления, заглушал голос здравого смысла. «Беги, беги! прячься от них! затаись! они тебе не поверят! ты должна спрятаться! только это тебя спасет!»

Вика мчалась со всех ног. Пробегая по мосту над каналом, она на несколько секунд задержалась. Сумка с перстнем жгла ладони. Сбросить ее? Но владелицу отыщут по содержимому! «Паспорт! Господи, зачем я потащила с собой паспорт?!»

Замерев на мосту, она в полной мере ощутила себя преступницей. «Избавься от перстня! — надрывался внутренний голос. — Брось его в воду, скорее!»

Но сзади оглушительно засвистели, и Вика снова бросилась бежать.

Не соображая, что делает, она влетела в какой-то магазинчик и чуть не закричала от ужаса. Со всех стен на нее таращились слепыми прорезями разноцветные лица. Она не сразу поняла, что это венецианские маски. Изумленный продавец, собственное бледное отражение в зеркале, пышные фиолетовые перья — все это бросилось ей в глаза прежде, чем она успела выскочить обратно. Но в голове застрял единственный образ: черная жуткая маска средневекового лекаря с длинным клювом.

Она металась среди улиц, как крыса в лабиринте. «Выкинуть, выкинуть улику!» — билось в голове. На кольце останутся ее отпечатки. «Платок! Стереть следы!»

Но стоило Вике остановиться, как из-за угла донесся громкий топот. Вздрогнув, она метнулась в сторону, ударилась плечом об угол дома и чуть не выронила сумку.

Топот приближался. Теперь не оставалось сомнений, что карабинеры совсем рядом.

Переулок был совершенно безлюден. Вика затравленно огляделась, пытаясь найти хотя бы подобие укрытия. Пусть зазор между домами, пусть мусорный бак! Она втиснется в щель, как ящерица, закопается в объедках, как крыса! Все, что угодно, лишь бы спастись!

Но дома мрачно смыкали ряды, и даже ставни были наглухо закрыты.

Шаги прозвучали близко, словно невидимые карабинеры уже вынырнули из-за угла. Вика, дрожа, вжалась в стену — и вдруг напротив себя увидела приоткрытую дверь. Выкрашенная в один цвет со стеной, затененная высоким соседним домом, она до последнего не бросалась в глаза.

Врата рая не показались бы такими заманчивыми грешнику, отбывшему в аду пару-тройку веков. В следующий миг Вика уже тянула на себя железное кольцо.

Изнутри дохнуло холодом и тишиной. Скользнув в помещение, она с бьющимся сердцем закрыла дверь, молясь, чтобы полицейские ничего не заметили.

Скрип, негромкое бряцанье засова — и беглянка оказалась отсечена от мира.

Обернувшись, Вика поняла, что в каком-то смысле так оно и есть. Потому что ее временный приют был не чем иным, как церковью.

На первый взгляд помещение выглядело совершенно безлюдным. Вика с содроганием ждала, не появится ли священник, но безмолвия не нарушало ничего, кроме ее собственного учащенного дыхания. Сквозь узкие витражи падал солнечный свет, расплываясь на каменном полу золотыми и розовыми кляксами. Картина на стене изображала вознесение Марии.

Вика перевела дух и, беззвучно ступая, двинулась к длинным пустым рядам сидений.

Она не села, а упала на жесткую скамейку и сразу же заглянула в сумку. В полумраке перстня не было видно, и надежда всколыхнулась в Вике с отчаянной силой. Неужели это была игра воображения? Может быть, она простудилась, и под воздействием высокой температуры пригрезилось бог знает...

Пальцы наткнулись на твердый холодный предмет. Вика чуть не взвыла от разочарования. Никаких болезней и галлюцинаций. Перстень дожа по-прежнему лежал в сумке, зеленый, как яблоко, сорванное Евой.

«О том, как он попал ко мне, я подумаю потом. А сейчас нужно от него избавиться!»

Вика осторожно вытащила украшение. Да, это перстень дожа, без всяких сомнений — вон и клеймо на внутренней стороне: фигурка крылатого льва и рядом какие-то плохо читаемые значки. Господи, как дрожат руки! Она торопливо принялась обтирать перстень со всех сторон подолом юбки и чуть не выронила его, когда ей почудилось, что дверь скрипнула.

Покончив с уничтожением отпечатков, Вика достала из кармана носовой платок, завернула в него перстень и встала, оглядываясь. Узелок так тянул руку, словно там было не кольцо, а по меньшей мере кирпич.

С распятий на каменных стенах укоризненно смотрел Христос. Даже у Девы Марии на картине было такое выражение лица, словно Вика стащила у нее фамильную ценность.

Женщина медленно двинулась вдоль стены, ища взглядом подходящий тайник. Картина, распятие, еще одно распятие... Стоп!

Она замерла перед огромным, от пола до потолка мраморным барельефом. Это было «Положение во гроб», копирующее картину Караваджо. Однако неизвестный скульптор добавил кое-что от себя. В правом нижнем углу барельефа возлежал вылепленный в мельчайших деталях венецианский крылатый лев и смотрел на скорбящих с тем интересом, который кошки проявляют ко всякого рода суете. Мощной лапой лев прижимал опрокинутую чашу.

Без сомнения, чаша что-то символизировала. Но для Вики было куда важнее, что скульптор, верный натуре, изваял в ней настоящее углубление.

Заметила она это случайно, когда свет из окна на минуту сделал тени четче. Волнуясь, женщина подошла вплотную и ощупала деталь барельефа. В чаше легко помещался ее кулак. Не раздумывая, Вика протолкнула внутрь свой платок с завернутым в него перстнем и быстро отошла назад. Если бы кто-нибудь и появился в церкви, то увидел бы обычную туристку, любующуюся достопримечательностями.

Венецианский лев теперь косился хитро, словно намекая на общую тайну. Походив мимо барельефа влево-вправо, Вика убедилась, что нет такой точки, с которой содержимое чаши бросалось бы в глаза. Взгляд ее упал на стопку брошюр, забытых на скамейке. «Церковь Святого Пантелеймона», — прочитала Вика заголовок.

«Святой Пантелеймон, пусть помощник священника окажется нерадивым! — взмолилась она. — Не дай ему часто протирать пыль! Да хранит большой лев своего маленького крылатого собрата».

Из бокового нефа донеслись приглушенные голоса. Не дожидаясь свидетелей, Вика схватила сумку и быстро пошла к выходу. Напоследок она не удержалась и обернулась.

Удивительные все-таки вещи творил свет с пространством барельефа. Теперь ей почудилось, что крылатый лев прижимает чашу не к земле, а к себе, словно заявляя: «Мое!»

И при этом на морде его определенно играла насмешливая ухмылка.

3

До дома синьора Раньери Вика добралась с поразившей ее саму легкостью, словно ее вело какое-то чутье. Не доходя одного квартала, она заметила в тупике маленький магазин с одеждой. Даже на манекенах, стоявших в призывных позах у входа, вещи выглядели весьма затрапезно. Должно быть, поэтому покупателей внутри и не наблюдалось. Сонная толстая продавщица ютилась на табуретке, глазея в орущий телевизор.

Поколебавшись, Вика зашла, стараясь не привлекать к себе внимания.

Продавщица даже не повернула головы.

Вика схватила с вешалки первую попавшуюся кофту и нырнула в примерочную. Собственное отражение заставило ее вздрогнуть. Из зеркала на нее смотрела всклокоченная женщина с безумным взором. Лохматый подол юбки (когда она успела порвать ее?), рубашка в пятнах пота, рукав перепачкан (где? как?). На лбу у женщины не хватало лишь надписи: «Я украла перстень Паскуале Чиконья».

Когда Вика входила в магазин, она хотела лишь здраво оценить свой внешний вид. Но теперь ее планы поменялись. Так ходить по городу нельзя. Удивительно, что ее до сих пор не задержали!

Десять минут спустя она покинула магазин, оставив сонной продавщице почти всю наличность. На ней болтались льняные брюки и длинная рубашка фасона «хламида». Взлохмаченные волосы были спрятаны под кепку, а рыжая юбка и зеленая блузка безжалостно утрамбованы в сумку. Заодно выяснилось, что любимые Викины стеклянные бусы, похожие на елочное украшение, пропали бесследно.

Пытаясь вспомнить, где она могла потерять их, Вика дошла до дома. Встречные не обращали на нее никакого внимания, из чего она сделала вывод, что маскировка оказалась неплохой.

Теперь подняться в квартиру, собрать вещи — и скорее в аэропорт! Она улетит первым же рейсом!

Но на мосту через канал Вика замедлила шаг.

Она сама не понимала, что смущает ее. Никакими карабинерами и не пахло. Из булочной выходила женщина, прижимая к груди длинный, как весло, багет. Прохожие шли по своим делам. Над каналом, перекинутые через веревку, развевались две простыни в голубой цветочек, и этот уголок Венеции казался тихим и безмятежным.

Но Вика отчего-то продолжала стоять на мосту.

Тихим и безмятежным... Тихим и безмятежным..

Вот оно!

Он был *слишком* тихим и безмятежным!

«Внизу всегда собираются лодочники», — сказал Доменико Раньери. Но сейчас канал был совершенно пуст. Никого: ни развеселых болтунов, ни курильщика в соломенной шляпе, ни пришвартованных у причала гондол.

Безусловно, этому имелось здравое объяснение. Очевидно, гондольерам подвернулись клиенты, и итальянцы не захотели упускать свою выгоду. Кто будет бить баклуши, когда косяком идет щедрый турист!

Но Вика отчего-то попятилась, сошла с моста и завернула за угол ближайшего дома. В тесном переулке остро пахну́ло кошками и мочой, под ногами зашуршали грязные обертки. Вика задержала дыхание. Она сама не знала, чего ждет. Но то же чутье, которое вывело ее через самые запутанные улочки к нужному дому, сейчас заставляло ее оставаться на месте.

Вика дождалась компании туристов, медленно бредущих по брусчатке и фотографирующих все подряд, и, когда они миновали ее, высунулась наружу, прикрытая их спинами.

И успела заметить в своем окне тень за шторами.

В квартире ее ждали.

Возможно, это был сам хозяин, решивший полить цветы в ее отсутствие или починить сломавшийся холодильник. Но Вика не собиралась этого выяснять. Она выскользнула из вонючего переулка и быстро пошла прочь, вжимая голову в плечи. Даже когда она свернула, ей долго еще казалось, будто чей-то взгляд буравит спину.

Вика удалялась все дальше и дальше, изредка оглядываясь, пока не убедилась, что за ней нет ни слежки, ни погони. Тогда она забрела в какую-то дешевую тратторию, спряталась в дальний угол и, в ответ на вопросительный взгляд официанта, ткнула в первый попавшийся пункт меню. Судя по тому, что принес официант, она заказала сушеные кроличьи уши. Есть это было невозможно, но у Вики и не было аппетита. Машинально прихлебывая кофе, она пыталась обдумать положение, в котором оказалась.

Перстень как-то оказался в ее сумке.

Теперь он спрятан в тайнике.

В квартире ее ждут.

У Вики не было никаких идей о том, кто это может быть, но в одном она была уверена наверняка: встречаться с этими людьми у нее нет ни малейшего желания.

Мысли ворочались в голове тяжело, как ложка в загустевшей каше. Вика взглянула на часы и изумилась, увидев, что они показывают половину первого. Ей казалось, она вошла в здание выставочного центра много часов назад! Черт бы побрал этот камень, и выставку, и Паскуале Чиконья, и того, кто стащил у него проклятый халцедон.

И конечно, того, кто втянул ее в происходящее!

Кто он? И как ему это удалось?

Вика пыталась заставить себя рассуждать логически, но с ней творилось что-то странное. То ли от пережитого испуга, то ли по какой-то другой причине, но она совершенно лишилась способности размышлять. Перед глазами мелькали сцены: она опускает в чашу перстень; мечется по лавке с масками; таится в загаженном кошками переулке. На нее снизошло тяжелое отупение.

Самое же плохое заключалось в том, что в ней снова прорезался внутренний голос.

Это был не тот скептик и ворчун, который помог ей прийти в себя после прилета. Ему Вика была бы только рада. Но с ней начала разговаривать та, кого она в себе терпеть не могла.

Маленькая женщина с личиком, готовым в любую секунду скривиться в плачущей гримасе. Плакса была беспомощна и робка. Она умела справляться лишь с повседневными заботами. А самое главное, она была убеждена, что больше ничего и не должна уметь. Для всего остального есть муж.

Это назойливое существо когда-то проросло в ней, как сорняк, и теперь цепко держалось за душу. Слабой и глупой оказалось быть удобно. Самое страшное заключалось в том, что она все упорнее вытесняла саму Вику. Точнее, ту женщину, которой Вика себя хотела видеть.

На некоторое время по этому сорняку прокатился красный велосипед с обложки голубого блокнота, и Плакса затихла. Но теперь снова подняла голову.

«Ты ничего не сможешь сделать одна!» — шепнула эта, плаксивая. Вика ощутила тяжесть и жар в голове, точно туда залили ведро кипятка. Захотелось разреветься. Пусть придет кто-нибудь большой и умный, пусть вернет все, как было!

«Позвони мужу! Он тебе поможет. Ты сама — всего лишь запутавшаяся дурочка».

Именно ей Вика себя и ощущала. Запутавшейся дурочкой.

«Тебя посадят в тюрьму!»

Существо ныло и канючило. Оно требовало, чтобы Вика немедленно достала телефон и набрала номер Олега. Ведь это она виновата в случившемся! Если бы не ее идиотское желание непременно поехать в Венецию, все было бы в порядке!

Неимоверным усилием воли поборов желание действительно позвонить Олегу и зарыдать в трубку, Вика стиснула зубы и велела Плаксе заткнуться. Муж ей не в силах ничем помочь. Даже если он каким-то чудом оформит визу за два часа и примчится, как Бэтмен, — что он может такого, чего не в состоянии сделать она сама?

Эта мысль ее неожиданно встряхнула. «Я, взрослая женщина, сижу и ною, чтобы пришел кто-то вроде папочки и все исправил. Но, черт возьми, я ни в чем не виновата! Это какое-то нелепое стечение обстоятельств!»

Стечение обстоятельств?

Постойте, но это же чушь.

Вика уставилась перед собой невидящим взглядом. Почему бы ей не подумать наконец, с чего все началось?

Кольцо попало в ее сумку. Да, но что этому предшествовало? Перед глазами словно кадры замелькали: касса, англичане, экскурсовод, стеклянный куб...

Плаксивый внутренний голос снова попытался бормотать насчет звонка Олегу, но на этот раз ему не хватало убедительности. Вика напряженно встраивала один факт за другим в картину случившегося. Она и сама не заметила, как отупение слетело с нее, стоило начать анализировать произошедшее и составлять мысленный портрет каждого из тех, кто вместе с ней пришел поглазеть на утраченное и вновь найденное сокровище дожа.

Кажется, ее то и дело толкали. Да, определенно! И все время это был один человек — англичанка. Хотя, вспоминая ту женщину, Вика никогда не сказала бы, что она из Англии: высокая, с темной копной кудрявых волос и ярко-алыми губами... И муж ее выглядел на удивление загорелым.

«Они говорили по-английски, но это ничего не значит».

Было что-то важное, ускользавшее от нее. Какое-то ощущение неправильности, всплывавшее, когда она восстанавливала в памяти то, что случилось в выставочном зале.

А что там, собственно, случилось?

Вспоминай, вспоминай, подгоняла она себя. Каждую секунду!

«Я вошла. Приблизилась к стеклянному кубу. Охранники уставились на меня, но потом переключились на фотографирующего англичанина. Или это было после? Ах да, я отодвинулась от них, чтобы почитать про перстень. А камеры? Если они работают, там должно быть видно, что я не крала перстень!»

Внезапно Вика сообразила, что за неправильность царапала ее.

Когда она второй раз подошла к стеклянному кубу, перстень выглядел как фальшивка.

Вот оно! Вика махнула рукой и чуть не опрокинула чашку с кофе. Услужливый мальчик-официант кинулся было к ней, но вовремя понял, что клиентке его помощь не нужна. Она сидела с широко распахнутыми глазами и беззвучно шевелила губами. Наблюдать за ней было забавно, но мальчик деликатно отвернулся. Захочет их поганого кофе — позовет.

«Фальшивка! — билось у Вики в голове. — Перстень успели подменить, пока я отходила в сторону».

Бог знает, как воры ухитрились это проделать. Но теперь она отчетливо вспомнила и дешевый вид халцедона, и тусклый блеск жемчужин. Недаром ей на ум пришло сравнение с детской заколкой!

«Голову дам на отсечение, это был обычный пластик».

Выходит, в то время как посетители любовались на откровенную подделку, кто-то незаметно подсунул настоящую драгоценность в Викину сумку. Шкет, пытавшийся вырвать ее на улице, из той же шайки. Если бы не Викина цепкость...

«Если бы не моя цепкость, все было бы в порядке, — мрачно подумала Вика. — Я осталась бы без сумки, но и без украденного перстня. А теперь, получается, я сбила ворам все планы».

Ей впервые пришло в голову, что, возможно, в квартире ее дожидались вовсе не стражи порядка. От этой мысли Вика похолодела.

И что теперь делать?

«В полицию идти, разумеется, — проворчал внутренний голос. — Ты чертовски сглупила, когда побежала от карабинеров. Нужно исправлять эту глупость».

«В полицию?! — взвизгнула Плакса. — Идиотка! Они арестуют тебя! Они объявят, что ты воровка!»

Вика поднялась. О чем она только думала все это время? Ей стало стыдно. Бегала, пряталась... Ну чисто заяц!

Оставив на столе в кафе последние деньги, она вышла на улицу. Утром, во время прогулки по Сан-Марко, она заметила полицейский участок, скрытый от глаз в узкой сводчатой подворотне. Туда-то ей и предстояло попасть.

У нее промелькнула мысль, что можно для начала позвонить. Представиться, назвать адрес кофейни и смиренно ждать, пока за ней придут. Перспектива сидеть с чашкой остывшего кофе, когда в кафе вломятся дюжие молодцы-карабинеры, развеселила ее. Вика не думала, что в нынешнем положении ее может что-то рассмешить. Но представив лицо мальчика-официанта, она фыркнула.

Однако при мысли о том, что придется разговаривать на итальянском по телефону, тем более с полицией, ее охватило смущение. Ее станут многократно переспрашивать, направлять от оператора к оператору, и эту бесконечную беседу услышат все вокруг!

Вика покраснела. Ни за что! Лучше объяснить ситуацию лично.

Преодолей она свой страх, все пошло бы иначе. Но с того момента, как Вика Маткевич вышла на улицу, ведущую к площади Сан-Марко, ее дальнейшая участь была решена.

Глава 5

1

По мере приближения к площади Вику охватывала не робость, а парадоксальным образом усиливавшаяся уверенность в себе. Причин было две. Во-первых, ей удалось со второй попытки составить на итальянском фразу: «Я русская туристка, мне известно, где находится похищенное кольцо Паскуале Чиконья». Вике казалось очень важным упомянуть, из какой она страны. Так полицейские быстрее свяжутся с российским посольством, рассуждала она, и оттуда пришлют переводчика. В свете предстоящих объяснений переводчик явно был не лишним.

Во-вторых, толпа вокруг нее постепенно густела, и в арку под знаменитыми астрологическими часами Вика входила, плотно сжатая со всех сторон. Это ощущение успокаивало. Оно дарило ностальгические воспоминания об утреннем метро, где ты так же влеком человеческой волной. Вика даже непроизвольно сжала ладонь вокруг воображаемого поручня.

Над Сан-Марко синело безмятежное небо. Облака по нему плыли пухлые, как ангелочки на картинах Веронезе. Вика подняла глаза к небесам, перевела взгляд на туристов, вольготно развалившихся за столиками знаменитого «Флориана», и поклялась себе, что, когда все закончится, она закажет самый дорогой десерт и усядется так же, по-хозяйски. Может быть, даже закурит! Почему бы и нет, черт возьми!

Когда все закончится.

«Уже скоро!»

Двое неброско одетых итальянцев, идущих навстречу, поравнявшись с Викой, одновременно развернулись и подхватили ее под руки. Это было проделано так молниеносно, что она даже не успела понять, что произошло. Они волокли ее, как куклу, улыбаясь и тараторя друг с другом. Несколько секунд Вика недоуменно переводила взгляд с одного на другого. Первой ее мыслью было, что произошла ошибка. Ее с кем-то перепутали. Эти белозубые улыбки на их лицах, быстрая болтовня, из которой она не понимала ни слова...

— Пустите!

Вика дернулась, пытаясь вырваться, и к спине чуть выше и левее поясницы прижалось что-то холодное и острое, по ощущениям похожее на спицу.

Идущий слева повернул к ней улыбающееся рябое лицо, и Вику пробил холодный пот. Рот итальянца скалился в радостной ухмылке. А верхняя половина выглядела окаменевшей. Только в глазах полыхала лютая злоба.

— Веди. Себя. Тихо.

Он проговорил это медленно и внятно, не прекращая скалиться.

Вика не могла поверить в происходящее. Окруженные туристической толпой, в пяти шагах от полицейского участка, двое мужчин тащили ее в неизвестном направлении. Абсурдность происходящего не укладывалась в голове.

«Кричи! — отчаянно шепнул внутренний голос. — Кричи, пока не поздно!»

Площадь осталась сзади. Над головой нависли темные своды Прокурации, основная масса гуляющих была отделена колоннадой. Им оставалось пройти совсем немного до узкого темного проулка, похожего на крысиную нору. «Туда они меня и тащат!» — поняла Вика.

Сознание ее раздвоилось. Первая половина, настаивавшая, что Сан-Марко самое безопасное место во всем городе, по-прежнему не могла принять происходящее всерьез. Но вторая была охвачена смертельным ужасом. У Вики подогнулись ноги.

Она открыла рот, готовясь завизжать, и тогда тот, что держал ее справа, нанес короткий, почти незаметный удар в солнечное сплетение.

Вика не смогла даже ахнуть от боли. Внутренности словно стиснули в кулаке. Дыхание пресеклось. Она согнулась пополам и не упала лишь потому, что ее продолжали крепко держать с обеих сторон.

— Быстрее! — сквозь зубы приказал тот, кто ударил ее.

Вику буквально волоком протащили несколько шагов. Между колоннами мелькнула тень. Согнувшаяся Вика увидела грязно-белые кроссовки, над кроссовками — зияющие дырами джинсы.

«Меня сейчас стошнит», — успела подумать она.

Джинсы и кроссовки вдруг оказались совсем близко. Слева от нее охнули, и Вика почувствовала, что в спину больше не тычут страшной спицей. Ее оттолкнули. Вика ударилась о колонну и сползла на гранитные плиты, жадно глотая воздух.

Человек в кроссовках действовал быстро и жестоко. Удар ребром ладони — и рябой схватился за горло. Со звоном стукнулась о камень и отскочила, подпрыгивая, «спица» — тонкая заточка, хищно сверкнувшая в свете луча. Вику пробрал озноб.

Парень в кроссовках врезал второму кулаком в нос. Раздался отвратительный хруст, итальянец пошатнулся, и грязная кроссовка впечаталась ему в пах.

Вой ударил Вику по ушам. За колонны начали заглядывать любопытствующие.

— А ну, быстро! — рявкнул парень, помогая Вике встать. — За мной!

— Куда?

— Подальше отсюда!

И тут она узнала его. Носильщик! Из отеля!

Вика вцепилась в его рукав:

— Мне нужна полиция! Она вот-вот будет здесь! Подождите со мной, пожалуйста!

— Полиция? — лицо его исказила неприятная ухмылка. — Ты глупая? Тебя убьют прежде, чем приедет консул.

Вика пыталась возражать, но ее спаситель уже бежал прочь от места стычки. Кто-то приблизился и заохал, глядя на копошащихся на плитах окровавленных мужчин. Рябой бросил на Вику один-единственный взгляд, и она больше не колебалась:

— Стой!

Парень замедлил шаг, подождал, пока она догонит его. Бросил коротко:

— Не отставай!

Когда на место драки три минуты спустя прибыли карабинеры, зеваки показали им, куда побежали мужчина и женщина, имевшие отношение к случившемуся. Но даже обшарив все ближайшие переулки, полиция не нашла и следа этих двоих.

2

Обшарпанные двери, страшные, как ворота в ад. Изрисованные похабщиной стены подъездов. Входы и выходы в самых неожиданных местах, будто проколы в пространстве. Вокруг них сгустилась совсем другая Венеция, дурно пахнущая и уродливая. Вика догадывалась, что они идут примерно теми же улицами, по которым она бродила этим утром. Но на этот раз город демонстрировал им не парадную сторону, а изнанку.

Викин проводник чувствовал себя как рыба в воде. В дурной воде, опасной! — Вика ощущала это всем нутром. Это он здесь свой, а она всего лишь глупая доверчивая наживка, болтающаяся на крючке.

— Кто напал на меня? Чего они хотели?

Парень отмахнулся, словно ее вопросы не имели смысла.

— Скажи! — не отставала Вика. — Они бы меня убили?

Снова эта высокомерная ухмылка через плечо.

— Сама как думаешь?

Он выговаривал все слова очень четко, понимать его было легко.

— Куда мы идем?

— Тебе нужно спрятаться.

«Это хороший ответ, — подумала Вика. — Но это не ответ на мой вопрос».

Очередной загаженный подъезд с разбитой лампочкой они прошли насквозь, и совершенно неожиданно для Вики спустились вниз по короткой лесенке в подобие подвала. Пахло сыростью и почему-то горелой резиной, со стен сочилась вода.

«Как тюкнет он меня по голове, так я здесь и останусь гнить на веки вечные», — отстраненно подумала Вика.

Но всерьез страшно ей не было. Ничего не могло быть хуже острой холодной «спицы», втыкающейся ей в спину. При одном воспоминании о ней у Вики волосы вставали дыбом.

Они пересекли обширный подвал с низким потолком. Под ногами хлюпало. Вика едва видела, что находится вокруг, но парень шел уверенно прямо к стене. Повернув незаметный ей рычаг, он нажал на какой-то выступ — и открылся проем. Вика зажмурилась от слепящего солнца и бликов в воде.

Они выбрались на шаткие деревянные мостки, под которыми болталась лодка. Выглядела она примерно так же, как джинсы ее проводника. Ржавое корыто, которому требовалось залатать дыры.

— Спускайся, — парень кивнул на утлую лодчонку.

Вика недоверчиво уставилась на него.

— Она утонет, — объяснила она ему, как ребенку. — Буль-буль!

Он хмыкнул.

— Ты русская?

— Да! — Вика слегка опешила от неожиданной смены темы.

— У вас буль-буль делает собака.

— Что?

— Собака. — Он показал ладонью над досками рост. — Ее бросили в воду.

Вика уже сбилась со счета, в который раз за этот день ее накрывает ощущение абсурдности происходящего. Собака, значит. Которую бросили в воду. И которая делает буль-буль.

— Ты про «Муму»? — осторожно осведомилась она.

— Си, Муму!

У него получилось «мюмю».

«Господи, этот носильщик читал Тургенева».

Тем временем парень смотал веревку и бросил на дно своей жалкой посудины.

— Мюмю тонет, — сообщил он. — Лодка — нет.

И выразительно ткнул пальцем вниз.

Сраженная этим аргументом, а еще больше знакомством странного типа с русской классической литературой, Вика покорно забралась в лодку. У самого борта плеснула волна.

Парень спрыгнул вслед за Викой. Под его тяжестью посудина просела так, что теперь была почти вровень с водой. Он завел на корме маленький мотор. С дерзким шмелиным жужжанием лодчонка задрала нос — Вика едва не вывалилась — и рывками почесала вдоль берега.

3

Ветер обдувал лицо. Вика провела ладонью по растрепавшимся волосам и спохватилась, что где-то потеряла кепку. Наверное, та осталась валяться на месте стычки.

Парень, не глядя, сунул ей какую-то тряпку.

— Голова! — показал он. — Закрой.

Она торопливо повязала подобие платка, надвинула пониже. Ее провожатый выудил откуда-то скомканную шляпу, расправил и нахлобучил на голову. Лицо скрылось в тени мятых полей.

Отважно лавируя среди домов, словно нарочно выставляющих острые углы, лодчонка прошлепала под двумя низкими мостами — и они выплыли на главную дорогу Венеции.

Гранд-канал.

Навстречу им разбегались по сморщившейся воде моторки, катера-вапоретто. С достоинством плыли гондолы. На мосту Риальто люди толпились так тесно, словно ожидали салюта. Все было яркое, сочное, шумное, с брызгами воды и солнечными лучами, избыточно красивое — то есть чисто венецианское.

В первые секунды Вика онемела от свалившихся на нее впечатлений. Вид Гранд-канала с воды вытеснил даже страх, засевший внутри с того момента, как в ее поясницу впечаталась «спица».

Розовые, красные, желтые, серые дворцы обрамляли канал. Величественные колонны, бесконечные стрельчатые арки, словно прорезанные в бумаге... Эта красота казалась бы декоративной, если бы не следы упадка, встречавшиеся на каждом шагу.

Уже минуту спустя Вика поняла, что перед ней дома-старики. Это были итальянские старики, они держались с достоинством, они носили безупречно отглаженные брюки, щегольские пальто и элегантные перчатки. Но уже не в силах были скрыть подагрические колени, морщинистую кожу, мешки под глазами, бурые пятна...

Их красота казалась вечной — и в то же время немыслимо хрупкой. У Вики болезненно сжалось сердце, когда она увидела сквозь окна одного из палаццо — белого, с ажурной резьбой — обвалившиеся стены. Лохмотья штукатурки осыпались, обнажая скелет.

Этот дом был мертв. Его еще держали деревянные сваи. Лиственница, крепчающая от воды, оказалась долговечнее камня. Но даже она не могла подарить прекрасному дворцу бессмертие.

Лодка внезапно дернулась и юркнула в почти незаметное ответвление канала следом за белоснежным палаццо. Парень заглушил мотор, поднял кривой багор со дна посудины и начал грести.

Сюда не заплывал никто, кроме них, и очень скоро Вика поняла причину. Мосты нависали низко-низко над водой, и приходилось пригибаться, чтобы не удариться о замшелые своды. Только их глубоко просевшая посудина могла справиться с задачей провезти пассажиров так, чтобы они не расшибли головы.

Шум и плеск Гранд-канала сменились завораживающей тишиной. Бурлящая яркая жизнь осталась позади. Фасады выглядели блеклыми, и даже небо, казалось, помутнело. Вика озиралась. Ей чудилось, еще чуть-чуть — и из оконных щелей начнет сочиться туман, съедая окончательно цвета и звуки.

Самым ярким здесь был мох. Сине-зеленый, набухший от влаги, он расползался по ступенькам, спускающимся прямо в воду, выстилал изнутри арки мостов, карабкался из воды вверх по стенам. Проплывая близко от одной, Вика протянула руку и коснулась манящей зелени. Ощущение было не из приятных: пальцы словно погрузились в холодную кашу.

Дряхлые особняки настороженно следили за людьми, вторгшимися в их царство прошлого.

— Здесь вообще есть кто-нибудь живой? — не выдержала Вика.

Парень резко дернул ее за плечо. Приложил палец к губам: чшшш!

«Чего он боится?»

Справа, как лес, выросли деревянные столбы. Одним сильным толчком провожатый Вики направил к ним лодку.

— Выбирайся.

Доски причала казались до того трухлявыми, что Вика схватилась за ближайший столб, боясь провалиться.

Парень пришвартовал судно, быстро огляделся и только тогда снял и сунул под скамейку свою драную шляпу. Повадки у него, решила Вика, точь-в-точь как у хищного лесного зверька.

Палаццо, возле которого они остановились, выглядело таким же неприступным и заброшенным, как и прочие. Окна на первом этаже забраны глухими решетками, каждый прут толщиной с ее палец. На огромных деревянных воротах, в которые могла бы пройти лошадь со всадником, висел железный замок.

«Были ли в Венеции лошади? — некстати подумала Вика. — Кажется, их запретили. Зачем мы здесь?»

Она не успела задать вопрос вслух. Обойдя дворец справа, провожатый втиснулся в узкую щель между домами. «Хуже, чем Алисе падать в кроличью нору», — обреченно подумала Вика, следуя за ним. За спиной зашуршало неприятно, сверху посыпался какой-то мусор. «Сейчас мы здесь застрянем. Я-то уж точно».

Однако проход вдруг расширился. Несильно, но парню этого хватило. Он подпрыгнул, ухватился за выступ подоконника — Вика только сейчас заметила, что здесь есть два зарешеченных окна, — и подтянулся. Длинные пальцы обхватили решетку, парень прикусил губу, дернул — и прутья вышли из пазов.

Вика, открыв рот, следила за ним. Действия его были отточены многократными повторениями. Стремительности, с которой он двигался, позавидовала бы кобра. Повесив ненужную решетку на торчащий из стены штырь, который словно специально был вбит на этом месте, парень спрыгнул внутрь — и исчез. Какое-то время не доносилось ни звука.

Появился он в окне так неожиданно, что Вика вскрикнула и отшатнулась.

— Не кричи! — осадил он злым шепотом, спускаясь к ней. — Теперь ты.

Сцепив руки в замок, он выжидал, пока она приблизится. «Господи, что я делаю?» — мелькнуло у Вики, окончательно переставшей понимать что-либо в происходящем. Сперва он зашвырнул внутрь ее сумку, которую Вика чудом ухитрилась не потерять во всей этой дьявольской неразберихе. Она послушно поставила ногу на подставленный «захват». А затем ее подбросили вверх.

Она уцепилась за подоконник, засучила ногами, перевалилась куда-то в темноту и ухнула вниз, от страха даже забыв крикнуть.

Полет был коротким.

Сначала Вике показалось, что она упала в опилки. Но, приподнявшись, в слабом свете обнаружила, что лежит на пыльном старом ковре, изъеденном молью. Многострадальная сумка валялась неподалеку.

Свет исчез. Скорчившаяся фигура заполнила собой оконный проем. Потом фигура спрыгнула вниз, приземлилась по-кошачьи бесшумно и выпрямилась.

Вика поднялась, увязая в сбившемся ковре.

Они находились в огромной полутемной зале. Глядя снаружи на маленькие окошки, она и представить не могла, что здесь столько места. Три стены были покрыты фресками, едва различимыми в сумраке, вдоль четвертой поднималась вверх роскошная лестница — и терялась в черноте второго этажа.

В дальнем углу залы громоздились сваленные друг на друга стол, стулья, еще какая-то мебель. Изогнутые ножки перевернутого кресла торчали как рога. С потолка свисала многоярусная люстра, стеклянные капли льдинками переливались даже в этом тусклом свете.

— Это что? — с замирающим сердцем спросила Вика.

Парень не ответил — он возился с окном. Тогда она сделала несколько шагов к лестнице и замерла, вглядываясь в тающие наверху ступеньки.

Долю секунды ей казалось, что кто-то точно так же сверху вглядывается в нее. Но когда она подалась вперед, иллюзия пропала.

— Где мы? — повторила Вика громче и сама испугалась своего голоса. Он звучал как писк мыши в амбаре. — Это твой дом?

— Мой дом? — переспросил парень и издевательски рассмеялся.

Он бросил еще несколько слов, но Вика не смогла перевести ни одного — похоже, это был какой-то сленг.

— По лестнице не ходи. — Он двинулся своей крадущейся бесшумной походкой к окнам.

Вика только сейчас заметила, что изнутри есть ставни. Проводник закрыл все, кроме того, через которое они пролезли. В зале стало совсем темно.

— Зачем ты это делаешь? — шепотом спросила Вика.

— Чтобы снаружи не было видно.

— Не было видно чего?

Вместо ответа послышался громкий щелчок — и люстра зажглась.

Вика ахнула. Это было незабываемое зрелище. Капли по одной начинали сочиться светом: робким, золотистым, как речная вода на закате, и постепенно наливались яркостью. Зажглась от силы десятая часть «сосулек», но их мягкое сияние разогнало темноту на всем этаже.

«Как же все это выглядит, когда люстра включается целиком!»

— Инкредибильменте белла, — прошептала она. — Потрясающе красиво.

— Это ненадолго, — усмехнулся ее новый знакомец. — Пять минут. Больше — нельзя. Опасно.

Вика обернулась, и при свете волшебной люстры наконец-то смогла рассмотреть его как следует.

Лет двадцати пяти, поджарый, по-мальчишески узкоплечий, с въевшейся в губы ехидной улыбочкой и неуловимой асимметрией лица. Черные цыганские глаза окаймлены такими густыми ресницами, что кажутся подведенными. Драные джинсы — не дань моде, а следствие суровых будней, судя по зверски обтрепанным снизу штанинам. «Дитя подворотни», — говорила про таких свекровь. В целом — вылитый пират. Или уголовник мелкого пошиба, что в общем-то одно и то же.

— Откуда ты знаешь про Муму? — внезапно спросила Вика.

Не самый уместный вопрос в данных обстоятельствах, но не спросить она не могла.

— Один знакомый рассказал. Русский. Моряк.

Упоминание о моряке в контексте размышлений о пиратах прозвучало как нельзя более уместно. Хмырь, как есть хмырь, думала Вика, отчаянно пытаясь найти, за что ухватиться в нагромождении хаоса. Зачем он меня сюда притащил?

— Почему мы приплыли сюда?

Он пожал плечами:

— Безопасное место. Здесь тебя не отыщут.

Вика сделала шаг вперед, вглядываясь в его лицо:

— А почему ты вообще за меня заступился?.. — Она вдруг осознала, что понятия не имеет, как его зовут.

Словно прочитав ее мысли, он отвесил шутовской поклон:

— Бенито.

— А я — Виктория, — мрачно сказала Вика. — Виктория в переводе значит «победа».

Он усмехнулся. Конечно, с горечью подумала она, на его месте я бы тоже посмеивалась.

— Ну извини! Имени «идиотское поражение» в России не существует. — Она огляделась. — Так почему ты меня защитил перед теми двумя? И кто они были?

Из груды мебели Бенито вытащил низкий резной столик, поставил на ковер и сел, скрестив ноги потурецки. Щелкнул пальцами — и в ладони сама собой возникла пачка сигарет. Он закурил, небрежно роняя пепел прямо на столик (насколько Вика могла судить, антикварный).

— Они были те, кто тебя убьет.

Вика почувствовала, что ей тоже необходимо сесть. И, пожалуй, даже закурить. Хотя больше всего хотелось пить.

— Здесь есть вода? — голос звучал до отвращения слабо.

Парень с той же усмешечкой обвел рукой окружающее пространство: мол, вся Венеция к твоим услугам.

— Я хочу пить, — тихо сказала Вика.

Он помолчал, разглядывая ее, бросил тлеющую сигарету на столик и поднялся.

— Жди здесь. Никуда не уходи.

Ей даже хватило сил рассмеяться над его последней фразой. Куда же, интересно, она может пойти? Ей и до окна не добраться, через которое они попали сюда.

Бенито спустился по лестнице со второго этажа. В руках его было блюдце с порезанным на четвертинки яблоком и бутылка воды. И то и другое он поставил перед ней, а сам снова устроился на полу с сигаретой.

Вика накинулась на яблоко и воду как человек, спасенный с необитаемого острова. Она не ожидала, что настолько проголодалась.

— О чем мы говорили? — поинтересовался Бенито, пока она вгрызалась в сочную свежую мякоть.

— Почему ты пришел мне на помощь?

— А! Я знаю этих людей! — он запрокинул голову и выпустил кольца дыма в потолок. — Бенито всех знает в этом городе. И не только в этом!

Он покосился на нее, словно проверяя, оценила ли она его масштаб личности. Вика торопливо закивала: да, мол, ей все понятно. И Молдаванка, и Пересыпь. Все обожают Беню-моряка.

— Люди стали говорить странное, — веско уронил парень. — Что ищут одну женщину. Будут караулить ее возле полицейских участков.

— Кто ищет? — тихо спросила Вика, забыв про яблоко.

— Я не собирался вмешиваться, — он пожал плечами, будто не слышал ее вопроса. — Бенито все равно. Я здесь ни при чем. Я не играю в эти игры. У меня своя игра.

Он затушил окурок об пол.

— Но когда увидел тебя, вспомнил отель. Ты вмешалась тогда. Я вмешался сейчас. Все справедливо. Я был у тебя в долгу. Долг закрыт.

— У хозяина отеля не было ножа, — тихо заметила Вика.

Он отмахнулся от этого факта как от незначительного.

— Этот жадный... — тут он употребил слово, от которого Вика покраснела, — заставил бы меня отсидеть за каждый осколок его паршивой вазы.

— Вы с ним поссорились? — наивно спросила Вика.

Бенито рассмеялся.

— Не с ним. Один постоялец, лягушатник. Чванливый кретин. Требовал, чтобы ему сворачивали полотенце.

— Как сворачивали?

— Чтобы было красиво. Лебедем. Цветком.

Вика вспомнила. Лебедей и прочие заковыристые фигуры крутили горничные в турецком отеле, куда Олег повез ее на медовый месяц. Медовый месяц длился целых одиннадцать суток, и каждый день, возвращаясь с купания, Вика находила на кровати небольшой шедевр дизайнерской мысли.

— И ты не свернул? — сочувственно спросила она.

— Свернул.

В цыганских глазах Бенито заплясали черти. Он выудил из кармана мятый платок и в несколько ловких движений превратил его...

Вика поперхнулась яблоком.

— Ты поставил *это* на кровати у постояльца? — она недоверчиво уставилась на то, что случилось с несчастным платком после всех метаморфоз.

— Почему только на кровати? — удивился парень. — Везде. На столе. На телевизоре. На его вонючем чемодане. На подоконнике. Всего двадцать три штуки.

— Видно, в прачечной был большой запас полотенец, — пробормотала Вика.

Она представила, как злосчастный француз входит в номер и обнаруживает себя в окружении анатомически безупречных розовых махровых фаллосов.

Теперь ей стала понятна ярость владельца отеля. Успокаивать взбешенного постояльца не многим придется по вкусу.

Не говоря уж о том, что кому-то пришлось разматывать двадцать три рукотворных произведения Бенито.

— И долго ты проработал у Иланти?

— Две недели! — он выставил перед собой большой и указательный. — «Бенито принеси, Бенито прибери, Бенито помоги, Бенито беги еще быстрее!» — парень очень похоже передразнил бас хозяина. — Бенито делает все, а потом лягушатник разговаривает с Бенито как с куском дерьма.

«Ну и характер у тебя, дружок!»

Вика поежилась. В палаццо было прохладно. Интересно, как он обходится зимой?

Мысль о зиме вернула ее к более насущным вопросам, чем увольнение этого прохиндея.

— Ты сказал, меня хотят убить?

— Си. — Он кивнул с таким видом, будто она спросила, можно ли ей закурить.

Вика немного помолчала. Со стороны казалось, будто она сидит совершенно спокойно, созерцая уже рассеявшийся по комнате дым. В действительности внутренняя Плакса просто надрывалась, требуя найти хоть кого-нибудь, кому можно поручить ответственность за свою жизнь. Понятно, что это не может быть голодранец, уволенный из отеля, как теперь выяснилось, за дело.

«Заткнись. Заткнись. Заткнись. Заткнись».

Ей не хотелось спрашивать, кто ее хочет убить. Казалось бы, именно это и нужно выяснить в первую очередь! Но Вика, как могла, отодвигала тот момент, когда она получит ответ.

Потому что с этим ответом нужно будет что-то делать.

Бенито поднялся, щелкнул выключателем. Золотистые капли одна за другой начали угасать. Зала постепенно погрузилась в сумрак.

— Что это за место? — тихо спросила Вика. — Ты сказал, это не твой дом. А где твой?

Она догадывалась, каков будет ответ. Ее предположение оказалось верным.

— У меня нет дома. Зачем, когда можно жить здесь? — Он обвел рукой великолепные стены.

— Судя по тому, как мы сюда попали, вряд ли хозяева оставили тебе персональное приглашение, — сказала Вика по-русски. Итальянский почему-то с каждой минутой давался ей все труднее.

Бенито вопросительно поднял брови. Но взгляд, брошенный ею на открытое окно, подсказал парню направление ее мысли. Он театрально развел руками:

— Хозяин забыл оставить мне ключи. Или я их потерял?..

— Ври больше!

— Ладно! — он пожал плечами. — Хозяин — богатый япошка. Ты знаешь, кто покупает все эти особняки? Иностранцы. Они приезжают сюда на карнавал. Приезжать на три дня, чтобы...

Он разразился длинной тирадой, быстрой, как трескотня скворца. Из нее Вика уловила, что к карнавалам Бенито относится с глубочайшим презрением.

— Япошка купил дворец в Венеции. Он думает, что он умный. Он идиот! Этому палаццо триста лет! Ты знаешь, что с ним нужно делать?

Вика пыталась вспомнить, как по-итальянски будет «ремонт». Но в ариях, которые она разучивала в юности, герои почему-то ничего не ремонтировали, да и самоучитель опасливо обходил эту тему стороной (видимо, боялся увязнуть в грязных ругательствах, неизменно сопутствующих процессу).

— Ла репарацьоне! — бросил парень. — Здесь, здесь, тут... — он тыкал пальцем в пол, потолок, стены. — Везде!

— И что же? В чем проблема?

— Проблема? — он расхохотался. — Это Венеция, синьора! Только лодки! Никаких машин.

И тут Вика поняла. Для капитального ремонта всегда нужны машины, перевозящие груз. Доски, кирпичи, инструменты! А уж сколько требуется материалов для реставрации подобного особняка, Вика боялась даже представить.

— Но ведь в городе наверняка ремонтируют здания, — попыталась возразить она.

— Нужны разрешения! — перебил Бенито. — И дорого, очень дорого! Многие покупают дома и ничего не делают с ними. Бросают. Как этот.

Видно, смета, которую выставили несчастному, хоть и очень богатому японцу, оказалась такой, что проще было плюнуть на прекрасный особняк.

— Поэтому здесь живут те, кому нужна крыша над головой, — закончил парень.

Вика без всяких мыслей отметила множественное число. Те, а не тот. Но не придала этому значения.

Кое-что прояснилось, размышляла она. Этот бродяга обосновался в чужой недвижимости, потому что хозяина нет и в ближайшее время не предвидится. А если японец и объявится, хитрец всегда успеет смыться. Наверняка здесь есть запасные выходы, и они отлично известны Бенито.

Что ж, с вводной частью закончили. Она знает, кто ее собеседник. Знает, куда он ее привел и почему. Руководствуясь каким-то своим кодексом чести, он решил отдать долг и вернул его с лихвой.

Осталось узнать то, о чем Вика до последнего момента не хотела задумываться. Больше тянуть нельзя.

— Кто были эти двое на площади? Чего они хотели от меня?

Бенито закурил новую сигарету, протянул ей пачку. Вика покачала головой.

— Сегодня утром с выставки украли известную вещь, — медленно проговорил он. — Стоит очень много.

«Знаю. Полтора миллиона евро».

— Есть группа. Серьезные люди. Они готовили кражу. Им помешали.

«Я не мешала!» — хотела сказать Вика, но сдержалась.

— Кольцо у тебя? — в лоб спросил Бенито.

— Нет!

— Ты знаешь, где оно?

Поколебавшись, она кивнула.

— Расскажи! — потребовал оборванец. — Расскажи, что произошло.

Вика, запинаясь и подбирая слова, описала, что случилось на выставке. О том, как бежала от карабинеров, и о церкви с барельефом она умолчала. На языке у нее давно вертелся один вопрос:

— Почему они использовали именно меня?

— Не важно кого, — отмахнулся Бенито. — Им нужно было вынести кольцо наружу. А если бы включилась сигнализация, взяли бы тебя. Не их.

Вика представила, что на выходе ее ловят с перстнем дожа, и на секунду прикрыла глаза.

— Я просто оказалась не в том месте не в то время, — по-русски сказала она.

Бенито не слушал. Он о чем-то напряженно размышлял.

— Где твой телефон?

— Что?

— Телефон!

— В сумке... — растерялась Вика.

Он упруго вскочил, подбежал к сумке, бесцеремонно вытряхнул содержимое.

— Что ты делаешь?!

Но парень уже отыскал в куче ее вещей телефон и разобрал быстрее, чем обезьяна чистит банан. Не прошло и минуты, как на ковре лежала груда деталек.

— Ты с ума сошел!

По-прежнему не слушая ее возмущенных криков, Бенито сгреб жалкие останки «самсунга», вскарабкался на окно, спрыгнул... И почти сразу появился снова.

Вика закусила губу. Судьба телефона была ясна ей без всяких вопросов: отныне бедняга покоился на дне канала.

— Он мог привести к тебе, — пояснил Бенито, отряхивая ладони. — Найдут тебя, найдут и меня.

— Да кто они такие, в конце концов? Итальянская мафия?!

Он опустился на корточки и без малейшего стеснения прощупал ее вещи: юбку и блузку. Вика подумала, что они разделят участь телефона, но парень небрежно запихал их обратно.

— Не мафия. Просто банда. Они долго готовились к этому делу. Ты им все сорвала.

— И что они теперь станут делать?

Он удивленно взглянул на нее:

— Будут искать тебя. Отберут перстень. Может быть, убьют.

Вика была благодарна ему за это «может быть». Оно оставляло простор для воображения. Может, и не убьют. Может, просто опустят в венецианскую лагуну на полчасика, или как тут принято у местных.

— Я должна пойти в полицию, — прошептала она.

Бенито взглянул на нее сверху вниз. Во взгляде читалось сочувственное презрение. «Ты уже пыталась один раз», — недвусмысленно говорили его глаза.

«Они решили дожидаться ее у всех полицейских участков», — вспомнила Вика.

— Тогда позвони им! — попросила она. — Пусть карабинеры приедут сюда. Или нет, в другое место! Ты отведешь меня куда-нибудь подальше отсюда, чтобы никто не открыл твое убежище, и там я дождусь их!

Судя по его лицу, она снова сморозила глупость.

— Почему нет? — воскликнула Вика. — Что не так?

Бенито сел и очертил на ковре небольшой кружок. Из ткани поднялся столбик пыли.

— Венеция — маленький город, — растягивая слова, сказал он. — Все друг друга знают. Только туристам кажется, что много народу. Я звоню офицеру и говорю, где ты. Офицер, может, и честный человек. Это не имеет значения. Его подчиненные позвонят Папе раньше, чем он положит трубку. Ты будешь ждать карабинеров, но дождешься тех, с Сан-Марко. Они всегда успевают быстрее.

— Папе? — переспросила Вика, бледнея. — Какому еще Папе?

— Это прозвище. Они так зовут того, у кого ты украла перстень.

— Я у него ничего не крала!

— Это ты так думаешь, — резко оборвал Бенито. — Ты ничего не знаешь! Ты здесь чужая. Но ведешь себя как хозяйка!

От изумления Вика потеряла дар речи. Она обвела взглядом огромную полупустую комнату, дряхлый ковер, истрепанный до немыслимых дыр, как будто погрызшая его моль была размером с собаку... И начала смеяться. Определенно, пик абсурда на сегодня был пройден. Как хозяйка, надо же!

Бенито поначалу хмуро смотрел на нее, но вскоре тоже ухмыльнулся.

— Извини! Я хочу помочь тебе. Нельзя звонить в полицию. В твоей стране, наверное, все иначе. Но это Италия. Я здесь родился, вырос. Мне лучше знать, чего тебе не стоит делать.

— Ну, хорошо, — успокаиваясь, согласилась Вика, — а что мне можно делать, ты знаешь?

Он привалился к стене и вытянул длинные ноги. Над ним из полумрака проступали образы с фрески: тонкие лица, густые кудри, темные губы. Бенито походил на них. Вика попыталась разглядеть, что делают нарисованные персонажи, но ей не хватало света. И еще — очков. Она вдруг почувствовала себя очень старой рядом с этим молодым парнем, полным силы и хищной кошачьей грации. Никто не назвал бы его красивым — с его выпирающими ключицами, презрительно искривленными губами, костлявыми длинными пальцами... Но на него хотелось смотреть.

Как и на этих, с фрески.

Вика внезапно осознала, в чем заключается асимметрия его лица. Правая бровь у Бенито была выше левой, и излом сильнее. Это придавало его тощей узкой физиономии саркастический вид, особенно в сочетании с ухмылкой.

— Ты можешь отдать перстень мне.

Вика не сразу осознала, что ей предлагают.

— Как?

— Отдай его мне, — невозмутимо повторил Бенито, не глядя на нее. Он распрямил пальцы и рассматривал свои ногти, словно в эту минуту не было ничего важнее. — Я найду людей, которые вернут его. А ты полетишь домой.

Вся подозрительность, которую Вика заглушала в себе напоминанием о том, что этот человек спас ее, всколыхнулась вновь. Ее окатила волна страха и недоверия. Отдать ему перстень? Ему?! Этому ободранному типу, не способному удержаться на нормальной работе, не имеющему жилья и, похоже, промышляющему не самыми законными делишками?! Слишком уж хорошо Бенито был осведомлен о тех, кто использовал Вику в своей грязной схеме.

Она быстро отодвинулась.

— Оу, оу! — он засмеялся, видя ее испуг. — Ты меня не так поняла!

Но Вику это не убедило. Она поднялась и отошла подальше, быстро озираясь. Если вздумает напасть, она станет отбиваться. Чем угодно, хоть сумкой...

Но Бенито даже не двинулся с места.

— Я ничего тебе не дам, — нервно сказала Вика, замерев на некотором расстоянии от него. «Потому что если я расскажу тебе, где перстень, ты меня убьешь».

— Женщина! — воззвал он. — Успокойся! Если бы я хотел, чтобы ты все мне рассказала, ты бы уже сама принесла мне кольцо.

— Ты здорово переоцениваешь силу своего мужского обаяния, — быстро сказала Вика по-русски.

Бенито, конечно же, ничего не понял, но улыбнулся, и сразу преобразился в самодовольного хвастуна. «Ничуть не переоцениваю!» — говорила эта улыбка. Сидел он по-прежнему совершенно расслабленно. Вика понимала, что человек не способен быстро вскочить из такого положения, но на всякий случай сделала еще два шага назад.

И уперлась в столик, засыпанный пеплом.

Кроме пепла, там было еще кое-что. Блюдце, на котором еще осталась четвертинка яблока.

Вика несколько секунд смотрела на него. Обычное пластиковое блюдце. Дешевая посуда, которой полно в любом супермаркете.

Но дело было не в нем.

Она вспомнила, как Бенито поднялся наверх по лестнице и почти сразу спустился вниз. С водой и порезанным яблоком.

Порезанным!

— Кто здесь есть еще?

— Что?

Голос у Вики был слегка охрипшим, когда она повторила:

— Кто здесь есть еще? Ты не мог разрезать яблоко так быстро! Это сделал кто-то другой. Тот, кто ждал тебя на втором этаже.

Бенито перевел взгляд на блюдце и вдруг поднялся. Выглядело это так, будто он сам собрал себя с пола с поразительной гуттаперчевостью и дернул вверх. Вика видела такие номера только в цирке, у гимнастов.

Шагнув ближе, он уставился на кусок яблока. Тень понимания скользнула по его лицу, и Бенито перевел взгляд на Вику.

Самодовольный хвастун исчез. На нее жестко, без улыбки смотрели черные глаза. Наконец он усмехнулся:

— Не такая уж ты и дура, как мне показалось.

И, задрав голову к темноте, в которой терялись верхние ступени, позвал:

— Алес! Она нас раскусила. Можешь выходить.

Глава 6

1

Олег позвонил в дверь два раза, как всегда. Открыла мать: отец последнее время редко вставал с постели. Полная, статная, красивая, с густыми черными волосами, в которых лишь кое-где виднелась седина, она сегодня выглядела уставшей.

— Отец опять скандалил, — ответила она на невысказанный Олегов вопрос. — Ты поздоровайся с ним и давай ко мне на кухню.

Олег заглянул к отцу, выслушал все полагающиеся жалобы на здоровье. Три года назад Илье Сергеевичу диагностировали диабет. Тот объявил, что от ограничений, наложенных врачами, одно лишь зло, и ударился во все тяжкие. Он и в обычной, до-диабетной жизни не привык себе ни в чем отказывать, и теперь собирался доказать всему свету, что Илью Маткевича какой-то болячкой с ног не свалить.

Год спустя после начала разгульной жизни к первоначальному диагнозу прибавились артропатия и хроническая почечная недостаточность. Илья Сергеевич слег.

Из сильного, крепкого мужчины он превратился в ноющего старика. Прежде, когда жена многократно пыталась остановить его от разбазаривания остатков здоровья, Илья смеялся над ней и говорил, что слушать бабские бредни не желает. Теперь он обвинял ее в том, что она не была достаточно настойчива.

«В могилу хочешь меня свести! — визжал он. — Измену простить не можешь!»

«Не измену, а измены», — поправляла Лариса Витальевна, тем самым приводя его в еще большую ярость. С утомленным видом она выслушивала новую порцию обвинений, потом укладывала его, обессилевшего, в кровать и приступала ко всем прописанным процедурам. Сиделку до себя Илья Сергеевич не допускал.

Олег рассеянно выслушал его жалобы и при первой же паузе поторопился сбежать к матери. Он любил отца, но сейчас ему необходимо было поговорить именно с ней.

Они прикрыли дверь на кухню, чтобы до больного не доносились даже отзвуки голосов. От любого шума Илья Сергеевич начинал злиться и сам доводил себя до исступления. Олег восхищался матерью, стоически переносившей все скандалы. Она всегда была для него образцом настоящей женщины: красивая, умная, интересная и в то же время без остатка посвятившая себя отцу и всегда принимавшая его таким, каким он был: с его многочисленными романами, выпивкой, с компаниями, которые он по широте душевной притаскивал к себе домой и поил до упаду. Лариса Витальевна не только никогда не жаловалась, она словно обретала силу в новых и новых промахах мужа.

Олег вырос в твердом понимании, что такое настоящие преданность и верность.

Вика как-то сказала в сердцах после очередной поездки к его родителям, что любая другая женщина давно ушла бы от его отца. Не любая, уточнил Олег, а только слабая. Брак, сказал он, повторяя за матерью, это всегда испытание для двоих. Нужно уметь с честью выдержать его. Отец — не какой-то подзаборный алкаш, он биолог, ученый, талантливый и неординарный человек! Ты вспомни, как на него студенты смотрят! Про студенток я уж молчу, засмеялся он.

Вика почему-то не засмеялась. «Испытание?» — переспросила она и надолго замолчала.

Больше они не возвращались к этому разговору.

2

Мать разлила по чашкам крепкий чай. Закурила.

Олег обратил внимание, что в раковине свалены немытые тарелки, и удивился — мать была аккуратисткой. Однако его заботили более серьезные проблемы, чем грязная посуда.

— Ты звонила ей?

— Звонила.

— Когда она приезжает?

Олег даже мысли не допускал, что у матери не получится убедить Вику возвратиться.

Мать медленно покачала головой.

— Что? — не понял Олег.

— Она не вернется.

— Как это?

— А вот так. Не хочу, говорит, иметь с вами дела, Лариса Витальевна.

Олег рассмеялся. Он ни на секунду не поверил в то, что его жена могла произнести вслух что-нибудь подобное.

— Не, мам, серьезно?

Мать подняла на него голубые глаза.

— А я тебе правду говорю, милый мой. Не хочет твоя жена со мной разговаривать. Имеет право.

— Имеет право? — задохнулся Олег. — Ма, да ты что! Это, это...

Она с любопытством взглянула на него:

— Что — это?

— Оскорбление!

— Да брось! — она пренебрежительно махнула рукой. Это тоже было удивительно. Олег отлично знал, что мать терпеть не может Вику. Вернее, как раз таки терпит, исключительно ради него и мальчишек, но ничего ей не прощает. Поэтому ее снисходительность поразила его до глубины души.

— Я тебя не узнаю, — сознался он. — Ты хорошо себя чувствуешь?

— Да наплевать на меня! Ты о себе подумай. Была б у тебя виза, я б тебе посоветовала мчаться следом за женой твоей перелетной.

Олег фыркнул.

— Ты не фыркай, а послушай. — Мать зачем-то достала вторую сигарету, хотя еще не докурила первую. — Я Вику понимаю, может, даже лучше, чем ты. Поверь, дорогой мой, в ближайшее время она тебя слушаться не станет. Уж не знаю, что ты натворил, но завелась она сильно.

— Я натворил? Да брось. У нас все было прекрасно.

Мать невесело усмехнулась.

— Это тебе так казалось. А жена твоя, судя по всему, другого мнения.

— А вот вы с отцом... — завел Олег привычно.

— Уйти мне надо было от твоего отца, — ровно сказала Лариса Витальевна.

Олег поперхнулся чаем.

— Лет двадцать бы назад, — невозмутимо продолжала мать, — когда он болеть еще не начал. Жила б тогда свою жизнь, а не чужую.

— Мам, ты что... — обалдел Олег. — Как это... Нет, погоди! А как же семья?!

— Семья нужна женщине в юности, а мужчине — в старости, — отчеканила мать. — Баба ребенка родит, до ума доведет — и дальше бы ей жить и жить в свое удовольствие. Для этого муж под боком не нужен, оно и у одной прекрасно получается. А у мужиков все наоборот. Он в юности нагуляется, для себя наживется, а как ему за сорок, так рядом хочется бабу теплую, уютную. Зачем? Чтобы с ним по врачам ходила, котлетки диетические стряпала и рубашки старому козлу гладила. Ласки ему хочется, родной души. А все от беспомощности его!

Мать вдруг отшвырнула пачку сигарет.

— Баба после сорока только на ноги встала, огляделась, у нее глаза загорелись — батюшки мои, сколько ж всего интересного вокруг! А мужик с геморроем и простатой познакомился, перепугался, головку в плечи вжал и ждет — какие ему еще сюрпризы выпадут. Страшно ему. Сукиному сыну! — с чувством добавила она.

Олег застыл с открытым ртом.

— А как же брак? — наконец выдавил он. — Жена должна...

— «Должна, должна»! — передразнила мать. — Останешься без жены, каждый день сможешь это талдычить.

Олег ошарашенно взглянул на нее. Как это — без жены? Нет, в теории он знал, что семьи распадаются. Но это могло случиться с кем угодно, кроме них. Если Вика из брака своих родителей вынесла бессознательный страх перед разводом, то Олег из брака своих — что разводов вовсе не существует.

До разговора с матерью он твердо стоял на земле. Но с каждой минутой в нем все сильнее крепло ощущение, будто его посадили в корзину воздушного шара и тот неумолимо поднимается вверх. Там, в небе, он будет совершенно беспомощен.

— У нас двое детей! — сделал он слабую попытку привязать шар к колышкам.

— То-то она сейчас с ними! — издевательски восхитилась мать. — Носы их сопливые вытирает, брюки гладит, уроки учит. А?

Олег молчал. Мать была права. Двое детей не удержали Вику от того, чтобы уехать одной отдыхать. Вряд ли они удержат ее, если она вздумает отдохнуть от них *насовсем*.

Он поднял с пола пачку, вытащил оттуда тонкую дамскую сигарету и закурил, не вполне осознавая, что делает.

Некоторое время они сидели молча. Олег курил, мать смотрела в окно.

— Испортила я жизнь и себе, и отцу твоему, — вдруг очень спокойно сказала она. — Пару разочков бы ему по мордасам съездить, один раз вещички собрать — и присмирел бы он. А я все притворялась перед кем-то. Идеальную супругу разыгрывала. Так разыгралась, что сама себя в этом убедила. Всепрощающей быть — оно ведь удобно, Олежек. Как будто у тебя корона на макушке.

Мать вскинула голову и стала в самом деле похожа на королеву в изгнании. Тяжелый взгляд, царственная осанка...

Олег впервые подумал о том, что в браке мать была несчастна. Королевы никогда не бывают счастливыми.

Он тяжело поднялся, молча поцеловал ее в гладкий пробор и вышел.

3

На этом удары судьбы не закончились. Вернувшись домой, Олег застал Ольгу Семеновну, их соседку, чихающей как простуженный кашалот. Пришлось отправить милейшую старушку домой, позвонить на работу и попросить неделю отпуска.

— Перекантуемся, пацаны, — пообещал Олег сыновьям. — Весело поживем, ага?

Он свято верил в то, что говорит.

Сложности начались в первый же день. Все эти годы домашнее хозяйство было на Вике. Олега изредка привлекали к сугубо мужским делам вроде замены треснувшего плафона или починки крана.

Все прочие заботы, связанные с домом, представлялись ему не то чтобы необременительными — даже не заслуживающими размышлений о них. В доме его родителей хозяйством занималась только мать. Олег к этому не имел никакого отношения. Женившись, он передал Вике эстафетную палочку по обслуживанию самца хомо сапиенса, крупного, восьмидесятикилограммового. Потом появились еще два мальчика, но для Олега это ничего не изменило.

Первый сюрприз ему преподнес собственный старший сын, отказавшись есть сваренную папой кашу с мотивировкой «она с комочками». Олег трижды переваривал треклятую манку, но в конце концов рявкнул на Кольку и велел лопать что дают.

Потом они опоздали в школу.

После школы они опоздали на тренировки.

Вика перед отъездом битком забила морозилку едой. Если бы Олег вспомнил об этом, его жизнь стала бы значительно проще. Но кто-то там, наверху, не желал облегчать существование Олега Маткевича, и он потратил два часа на то, чтобы приготовить ноющим голодным мальчишкам пиццу.

Пицца в итоге отправилась в мусорное ведро. Ужинали отварной картошкой.

4

Следующие несколько суток превратились для Олега в непрекращающуюся борьбу с пучиной быта. Быт побеждал с разгромным счетом. Он засасывал Олега, переваривал и выплевывал. Собственные дети представлялись Олегу фабрикой по производству мусора, а трижды в день — аннигиляторами пищи. Махнув рукой на все, он закупил пять килограммов пельменей и четыре коробки замороженных блинов, после чего проблема с ужинами и обедами была временно решена.

Но внутри толкнулся нехороший червячок. Червячок напомнил, что Вика никогда не покупает полуфабрикаты.

Прокатившись один раз на маршрутке с обоими сыновьями, Олег проклял муниципальный транспорт и пересел на машину. Они перестали опаздывать на тренировки.

Но червячок толкнулся второй раз: у Вики машины не было.

Во вторник Колька подрался с мальчиком из параллельного класса. Олега вызвала классная руководительница. Он провел в школе три самых бессмысленных часа в своей жизни и вышел оттуда, лелея террористические замыслы о подрыве этого славного учебного заведения.

5

Школа-еда-кружки-уборка-уроки. Олег не мог понять, как Вика ухитряется все это успевать да еще и работать.

Еще он хотел бы знать, как жена избегает рукоприкладства. Олег любил своих детей. Но это не мешало ему страстно желать отлупить их строго раз в четыре часа.

Ему вспомнилось, как Вика просила подарить кофеварку. На ее месте Олег просил бы самогонный аппарат. Никакого терпения не хватит воспитывать этих двух обалдуев, думал он, а тут выпил — и нервишки не так шалят.

Червячок незаметно превратился в змею. Змея кусала и шипела. Змея роняла ядовитые капли: «А помнишшшшь? Помнишшшшшь? Помнишшшь, ты обидел ее?» Олег помнил, и от этого становилось совсем тошно.

К четвергу у него закончились все вопросы, кроме одного: почему его жена выбрала для поездки такую близкую страну. Сам он с удовольствием смылся бы на Луну, если бы было на кого оставить детей.

6

А в пятницу Вика не прилетела.

Телефон сообщил, что аппарат абонента выключен или временно недоступен.

Абонент был недоступен и в субботу.

И в воскресенье.

В понедельник, в девять часов утра Олег Маткевич входил в квартиру частного сыщика Макара Илюшина.

Глава 7

— Алес, спускайся! — повторил Бенито.

«Мамочки родные! — жалобно пискнула Викина Плакса. — Отдай им все, пока не поздно, и умоляй, чтобы не убивали!» Внутренний скептик напряженно молчал.

Из темноты наверху медленно, как всплывающий со дна омута покойник, проявилась фигура. Сердце у Вики застучало так, словно пыталось разбить клетку ребер, вырваться на волю и улететь. Куда угодно, только подальше отсюда! Что это за ужасный человек, похожий на призрака?

Но какая-то часть Вики внезапно активизировалась, и, как ни удивительно, это была та самая женщина, которой принадлежал голубой блокнот: беззаботная мечтательница, легкая душа, больше всего любящая петь и путешествовать. Там, где Плакса готова была отдать все, не предприняв даже слабой попытки защититься, Путешественница собиралась вступить в драку и прикидывала, есть ли на ее стороне хоть какое-нибудь преимущество.

Вика быстро обшарила взглядом пространство. Сумка? От нее никакой пользы! Стол? Блюдце? Кресло?

Кресло!

Она метнулась к груде сваленной мебели и вцепилась в гнутую ножку, изо всех сил дергая ее в попытках оторвать. Будет чем биться!

Ей это почти удалось, когда человек на лестнице заговорил.

Услышав голос, Вика резко обернулась. На лице ее было написано такое изумление, что Бенито расхохотался в голос. Злой это был смех, издевательский, но сейчас Вика была рада и такому.

— Бона сэра, — проговорила девушка в пижаме, стоявшая на лестнице.

Смех оборвался.

— Алес, сейчас не ночь! — устало, как показалось Вике, сказал Бенито.

Девушка не ответила. Она спускалась, осторожно переставляя ноги, как если бы перед ней были не ступеньки, а вода. Она словно погружалась в их залу с ее полумраком: осторожно, боязливо.

Вика выпустила пыльную ножку едва не покалеченного кресла.

Девушка остановилась на предпоследней ступеньке и уставилась на нее, слабо шевеля губами, но не произнося ни слова.

— Алессия, это Виктория, — негромко сказал Бенито. — Поздоровайся с ней.

— Бона сэра, — снова шепнула девушка. У Бенито дернулся уголок рта.

— Здравствуйте, — от растерянности по-русски брякнула Вика.

Ее первой мыслью при виде девушки было, что Бенито держит здесь свою подружку. Но теперь, глядя на эти угловатые скулы, черные глаза, будто подведенные карандашом, на характерные ломаные брови, одна заметно выше другой, она поняла, что ошиблась.

Секундой позже Бенито подтвердил ее догадку.

— Моя сестра, — сказал он без выражения. — Ступай к нам, Алес. Не бойся.

Он протянул ладонь. Алессия уставилась на нее с вопросительным испугом. Она застыла на предпоследней ступеньке, одной рукой вцепившись в перила, другой теребя испачканную в какой-то белой дряни прядь волос. Бенито ждал с таким видом, будто готов стоять вечно, и в конце концов девушка осторожно подала ему иссушенную птичью лапку.

Вика смотрела, как он ведет ее через всю залу. Алессия ступала с величайшей осторожностью, некоторые места обходя стороной.

Ковер, догадалась Вика, она боится пятен на ковре.

Бенито проводил сестру до завалов мебели, и Алессия, согнувшись, забралась под опрокинутый стол и свернулась там клубочком — только черные глаза блестели из импровизированной норы.

— Ты можешь подойти ближе, — разрешил Бенито. — Она больше не станет тебя бояться.

Вика приблизилась, присела на корточки, ощущая неудобство от того, что рассматривает живого человека, словно какого-то зверька. Девушка слабо улыбнулась ей.

В первые секунды Вике бросилось в глаза сходство Алессии и Бенито. Теперь же ее поразила разница. Как, спрашивала она себя, как из почти одинакового набора черт Творец создал два настолько разных облика?!

Определенно, все дело в губах. Жесткий рот Бенито невозможно представить на этом безвольном вялом лице. Пухлые губы Алессии все время полуоткрыты, нижняя вывернута, за ней белеет ряд неровных зубов.

И подбородок. У Бенито он выпирал вперед — как нос у корабля. Алессии сильно скошенная нижняя челюсть придавала сходство с курицей.

Длинные неопрятные волосы падали ей на плечи, криво постриженная челка почти закрывала один глаз. Виктория присмотрелась и поняла, что белая дрянь — не что иное, как седина. У сестры Бенито была наполовину седая голова.

«Господи, бедная девочка».

— И давно она здесь? — дрогнувшим голосом спросила Вика.

Бенито поднял глаза к потолку, сжал пальцы в кулак, отогнул мизинец, безымянный...

— Два года.

— Что?!

— Два с половиной, — поправился парень. — Э, Алес! Сколько мы тут живем?

Девушка на карачках выбралась из-под стола, уселась рядом с Викой, как собачонка. Осклабилась — Вике стало тошно от этого зрелища — и что-то залопотала. Вычленить смысл из этого набора звуков мог только Бенито.

— Она говорит — два и еще чуть-чуть, — перевел он.

Вика опустила глаза. Взгляд наткнулся на огромные колтуны в спутанных полуседых волосах.

Острая жалость взяла в ней верх над брезгливостью. Закипая от ярости, Вика обернулась к Бенито:

— Почему ты держишь ее здесь? Ты что, глупый? Ей нужен присмотр! Она больна, или ты не видишь?

Вика изо всех сил старалась держать себя в руках. Но, видимо, что-то нехорошее прозвучало в голосе, потому что Алессия выпустила ее ногу и поползла подальше от нее.

— Больна? — с притворным удивлением переспросил Бенито. — Я ничего не замечаю.

От бешенства Вика даже перестала спотыкаться на подзабытых итальянских словах.

— Ты же убиваешь ее! — тихо процедила она. — Что она делает для тебя, малыш Бенито? Стирает твое белье? Готовит для тебя кофе? Что, оказалось удобно держать здесь слабоумную прислугу?

Парень шагнул навстречу Вике и остановился в полушаге, нависая над ней. Вика не отшатнулась. Ей больше не было страшно: злость на этого молодого подлеца и жалость к несчастной помешанной вытеснили испуг.

— Ты спрашиваешь, зачем она мне здесь? — голос Бенито стал отвратительно скрипучим. От звука его хотелось заткнуть уши, словно водили пальцем по стеклу. — Может быть, потому, что мой отец не пожелал иметь дурочку в своем доме и сдал ее в больницу? Может быть, потому, что там ее так лечили, что ей с каждой неделей становилось все хуже? Или потому, что, когда я увез ее оттуда, она даже не узнавала меня?! — его голос взвился до визга. — Или потому, что отец выгнал к дьяволу нас обоих, когда я привел ее домой?!

Алессия жалобно вскрикнула, и Бенито осекся. Задыхаясь, он отошел в сторону и отвернулся.

Наступило долгое молчание, прерываемое только тихим испуганным бормотанием больной девушки.

— Твой отец выгнал из дома собственную дочь? — недоверчиво спросила Вика.

Бенито ответил не сразу.

— Не собственную. Наша мать изменила ему. Родилась девочка. Отец делал вид, что простил. Мать умерла три года назад. Тогда отец сразу избавился от Алес.

Он по-прежнему стоял к Вике спиной. Рубаха белела в сумраке.

— У твоего отца еще есть дети? — спросила Вика после долгого молчания.

— Трое парней, кроме меня. Зачем слабоумная девка, когда есть мужчины! Наследники. Не чужая кровь.

Вика молча кивнула, хотя Бенито не мог этого видеть. Она хотела спросить, а как же биологический отец девушки, но потом подумала, что это не имеет значения. Если бы он хотел, давно бы объявился. А может быть, он покоится в могиле, как мать Бенито.

Алессия сидела на корточках и самозабвенно выдирала нити из ковра в том месте, где просвечивала основа. Теперь Вике стали ясны настоящие причины его ветхости.

— Алес, посмотри на меня, — ласково сказала она. Ей самой стало противно от патоки в своем голосе. Так разговаривают с маленькими детьми и собаками те, кто не понимает первых и боится вторых.

Быстрый затравленный взгляд вполоборота. Когда не бросалась в глаза нижняя часть лица, Алес можно было принять за обычного диковатого подростка.

— Сколько ей лет?

— Девятнадцать, — неохотно сказал парень.

Вика протянула руку и очень мягко погладила Алес по плечу. Та не вздрогнула и не отстранилась. Движения пальцев, выдиравших одну толстую нить за другой, замедлились. Вика провела ладонью по плечу девушки еще раз — ощущая каждую выпирающую косточку, — и пальцы оставили свою бессмысленную работу.

Сзади чиркнула зажигалка.

— Я часто кричу на нее, — сообщил за Викиной спиной Бенито, глубоко затягиваясь. — Она привыкла.

— За что кричишь?

— Когда веду ее мыться, а она не хочет выходить из дома. Ведет себя как тупая корова. Слышишь, Алес, про тебя говорят!

Девушка ничем не показала, что понимает его слова.

— В голове у нее один птичий помет, — флегматично заметил Бенито. — И тот протухший.

Он до того непринужденно перешел от ярости к невозмутимости, что у Вики закралось подозрение, будто и первое, и второе — игра на публику.

— Если бы не Алес, я бы занимался семейным делом, как и братья! Был бы уважаемым человеком. А сейчас я кто? Бенито-дурачок! Бенито-неудачник!

— Извини меня, пожалуйста, — попросила Вика.

— За что?

— За то, что я сказала гадость про тебя и Алес.

Бенито молчал очень долго, и за это время Вику успела хорошенько погрызть ее собственная совесть. Он тебя спас, нашептывала совесть, рисковал своей жизнью — вспомни заточку! Доверился тебе, приведя в свое тайное логово. А ты, неблагодарная свинья, обвинила его во всех грехах. Хорошо еще, тебе удалось удержать язык за зубами и ты не ляпнула, что несчастная дурочка наверняка согревает ему постель. Не стыдно тебе, Маткевич?

Вике было очень стыдно.

Она осторожно обернулась на Бенито. Он смотрел на нее с такой горечью, с такой обидой, что Вике захотелось провалиться сквозь пол.

И вдруг угол рта у него дернулся. Вика в первый момент решила, что ей почудилось. Но тут губы Бенито разъехались в довольной ухмылке, и он загоготал, сгибаясь пополам и хлопая себя по коленям, как обезьяна.

— Видела бы ты свое лицо!

Он утер выступившие слезы.

— Еще немного, и ты бы зарыдала. «Бедный Бенито, прости меня!» — у него снова получилось очень похоже передразнить ее дрожащий голос. — Брось! Я не обижаюсь, клянусь небесами!

— А мог бы и обидеться, — сердито сказала Вика, совесть которой мигом заткнулась и смущенно уползла подальше.

— На что? Ты первый человек за много лет, кто захотел защитить ее.

«Второй», — мысленно поправила Вика.

— Поднимайся, Алес! — скомандовал Бенито и похлопал сестру по плечу. — Пора идти! Если посидит тут еще, станет как бешеная, — пояснил он. — Слишком много впечатлений. Алес! Наверх!

Девушка послушно встала, глядя в сторону. Просеменила к лестнице. И напоследок, обернувшись, пробубнила, скользнув по Вике своими прекрасными глазами:

— Бона сэра!

— Сейчас не ночь, — поправила Вика.

Бенито выплюнул прилипшую к губе сигарету:

— У нее всегда ночь.

Он пошел за сестрой, а Вика осталась внизу одна. Она бесцельно побродила по зале, расправляя складки необъятного ковра, и не заметила, как оказалась возле стены, под которой сидел Бенито.

Вика наклонилась к фреске, рассматривая, кто же здесь изображен. Что это за люди, на которых так похож ее новый странный приятель?

И отшатнулась.

На стене были нарисованы демоны.

Глава 8

1

— Я сомневаюсь, что могу вам помочь, — без обиняков сообщил Макар Илюшин.

— Я тоже, — бесстрастно ответил гость. — Но попытаться обязан.

Сергей Бабкин заинтересованно взглянул на него. Высокий голубоглазый мужчина, светловолосый, с породистым лицом, которое не портили даже набрякшие веки. Пожалуй, он был по-настоящему красив. И производил бы сильный эффект, если бы не макаронина, прилипшая к воротнику рубашки. Бабкин случайно зацепился за нее взглядом и с трудом подавил ухмылку. Визитер из красавца начальственного типа сразу превратился в замученного мужика, в которого кто-то швырялся едой.

«В юности наверняка был любимец девиц», — подумал Бабкин. Он покосился в дело. Олег Маткевич, тридцать восемь лет, глава инженерного отдела в фирме «Металл-пласт». Жена — Виктория Маткевич, тридцать три года. Пропала... где?!

— Поймите меня правильно. — Илюшин доверительно подался к визитеру. — Официальные органы в вашем случае куда эффективнее частников, то есть нас. Вам нужно обратиться в консульство и...

— Я обратился, — сухо сказал Маткевич. — Я обращался во все инстанции. За два дня я поднял на уши всех, включая местную полицию. Они не хотят искать ее. Им наплевать.

— Почему вы так решили? — включился Бабкин в разговор. Сам бывший оперативник, он не любил, когда оскорбляют коллег. Пусть даже итальянских.

— Потому что я разговаривал с консулом. Он прямо сказал, что на местную полицию надежды мало. В основном они нужны там для того, чтобы туристы чувствовали себя спокойно. Это дословная цитата.

— М-да... — Илюшин коротко глянул на Бабкина. — И что он вам предложил?

Маткевич улыбнулся бескровными губами.

— Отправляться в Венецию и искать ее самому. С учетом обстоятельств мне выдадут визу по ускоренной процедуре. Консул явно был убежден, — кривая улыбка стала шире, — что жена от меня сбежала.

— А как на самом деле обстоят дела?

Олег Ильич некоторое время пристально рассматривал свои пальцы. Бабкин только сейчас заметил, что ногти у него изгрызены, как у мальчишки.

— Жена от меня сбежала, — сказал он наконец.

2

Олегу казалось, все потешаются над ним. Осел, оставшийся с рогами в лучших традициях дешевых мелодрам! Конечно, он нелеп. В глазах помощника консула, молодого круглоголового мальчишки, плясали искорки смеха. Мальчишка изо всех сил старался складывать губы в сочувственную гримаску, и в какой-то момент Олег понял, что сейчас он вышвырнет этого дебила в окно, где желтеют тополя. Он скомканно попрощался, вышел, свернул на лестницу и долго стоял, тяжело дыша, сжимая и разжимая одеревеневшие пальцы.

«Сделаем все, что от нас зависит», — пообещал ему консул. Олег не хотел, чтобы они делали все, что от них зависит. Он хотел, чтобы нашли его жену. С любовником или нет, плевать! С ней что-то случилось, она не могла просто так отключить телефон, не могла уехать из отеля, не оставив никаких следов.

Он пытался заставить их почувствовать его страх, но не преуспел. Почему-то все, с кем он разговаривал, видели перед собой оскорбленного мужа, от которого сбежала супруга. Не нужно было рассказывать, что они поссорились перед ее отъездом. Он сделал ошибку. Слишком перепугался, когда дозвонился до отеля и понял, что все всерьез.

До этого момента Олег по-прежнему продолжал винить Вику в произошедшем. Да, он пересмотрел свое мнение насчет дома и детей, он решил, что проявит справедливость и признает ее заслуги. Но во всем, что касалось поездки, он твердо стоял на своем: она не смела так поступать.

И только когда на плохом английском служащая отеля объяснила ему, что синьора выписалась и уехала, нет, они не знают куда, это случилось четыре дня назад, попробуйте позвонить в другие гостиницы — именно в тот момент его вдруг кольнуло в сердце чувство, что он совершил непоправимую ошибку.

Он.

И никто другой.

3

Олег отвез детей к матери. На отца, пытавшегося возмутиться тем, что ему предстоит жить в компании двух шумных спиногрызов неопределенное время, зыркнул так, что Илья Сергеевич, никогда не встречавший отпора, вдруг замолчал, откинулся на подушки и жалобно, по-бабьи всхлипнул:

— Да я что же, Олежек... Я ничего. Пусть погостят ребятишки, раз такое дело.

Какое дело, он толком не знал. Олег посвятил в происходящее только мать, и по тревоге, вспыхнувшей в ее глазах, понял, что все плохо. Она тоже не поверила, что Вика могла сбежать с пылким смуглым любовником, выкинув телефон и заметя следы.

Олег позвонил начальству и вкратце обрисовал, что произошло.

— Мне нужно будет поехать в Италию, — закончил он. — Документы на визу я уже подал. Завтра будут готовы.

— Повиси-ка минуту на трубочке, — помолчав, сказало начальство.

Прошла не минута, а добрых десять. До Олега доносились только отголоски разговора, который начальство вело по другой линии. Наконец бас в трубке снова прорезался.

— Запиши номер. Вдруг решишь, что пригодится.

— Кто это?

— Частные сыщики. Специализируются на розыске пропавших людей.

4

Частный сыщик встретил его один и не произвел на Олега никакого впечатления. Парень как парень, на студента-практиканта похож. Загорелый, тощий, все время улыбается. На щеке свежий шрам. Несерьезный тип, если в двух словах.

Он принялся расспрашивать Олега, а минут пять спустя после начала беседы подошел второй сыщик.

Вот этот впечатлял! Во-первых, здоровенный, как шкаф. Во-вторых, мрачный и молчаливый. В-третьих, глаза умные, злые, и зыркает исподлобья редко, но метко: Олегу, человеку не самой тонкой душевной организации, становилось не по себе под этим взглядом. Грамотные начальники веселыми болтунами не бывают, это он знал наверняка. Так что ему сразу было ясно, кто тут главный, а кто так, на побегушках.

Студентик расспрашивал, здоровяк в основном слушал. В отличие от помощника, ни разу не улыбнулся. Его молчаливое присутствие успокаивало, внушало надежду, что он сможет разобраться и помочь.

«Жена от меня сбежала», — сказал Олег, хотя не собирался этого говорить. И сам себя мысленно ругнул: тебе насмешек не хватило, придурок? Жалости захотелось, мужского сочувствия? А анекдоты про рогоносцев не хочешь? Понимающих ухмылочек за спиной не наелся еще?

— Неправда.

Олег не сразу понял, что обращаются к нему.

Парень-студент, непринужденно развалившись в кресле, смотрел на него с прежней веселой улыбкой. Кресло было синее, плюшевое, на редкость странной конфигурации, и ухитрялось выглядеть невероятно модным и страшно древним одновременно. От него можно было ожидать, что оно либо рассыплется в прах, либо взлетит и разовьет сверхзвуковую скорость.

— Что — неправда? — мрачно спросил Олег. «Распустил ты, чувак, своего пацана», — мысленно укорил он здоровяка.

— Что жена от вас сбежала.

— Тебе-то откуда знать! — вспылил Олег.

В руках студентика появилась фотография Вики. Олег принес ее с собой на всякий случай. Жену снимали на загранпаспорт полгода назад, часть снимков получилась неудачная, и один он забрал себе. На этой карточке Вика сидела с крайне серьезным и деловитым лицом, а из макушки у нее вертикально торчало зеленое перо (поганец Колька прокрался мимо фотографа и в последний момент испортил фото).

— Конечно, вас поразило не то, что она уехала, — сказал Илюшин, будто продолжая какой-то другой, ранее начатый разговор, — а то, *как* она это сделала. Вы что-то просмотрели, здесь я с вами согласен.

Олег думал о ситуации с Викиным отъездом именно этими словами: «я что-то просмотрел». Вот только он ни слова не говорил об этом Макару Илюшину.

Ему вдруг стал мал ворот рубашки. Он с силой оттянул его и растерянно взглянул на упавшую сверху, как ему показалось, макаронину. Илюшин одной фразой ошеломил его до такой степени, что даже летящая с потолка лапша не вызвала у Маткевича никаких чувств.

— Разумеется, это не любовник, — задумчиво продолжал Макар. — Ваша жена уехала в таком состоянии, в котором меньше всего думают о любви. И в Италии она не заводила никакой интрижки. Она не из тех, кто кидается в омут с головой. К людям привыкает долго, сразу довериться кому-то ей трудно. А уж броситься в объятия... Нет, сомнительно. Вы разговаривали с ней после ее отъезда?

— Один раз, — выдавил Олег. — Когда сын приболел.

— И ничего особенного не заметили?

Он помотал головой.

— Ну вот видите, — спокойно сказал Макар. — Ваша жена от природы совестлива и стыдлива. Совершенно невозможное сочетание для лжеца. Вранье резануло бы вам слух. Так что вы правильно беспокоитесь, Олег. С ней действительно что-то случилось.

Он вернул ему фотографию.

Олег Маткевич был очень упорным и цепким человеком. В том смысле, что, если уж ему в голову приходило какое-то убеждение, оно оставалось с ним практически навсегда. Оторвать от Олега уже закрепившуюся мысль требовало невероятных усилий от того, кто брался за этот подвиг. В офисе Маткевича за глаза называли «центнер»: не из-за его веса, а потому что «хрен сдвинешь», как сказал однажды в сердцах его коллега.

Макар Илюшин, сам не зная того, поставил абсолютный рекорд по разворачиванию Маткевича на сто восемьдесят градусов.

Две минуты.

Именно столько потребовалось Олегу, чтобы отбросить все свои прежние представления об этом человеке.

Кроме того, Олег Маткевич внезапно без всяких видимых оснований подумал, что он дурак. Прежде эта мысль не посещала Маткевича, даже когда оснований было предостаточно. Так что и в этом Илюшину принадлежала пальма первенства.

— Я хочу, чтобы вы ее нашли, — хрипло сказал он, обращаясь только к Макару. Про Сергея Бабкина с этого момента Маткевич забыл.

Макар задумчиво взъерошил волосы.

— Вы можете, — сказал Олег, и это был не вопрос. — Я все сделаю, что надо. Поеду куда надо. Заплачу сколько скажете. Только отыщите ее.

5

— Ну? — сказал Макар после ухода клиента.

— Что — ну?

— Где твой обычный выход с гармошкой в кирзачах? Где классическое нытье «зачем нам за это браться»? Мне непривычно, если ты не начинаешь нудеть. Сразу неприятное чувство, будто что-то идет не так.

Он выбрался из своего любимого кресла и подошел к окну. Олег Маткевич, сильно ссутулившись, шел через двор к своей машине.

— Жалко мужика, — неопределенно сказал Бабкин.

— Не аргумент, — отмел Макар.

— О'кей. Он платит — мы работаем. Аргумент?

— Пожалуй... — Макар обернулся к другу, пристально вгляделся в него: — Нет, ты все-таки подозрительно спокоен. Что-то тут не так.

— Давно хотел побывать в Венеции, — признался Сергей.

— Ты? В Венеции? Там же нет пива!

— Пиво!

Бабкин щелкнул пальцами, скрылся на кухне и вернулся с двумя запотевшими откупоренными бутылками.

— Нет, я все-таки удивлен тем, как быстро ты согласился на это жутко хлопотное дело, — задумчиво сказал Макар, отпивая из горлышка.

«Столько ума идиоту дадено», — говорила иногда бабушка Сергея, когда он откаблучивал в детстве какой-нибудь особенно занимательный номер. Именно эта фраза пришла ему на ум, пока он смотрел на Макара, беззаботно болтающего ногами на подоконнике. «Удивлен он, а!» Правда заключалась в том, что это было их первое настоящее дело после возвращения Илюшина из небытия. Бабкин взялся бы за него, даже если бы им предстояло искать пропавшую жвачку у ученика третьего класса.

Глотнув пива, Сергей отставил бутылку и прошелся по комнате. Его терзала одна мысль...

— Ты закончил свой ритуальный танец? — осведомился Макар. — Можешь приступать.

— К чему?

— К Серьезному Вопросу. Ты всегда так топчешься, когда хочешь что-то спросить, но думаешь, что поставишь себя этим в глупое положение. Это топтание-прелюдия.

— Брехня! — возмутился Бабкин.

Макар ухмыльнулся.

— Ладно, — сдался Бабкин. — Я вот чего не понял. Откуда ты знал про жену этого Маткевича? Ну, что у нее нет любовника, что она долго привыкает к людям... Ты ведь не лапшу ему на уши вешал, а искренне вещал! И, твою мать, попал в точку!

— Судя по его лицу, да.

— Как ты это сделал? Я уже мозг себе сломал! Что, просканировал эту Маткевич по фотке? Там же просто тетка! С дурацким пером. И все! Неужели по снимку?

Он умоляюще уставился на Макара.

— Ну, почти, — скромно сказал Илюшин. — Можешь считать, что просканировал фотографию.

Бабкин сел на пол и благоговейно уставился на Макара.

— Ты гений, — без всякой иронии сказал он. — Черт возьми, я буду писать о тебе мемуары и прославлюсь!

— Дело в том, — невозмутимо продолжал Илюшин, — что на снимке Вика Маткевич, в девичестве Неверецкая. Я с ней был знаком лет пятнадцать назад.

— Что?

— Или двенадцать...

Макар поднял глаза к потолку и принялся загибать пальцы. Бабкин вскочил.

— Ты! Ее! Знал!

— Ну, знал, — пожал плечами Илюшин. — Не мешай, я пытаюсь вспомнить...

Но Сергей уже кипел вовсю.

— Кашпировский хренов! Просканировал он! А я-то голову себе ломаю, как ты собираешься искать эту тетку. Страна — чужая, язык — неизвестный, на местности ни черта не ориентируемся...

— Язык не такой уж неизвестный, — вставил Макар. — По-итальянски объясниться я худо-бедно смогу. И согласился вовсе не поэтому.

— А почему же?! Дело ведь стопроцентно провальное. Образцовый геморрой на наши задницы! Невозможно найти пропавшего в другой стране, если там нет своих ушей и глаз!

Илюшин одним глотком допил пиво, подбросил пустую бутылку на манер кегли и ловко поймал за горлышко.

— Кто тебе сказал, что у нас нет глаз и ушей?

6

Клуб «Артемида»

Когда в дверь кабинета постучали, Перигорский только вздохнул. Он уже знал, кто к нему пожаловал. Причем пожаловал без предупреждения, ведь не считать же таковым звонок за двадцать минут до появления. Встречи с Перигорским обговаривались за неделю, за месяц! Но Макар Илюшин, если начинал действовать, то действовал быстро.

Без всякого энтузиазма Перигорский смотрел на приветливого сероглазого парня, идущего к нему с обаятельной улыбкой на очень загорелом лице.

— Рад вас видеть, Игорь Васильевич!

Глава «Артемиды» с сомнением посмотрел на него. Пожевал губами, будто не был уверен, стоит ли вообще вступать в контакт с этими гуманоидами. Но все-таки снизошел:

— Приветствую вас, Макар. И вас... э-э-э...

— Валерий, — подсказал Сергей.

Игорь Васильевич глянул с укором, из чего Бабкин сделал вывод, что пакостник Перигорский прекрасно помнил, как его зовут. Просто хотел в очередной раз подчеркнуть, что из них двоих готов принимать в расчет только Илюшина. Память у лысого хрыча была прекрасная, а после того, как Бабкин два года назад проник на территорию «Артемиды» и произвел там страшный переполох, никогда не забыл бы Сергея.

Сам Перигорский больше всего походил на богомола: высокий, тощий, с огромной, совершенно гладкой головой и коричневыми полукружьями век, которые он часто прикрывал и надолго замирал в такой позе. Очень длинные руки, казалось, жили своей жизнью, отдельной от тела. Бабкин все время ждал, что Перигорский вот-вот сложит их в молитвенном жесте, как это делают хищные насекомые, и в уголке рта у него на миг дернется лапка недоеденной бабочки.

Про бабочек Сергей вспомнил не просто так. Перигорский был создателем и бессменным главой пейнт-клуба «Артемида», с которым Бабкина и Илюшина судьба сталкивала уже дважды. Если в первый раз они попали в строго охраняемый клуб без приглашения (Бабкин приложил для этого массу усилий, и дело закончилось для него плохо), то во второй раз Перигорский лично пригласил их для расследования убийства, случившегося в «Артемиде».

Убийства «бабочки». Проститутки. Ибо «Артемида» была не чем иным, как ролевым клубом, возможно, лучшим в мире, на территории которого реализовывались все желания немногочисленных и очень состоятельных клиентов[1].

Когда его детище называли элитным борделем, Перигорский очень сердился. Он управлял чужими мечтами и фантазиями. Кто еще, скажите на милость, мог этим похвастаться?!

Впрочем, Игорь Васильевич никогда не хвастался. Мелкие, жалкие, суетливые людишки вокруг не могли оценить его величия.

---

[1] О первом деле читайте в книге Елены Михалковой «Остров сбывшейся мечты». Второе расследование описано в книге «Дудочка крысолова».

За исключением, пожалуй, единственного человека. Который сидел в эту минуту перед ним и улыбался так славно, что Перигорский улыбнулся бы в ответ, если б эта функция давно не атрофировалась у него за ненадобностью.

— Вы где-то хорошо отдохнули? — проскрипел и тут же поправился: — «Хорошо» беру назад. Вы выглядите похудевшим, Макар.

— Морской круиз, — пояснил Илюшин, почти не погрешив против истины. — Кормежка была так себе[1]. Мы к вам по делу, Игорь Васильевич.

Вот оно! Глава «Артемиды» снова вздохнул. В глубине души, разумеется. Он предпочитал все эмоции проживать внутри, не выпуская их на поверхность.

Перигорский ненавидел быть кому-то благодарным. Благодарность — это всегда долг. Но он не желал грешить против истины: как ни горестно признавать, но ему действительно есть за что быть признательным Илюшину. Конечно, тот работал на Перигорского не бесплатно. Но долг был самого ненавистного для Перигорского свойства — того, что не возвращается деньгами.

— Буду рад помочь.

Он учтиво склонил голову, ожидая приговора. Страшно представить, что потребует (формально попросит, всего лишь попросит!) этот милый юноша, который в действительности вовсе и не милый, и не юноша — кому, как не Перигорскому, об этом знать!

— Мне нужна помощь в Италии, — сказал Макар. Игорь Васильевич, меньше всего ожидавший подобного, изумленно уставился на него. — А если быть точным, в Венеции.

---

[1] По поводу кормежки Илюшин безбожно врет. Узнать о том, почему он это делает, можно из книги «Пари с морским дьяволом».

7

– Ну и рожа у него стала! — довольно прогудел Бабкин, когда они вышли на парковку. — Ты ему сбил настройки. Ошеломил до глубины души, если она у него имеется.

— Я его обрадовал! — поправил Макар. — Наш лысый друг был уверен, что мы попросим что-нибудь безумное.

— С чего ты взял?

— Перигорский не рассуждает в обычных категориях. У него замах, полет мысли и чувства! От меня он ждал того же.

— Например, что ты захочешь устроиться в его бордель. Вот уж где замах.

— «Артемида» не бордель.

— Все, все, согласен! — Бабкин вскинул руки. — Только не надо снова рассказывать мне про психологов, рисунок сюжета и прочую муру. Девочки спят с клиентами? Спят. Деньги им за это платят? Платят. Значит, бордель.

— Приземленный ты человек, Серега, — с грустью констатировал Илюшин. — Нет в тебе стремления к высокому.

Бабкин хмыкнул

— Ну почему же... Та высокая блондинка в ошейнике, которая нас провожала...

— Заткнись, — беззлобно потребовал Илюшин. — И вообще, ты женат!

Они подошли к машине. Ветер гнал по улице пыль и пожелтевшие листья. Над головами собиралась классическая осенняя хмарь.

— А в Венеции солнечно, — задумчиво сказал Бабкин и открыл дверцу. Макар уже уткнулся в свой телефон, но Сергею хотелось общения. — Слушай, а зачем ты соврал Перигорскому о цели нашей поездки? Разве не ты предлагал быть с ним абсолютно честным?

— Я?! — изумился Макар, не отрывая взгляд от экрана. — Ты шутишь. И в мыслях не держал! Казаться честным — да, это необходимость. Но быть? Какая глупость!

Он осуждающе покачал головой.

Бабкин засмеялся.

— А ты знал, что у него дом в Италии? В смысле, до нашего визита.

— Догадывался. У него на стенах в кабинете картины. Я их еще в тот раз заметил.

Сергей нахмурился, припоминая. Точно, висело что-то пестренькое.

— Желтенькое и сиреневое?

— Акация и лаванда, — перевел Илюшин. — Типичные итальянские весенние пейзажи. Картины ничего выдающегося из себя не представляют. Значит, Перигорскому просто нравится то, что на них изображено. А если ему что-то нравится, он идет и покупает это.

— Хорошо, что ему не нравлюсь я, — пробормотал Бабкин. — Но все равно эти пейзажики Перигорскому не подходят. Ему бы что-нибудь повыразительнее. Портрет Ктулху там или Гитлера... Кстати, куда мы теперь направляемся?

— В ближайший торговый центр, за чемоданом, — сказал Илюшин и сунул телефон в карман. — Билеты я только что забронировал, вылетаем рано утром.

Уже сидя в неудобном кресле самолета, набиравшем высоту, заметив приближающуюся стюардессу, Бабкин вспомнил, о чем хотел спросить.

— Макар! — позвал он. — Э, Макар!

Илюшин оторвался от созерцания взлетной полосы.

— М-м?

— Ты сказал, вы с этой Маткевич были знакомы.

— Да. Довольно давно.

— И что, близкое было знакомство?

— Вместе пели в хоре при Доме культуры железнодорожников. Это считается близким?

Услышав про хор железнодорожников, Сергей с удовольствием заржал. Просмеявшись, он обнаружил, что на него смотрят двое: стюардесса — негодующе, Илюшин — удивленно.

Смех оборвался. Бабкин икнул. Строгая стюардесса прошествовала мимо, метнув на него напоследок суровый взгляд.

— Дом железнодорожников? — шепотом повторил он. — Ты серьезно?!

— На Комсомольской, — уточнил Макар.

Бабкин ожидал от Илюшина любых сюрпризов, но даже для него, привычного ко всему, железнодорожники были чересчур. Некоторое время он осмысливал новую информацию и пытался представить Макара поющим. За все время их знакомства Илюшин исполнил песню единственный раз: когда на них набросился обиженный клиент, которому они отказали, и Бабкин сбросил дурня с лестницы, он насвистел «Вот кто-то с горочки спустился».

— Я, пожалуй, не стану спрашивать, откуда ты знаешь итальянский, — пробормотал Сергей после долгого молчания.

Глава 9

Когда Бенито, уложив сестру в постель, сошел вниз, он обнаружил их гостью нервно расхаживающей вдоль стены с разговорником в руках. Юноша остановился там, где его скрывала густая тень, и стал наблюдать.

При первой встрече — еще тогда, в отеле — она показалась ему замученной и некрасивой. Мелкая костлявая дамочка, плоская, как селедка, с рыбьими глазами. Почему все твердят о красоте русских женщин? Баба должна быть как кобыла: крутобокая, нервная, дикая, длинноногая, и чтобы грива стекала по узкой спине. А это какое-то недоразумение!

Во второй раз он увидел ее, когда она заступилась за него перед рассвирепевшим сукиным сыном Иланти. И не узнал.

В одной гостинице, где когда-то Бенито служил мальчиком на побегушках, по всему холлу стояли большие чаши с водой. Каждое утро он бросал в чашу по розовой таблетке, маленькому спрессованному диску. А затем случалось чудо. Диск стремительно набухал от воды и превращался в цветок. Причем не розовый, а ярко-малиновый. Бенито ненавидел и гостиницу, и своего босса, и работу, но он проторчал там несколько месяцев только из-за этого ежеутреннего волшебства.

Маленькая русская женщина была как та таблетка. Ее бросили в воду, и жизнь наполнила ее высохшее существо. Кожа порозовела, засияли глаза, бесцветные пряди легли мягкой золотой волной по плечам. Она больше не напоминала селедку. Скорее, маленького аквариумного «петушка», яркого и боевого. А уж когда она атаковала Иланти, Бенито еле удержался от хохота. Сколько экспрессии, мамма миа! Где она только в ней помещалась!

Конечно, он забыл о ее существовании, едва только смылся из отеля. Какая-то ненормальная, которой приспичило лезть в чужие дела! Нет, Бенито был ей благодарен... Но сам бы он в жизни так не поступил. К чему? Помоги себе сам — вот был его девиз. Не можешь помочь? Значит, сегодня ты неудачник.

А потом он заметил ее на площади Сан-Марко. Она еще не успела испугаться *как должно*. Ее тащили Адриан и Луиджи, двое громил на подхвате у Папы — их отряжали на самую гнусную работенку. Не потому, что они хорошо с ней справлялись, а потому, что только они ловили от нее кайф.

Про Луиджи поговаривали, что он любитель снять дешевую шлюху где-нибудь на окраине и измордовать ее хорошенько. Судя по сладострастному выражению на его морде, когда он врезал бедной дамочке под дых, это и впрямь могло быть правдой.

Давай, малыш, сказал себе тогда Бенито. Вот он, твой шанс.

Был человек, который научил его кое-каким приемам... давно. А остальное Бенито добрал сам в злачных районах города.

Слава Адриана и Луиджи сослужила им плохую службу. Когда тебя все боятся, это расслабляет. Уговорить женщину следовать за ним оказалось не труднее, чем увести из ночного леса потерявшегося ребенка. И вот она ходит туда-сюда, закусив губу, а он стоит и смотрит на нее.

Что же ему делать дальше?

Если б в эту секунду Вика подняла голову и обнаружила наблюдающего за ней Бенито, она поразилась бы сосредоточенному выражению его лица. Ей казалось, у него в арсенале лишь коллекция гримас и издевательских улыбок. Но Бенито был очень серьезен. Его мало кто видел таким, он старательно скрывался ото всех под толстой шкурой, приросшей к нему за несколько лет. Бенито-наглец, Бенито-щенок! Да, он щенок. Щенок, который незаметно для всех вырос в здоровенную собаку.

И у этой собаки есть клыки.

— Эй! Ты проголодалась?

Вика вздрогнула и вышла из задумчивости.

— Что? Нет, спасибо. Бенито, послушай! Я кое-что придумала.

Так. Она кое-что придумала. Забавно!

Бенито сошел вниз, готовясь высмеять очередную ее глупость вроде идеи обратиться в полицию.

Но на этот раз услышал совсем другое.

— Бенито, мне нужно вернуться на родину, — твердо сказала она. — Я не могу сидеть здесь и ждать, пока меня найдут. В аэропорту меня поймают преступники. Но ведь есть еще поезд! Вряд ли этот уголовник, Папа, поставил людей на вокзале. У него нет столько народу, ты сам говорил.

Бенито признал, что это так.

— Прекрасно! — она воодушевилась, глаза засверкали. — Ты поможешь мне добраться до вокзала. Я куплю билет и уеду на материк. А там доберусь до ближайшего аэропорта. Пока меня ищет только этот бандит! Он не может контролировать всю Италию.

— Улетишь... — озадаченно повторил Бенито.

Она неверно истолковала его задумчивость.

— Постой, это еще не все! Из России я позвоню в вашу полицию и в консульство. И скажу им, где спрятан перстень! Анонимный звонок! Перстень найдут, и все будет хорошо. Что ты думаешь? Ты поможешь мне, Бенито?

Она с надеждой вглядывалась в него.

Что ж, голова у нее заработала как надо, признал Бенито. План был очень прост и тем хорош. В аэропорту ее, безусловно, будут ждать. На вокзале куда легче затеряться в толчее.

— Я могу изменить внешность, — быстро сказала Вика. — Состригу волосы. Если ты дашь мне косметику, я стану выглядеть немножко иначе. Это тоже может помочь!

Он все еще молчал, задумчиво вертя в пальцах сигарету.

— Послушай, я все понимаю. — Вика осторожно дотронулась до его руки, и Бенито вздрогнул. — Это большой риск для тебя. Ты и так меня спас! Давай ты отвезешь меня на лодке в любое место. А оттуда я доберусь до вокзала сама. Это ведь хороший план, правда?

В сумраке глаза у нее казались светлыми, как льдинки.

Бенито решился.

— Нет! — твердо сказал он и отложил сигарету. — Мы поступим так. Сначала я поговорю кое с кем. Наведаюсь на вокзал. Это не займет много времени. Надо послушать, что люди говорят. Если все нормально, вернусь за тобой.

— Это рискованно!

Бенито оскалился и бросил:

— Все, что я делаю, рискованно! Жди здесь. Если захочешь пить, вода наверху. Там же туалет. Иди сюда, покажу, как вынимать решетку.

Минут десять Вика пыхтела у проклятого окна. Она взмокла и устала, но Бенито не отстал от нее, пока не убедился, что она в состоянии справиться с решеткой без него.

— Отдохни, — великодушно разрешил он и даже бросил у стены под окном какую-то подушку. Пораженная этим внезапным приступом галантности, Вика села.

Свет падал из окна ровным косым столбом прямо перед ней. Бенито стоял чуть поодаль, возясь с телефоном.

— Если Алес проснется... — начал он.

Раздался какой-то щелчок.

Вика вздрогнула и привстала, широко раскрыв глаза.

— Ты слышал?!

— ...то ничего не делай, — закончил он. — Слышал что?

— Звук! — Вика защелкала пальцами, пытаясь воспроизвести его. — Странный звук! Здесь кто-то есть!

Бенито молча, но выразительно закатил глаза.

— Я его слышала! — твердила Вика. — У меня отличный слух! Я же певица! Поверь, мне не показалось!

Кажется, ей удалось заразить его своей тревогой.

— Откуда он шел?

— Не знаю... Но он был совсем близко!

— Я сейчас.

Парень проворно выбрался наружу и исчез. Его не было минут пять, и за эти пять минут Вика успела представить, что бандиты подстерегали его снаружи, схватили и вот-вот ворвутся сюда.

Когда курчавая голова показалась в окне, она чуть не закричала.

— Никого нет, — сообщил слегка запыхавшийся парень. — Осмотрел все. Тихо.

— Ты уверен?

Он не удостоил ответом ее оскорбительный вопрос, только презрительно наморщил нос. Разумеется, он был уверен!

— А внутри? — все-таки спросила Вика. — Что, если кто-то проник в палаццо?

Бенито усмехнулся.

— Тогда он должен быть невидимкой.

Не слушая больше ее возражений, он быстро собрался. В его случае это означало, что Бенито, не стесняясь Викиного присутствия, отвернул край ковра в дальнем углу, отковырял какую-то плитку и достал из-под нее несколько купюр. Небрежно кивнул ей на прощанье — и исчез привычным путем: только решетка звякнула.

— Позер! — сердито фыркнула Вика.

В книге про Питера Пэна, которую она читала на ночь сыновьям, главный герой и его друзья попадали в свой дом, забираясь в дупло и скатываясь по пустому стволу дерева. В душе Бенито определенно оставался мальчишкой, кем-то из друзей Питера.

Голову можно дать на отсечение, думала Вика, что из палаццо есть и другой выход, не требующий этих обезьяньих уверток. Парню просто нравится сигать туда-сюда!

Что ж, предстояло как-то скоротать время в отсутствие хозяина.

Подниматься наверх Вика не решилась. Алессия спит. Что, если она проснется? Мысль о том, что придется провести пару часов в компании бодрствующей сестры Бенито, не вызвала у Вики энтузиазма. Она боялась сумасшедших. Ей было стыдно за себя, но она предпочла бы держаться от Алессии как можно дальше.

Вика заглянула в тайник Бенито. Ею двигало не столько любопытство, сколько надежда на то, что там окажется оружие. Что бы ни утверждал итальянец, Вика была уверена, что слышала непонятный звук. Ее по-прежнему смущало его происхождение. Он был слишком несвойственен этому месту.

Но, к ее острому разочарованию, тайник оказался пуст. Это была просто грязная выемка в полу, небрежно замаскированная. На дне валялось несколько монет. Вика задвинула плитку и вернула пыльный ковер на место.

Больше делать было совершенно нечего.

Вика снова взялась за разговорник. Некоторое время она повторяла тему «Переезды», пока не заметила некую странность. Все чаще вместо знакомых слов на странице то тут, то там проявлялся сквозь буквы крылатый лев. В лапах он держал медную чашу. Вика пыталась заглянуть в нее, но ничего не получалось: лев тряс волнистой гривой, отступал и растворялся среди итальянских слов. «Вот я тебя сейчас за шкирку!» — пригрозила рассердившаяся Вика. Лев внезапно прыгнул на нее из книги, мягко сбил с ног, ударив в плечо — и Вика проснулась.

Она полулежала возле стены, уютно прижавшись щекой к распахнутому разговорнику. А рядом на корточках сидел Бенито и трогал ее за плечо.

Вика протерла глаза и привстала. Ей кажется, или в зале стало темнее?

— Бенито! Который час?

— У меня для тебя плохие новости.

Ее испугали не столько сами слова, сколько тон, которыми они были произнесены. Итальянец был мрачен.

— Что такое?

Вместо ответа он вытащил из кармана смятый лист бумаги. Вика развернула его и ахнула.

С объявления на нее смотрело ее же собственное лицо. Снимок не слишком качественный, зернистый, с искажениями, но не узнать на нем Вику было невозможно. Над фотографией гигантскими черными буквами, жирными, как навозные мухи, набрано одно-единственное слово. Вике не требовалось вспоминать, как по-итальянски «разыскивается». И дураку понятно.

Под фотографией шли три строки мелкого шрифта, из которых явственно следовало, что любому человеку, предоставившему информацию о местонахождении женщины на снимке, будет выплачено вознаграждение. Сумма не указывалась. Зато имелись номера телефонов: целых пять.

«На случай, если активно настроенные граждане, заметив меня, оборвут все трубки».

— Эти объявления висят везде, — негромко сказал Бенито. — На каждом углу. И на вокзале. У всех гондольеров они есть. У водителей моторок — тоже. Как успели так быстро тебя найти? Я не понимаю!

Вика хотела ответить, что она и сама этого не понимает. И вдруг ей кое-что пришло в голову:

— Подожди-ка, подожди...

Она еще раз уставилась на снимок.

Ракурс сверху! Сомнений больше не оставалось. Она чуть не застонала от злости на саму себя.

— Я забежала в магазин!

— Что?

— Когда нашла перстень в своей сумке! — Вика сжала кулаки. — Мне было очень страшно, и я зачем-то заскочила в первую попавшуюся дверь. Господи, я идиотка!

— Камеры... — понимающе протянул Бенито.

Вике нечего было возразить. Она поняла, как обстояло дело: когда полиция принялась опрашивать очевидцев вокруг выставочного центра, продавец из лавки с карнавальными масками вспомнил странную женщину, залетевшую к нему и метавшуюся по магазину, как перепуганная птица. Полиция уцепилась за эту ниточку. Лавка была оборудована камерами, и под одну из них и попала Вика.

— Они сверились с записями камер на выставке и поняли, что я там побывала, — вслух по-русски сказала она.

Бенито кивнул.

— Мне нельзя появляться на вокзале, — тихо сказала Вика. — Мне нельзя появляться нигде: меня тут же сдадут в полицию. Я сама отрезала себе все пути к возвращению домой.

Она закрыла лицо ладонями, но тут же снова вскинула голову:

— Телефон! Бенито, дай мне позвонить! Я должна предупредить мужа.

— Мне пришлось продать трубку, — уклончиво сказал он.

— О господи...

Вику вдруг осенила новая догадка, заслонившая даже тревогу за мужа, ничего не знающего о происходящем с ней.

— Бенито! Ты сказал, вы живете здесь с Алес два года?

— Два с половиной.

Вика подалась вперед, вглядываясь в его лицо:

— А эти парни, с которыми ты дрался... Они знают, кто ты такой?

— В этом городе меня все знают, — в ответе Бенито звучало мрачное удовлетворение.

Вика поднялась. Ее бросило в дрожь.

— Неужели ты думаешь, что никто не догадывается, где твое укрытие? Это невозможно! Люди наверняка видели тебя на твоей лодке! Замечали, где ты оставляешь ее!

— Я всегда был осторожен! — нахмурился он.

— Два с половиной года?

Она едва не рассмеялась.

Господи, ей нужно было понять раньше, что его самонадеянность подведет их обоих! Он был так уверен в том, что его укрытие невозможно обнаружить, — в точности как мальчишки с острова Нетинебудет! И даже не подумал о том, что его до сих пор не нашли, потому что никто и не думал искать. Парень с придурковатой сестрой — кому они нужны!

Но когда он привел сюда ее, все изменилось.

— Тот щелчок! — вспомнила Вика. — Если кто-то был снаружи, наблюдал за нами, а спрятался от тебя...

Она попыталась сообразить, сколько времени прошло с ухода Бенито. Забыв о том, где они находятся, обшарила взглядом стены палаццо, ища часы. Фрески, везде одни фрески!

Бенито вскочил.

— Ты права. Нам нужно уходить. Я был идиот! Жди здесь, я разбужу Алес.

Но сделать этого он не успел. Снаружи раздался плеск, а затем приглушенный стук: один раз, второй, третий.

Три лодки, поняла Вика.

Вот, кажется, и все.

Несколько мгновений они с Бенито смотрели друг на друга, а потом словно проснулись.

— За мной! Живо! — одними губами приказал юноша.

Вика схватила сумку, на ходу запихивая в нее вываливающиеся вещи, и бросилась к лестнице. Бенито огромными беззвучными прыжками мчался вверх, перемахивая через четыре ступеньки зараз. Она едва не упала, зацепилась за перила и поймала удивленную мысль где-то на краю сознания: почему они мокрые?

«Это ладони у тебя вспотели», — шепнул внутренний голос.

Снаружи послышались голоса.

«Нельзя, чтобы они увидели меня!» Вика рванулась изо всех сил, спиной ощущая, что ее вот-вот заметят через окно. Спасительная темнота успела поглотить ее за секунду до того, как сквозь прутья решетки посветили фонариком. Вика побежала за Бенито, ничего не видя вокруг, споткнулась и чуть не упала. Сильные руки поймали ее в последний момент.

— Нельзя шуметь, — шепнул Бенито ей на ухо.

Вряд ли в эту минуту во всей Венеции нашелся бы человек, понимающий это лучше Вики. В спине кольнуло холодом, и ледяные мурашки разбежались по коже от того места, куда приставляли заточку.

Жесткая ладонь Бенито нащупала в темноте ее пальцы. Вика почувствовала, как ее тянут за собой. Вокруг плыла тьма, такая густая, что казалось, они плывут вместе с ней. Парень шел уверенно: то ли видел в этом кромешном мраке, то ли хорошо знал дорогу.

В носу щекотала пыль, пахло прогнившим деревом и старой бумагой. Под ногами что-то мягко проседало, как те ветхие мостки у причала. «Не хватает еще рухнуть через перекрытия на головы бандитам».

Ей показалось, что снизу донесся шум. Вика застыла.

— Они внутри, — шепотом подтвердил Бенито. — Сюда!

Он дернул ее куда-то влево, дверь беззвучно распахнулась, и они ввалились в совершенно пустую комнату с криво заколоченным окном. Сквозь щели между досками падал слабый вечерний свет, и Вика увидела на матрасе у стены силуэт спящей девушки, завернувшейся в кофту.

Бенито присел, зажал ей рот ладонью:

— Алес! Проснись!

Вика затаила дыхание, когда девушка открыла глаза. Господи, только бы не закричала, только бы не закричала... Но Алессия встала, облизывая губы, и послушно двинулась за братом.

Когда они вернулись в коридор, внизу уже ходили люди. Темноту за спинами беглецов рассекали мелькающие желтые лучи. «Увидели лестницу и пытаются сообразить, куда она ведет, — поняла Вика. — Может, опасаются засады. Сейчас убедятся, что их оттуда не обстреляют, и пойдут наверх».

Бенито все шел вперед. «Что он задумал?»

Вика не могла понять, как он собирается спастись. Забаррикадироваться в одной из верхних комнат? Вызвать полицию? Что ж, это выход. Главное — успеть завалить дверь до того, как их догонят.

«Мы сможем, если будем двигаться бесшумно».

Стоило ей подумать так, Алес подвернула ногу и негромко вскрикнула.

Все трое застыли в нелепых позах. Несколько томительных секунд Вика вслушивалась, не донесется ли снизу дружный топот. Бенито прижал к себе сестру, успокаивающе нашептывая что-то ей на ухо.

Внизу помолчали, а затем снова заговорили с прежними интонациями. Похоже, крик Алессии не выдал беглецов.

— Еще немного! — шепнул Бенито.

Очередная дверь! И очередная комната, только с выбитым окном, за которым синело вечернее небо, прошитое алыми нитями заката. С первого взгляда Вика поняла, что ее предположение о баррикадах рассыпалось в прах. Внутри валялись лишь несколько сломанных стульев и пустое ведро.

Мозг Вики незамедлительно создал две картинки: она отбивается от бандитов ведром; она выходит с ведром на голове и беспрепятственно удаляется, не узнанная никем. «Вот так сходят с ума», — мелькнуло у нее.

Бенито не заинтересовался ни ведром, ни стульями. Он подбежал к окну, перегнулся и жестом подозвал к себе обеих женщин.

— Святая Мария, — ахнула Вика, увидев, что он задумал.

Из наружной стены сбоку от подоконника торчал устрашающего вида ржавый крюк. На нем, свернутая небрежными кольцами, болталась веревка с узлами по всей длине и утяжелителем в виде кривой сучковатой палки на конце. Похоже, Бенито имел основания опасаться кого-то не меньше, чем Вика, и предусмотрительно подготовил пути отхода.

Эта стена выходила на задний двор, огороженный высоким забором. В углу белела скромная маленькая калитка. Вика дорого бы отдала за то, чтобы сейчас оказаться возле нее. «Всего лишь второй этаж!» — с тоской думала она, оценивая расстояние до земли. Но по метрам выходило, что лететь, вздумай веревка оборваться, как с четвертого.

Страшно ей не было. Когда-то Вика боялась высоты, но в старших классах вместо физкультуры школьникам разрешили выбрать секцию скалолазания. Два года занятий излечили ее от начинающейся фобии.

Бенито размотал кольца и сел на подоконнике, свесив ноги наружу.

— Ты! — он ткнул пальцем в сестру. — Живо!

И тут Вика, почти уверившаяся в том, что спасение близко, поняла, где главное препятствие плану Бенито. Девушка попятилась, расширенными от ужаса глазами глядя на брата.

— Алес! — яростным шепотом заорал Бенито. — Сейчас не время!

Она замотала головой. Сальные волосы упали на искаженное страхом лицо. «Еще немного — и закричит», — поняла Вика.

Осознал это и Бенито. Он подбежал к Алес, обнял ее, забормотал что-то утешительное, но во взгляде его была злость.

— Говорил же, у нее птичий помет в голове! Она боится смотреть вниз. Спускайся сама!

— А как же ты?

Он выразительно показал на сестру и скривился. Мол, делать нечего, из-за чертовой дуры весь план чертям под хвост.

— Калитка открыта, — шепотом инструктировал он. — Дальше проход между домами. Выберешься — увидишь лодку...

— Все, хватит! — оборвала его Вика. — Я никуда не пойду.

С бешено колотящимся сердцем она отодвинулась от подоконника и скрестила руки на груди.

Бенито обрушился на нее с ругательствами, которые возымели бы больший эффект, если бы были произнесены в полный голос. К тому же Вика не настолько хорошо знала эту область итальянского, чтобы понимать все, что он говорит.

Дождавшись небольшой паузы, она перебила:

— Эти люди ищут меня! Не найдут и будут очень сердиты на вас. Ты это понимаешь?

Судя по лицу Бенито, он отлично все понимал.

— Или уходим все, или не уходит никто, — твердо сказала Вика. Внутри тоненький голосок пищал, что она дура, что она обязана позаботиться о себе ради детей и бросить этих двоих, как балласт, но Вика сейчас прислушивалась к совсем другим звукам.

Кажется, обыск внизу закончился. Кто-то поднимался на второй этаж.

— Бенито, веревка может выдержать двоих?

Он покачал головой.

Вика стиснула кулаки. Думай, думай! Вот девочка, которая боится высоты, вот один шаг до спасения... Что можно сделать?

— Бенито! Она боится смотреть вниз. А вверх?!

Как ни поразительно, он понял ее сразу же. Оттолкнув сестру, кинулся к подоконнику, подцепил веревку, раскрутил, как лассо, и забросил наверх. Перед оконным проемом закачалась веревочная петля.

— Алес, пошла! — шепотом заорал Бенито. — Давай же, тупая ты корова!

Тощие ноги в пижамных штанинах скрылись наверху. Бенито подсадил Вику, и она принялась карабкаться, обдирая руки об узлы и проклиная дуреху, которая согласна была лезть вверх, но боялась спуститься вниз.

К счастью, до крыши было близко. Перевалившись через край, мокрая как мышь Вика увидела, за что зацепилась спасительная веревка, и похолодела.

Палка, привязанная к ее концу, сейчас торчала между двумя столбиками балюстрады, подергиваясь от рывков. В любой момент она могла выскочить. Вика схватилась за нее и держала, пока над крышей не показалось красное от натуги лицо Бенито.

Они в четыре руки выбрали веревку наверх. Если бы кто-то высунулся из окна, их раскрыли бы тотчас: веревка поднималась от крюка по стене, похожая на экзотическое растение с толстым стеблем. Затаив дыхание, Вика и Бенито ждали, не появится ли под ними чья-то макушка. Алес бесстрастно, как божок, уселась посреди ровного прямоугольника крыши и, кажется, задремала.

Две минуты.

Пять.

Десять.

А потом до них донесся самый прекрасный звук, который только могла представить Вика в эту минуту: шум заведенного мотора.

Лодки уходили.

— Я гляну, сколько их, — шепотом сказал Бенито и, пригнувшись, побежал к противоположному краю.

Когда он вернулся, на лице его играла довольная ухмылка.

— Лодки забиты под завязку. Значит, уехали все. Боялся, они оставят тут кого-нибудь.

Вика закрыла глаза. «Уехали все. Слава богу!»

Она опустилась на нагревшуюся за день крышу. Вернее, ноги сами подогнулись, и волей-неволей пришлось сесть.

— Нам все равно придется уйти, — с сожалением признал Бенито. — У меня есть одно местечко на примете... Недалеко.

— И мы им воспользуемся, как только сможем уговорить твою сестру спуститься отсюда, — закончила Вика.

Глава 10

1

Уже в венецианском аэропорту выяснилось, что Илюшин несколько переоценил свои способности к языкам. Возле стойки такси Сергей с легкой оторопью наблюдал, как его друг отчаянно жестикулирует (Бабкину пришлось отойти подальше, иначе в Венецию он приехал бы с фингалом под глазом), сыплет фразами вроде «леминато-крещендо-примо-аллоре-кварта» — и не имеет ни малейшего успеха. Судя по скептическому выражению лица дамы за стойкой, все, что говорил Илюшин, представлялось ей полнейшей абракадаброй.

Бабкину впервые довелось увидеть, как его друг терпит столь полное и сокрушительное поражение. В конце концов Илюшин сдался и перешел на английский.

— Макар, а Макар, — осторожно спросил Сергей, пока они тащились с чемоданами в порт. — Все-таки скажи, где ты учил язык?

— Со мной занимался один человек, когда мы из-за неудачного стечения обстоятельств оказались заперты вместе на некоторое время, — туманно ответил Илюшин.

Бабкин обдумал его слова со всех сторон. Стечение обстоятельств? Заперты вместе?

— Ты что, сидел? — недоверчиво спросил он.

Еще сутки назад Бабкин прозакладывал бы голову, что Макар никогда не был в тюрьме. Но после хора в Доме культуры железнодорожников Сергей готов был пересмотреть многие свои убеждения насчет друга.

— Боже упаси.

— Тогда что это за обстоятельства?

— Серега, это не очень интересная история.

«Да неужели?» — сказал про себя Бабкин. Когда кто-то говорит «не очень интересная история», это означает, что история по увлекательности может соперничать с «Тремя мушкетерами».

Колесики чемоданов стучали по плитке, и казалось, будто рядом едут два маленьких поезда.

— А ты уверен, что этот человек над тобой не пошутил? — попробовал Бабкин зайти с другой стороны.

— Не уверен, — сказал Илюшин. — В этом-то все и дело.

Пристань встретила их пронзительным гудком вапоретто. С моря дул сильный ветер. Макар вытащил из сумки длинный вязаный шарф и обмотал вокруг шеи. Шарф был болотного цвета и, по мнению Бабкина, выглядел на редкость по-дурацки. Однако удивительным образом он придавал Макару… итальянистость. Сергей в очередной раз позавидовал способности Илюшина мимикрировать под окружающую среду.

— Вон наше плавучее средство, — показал тот на остроносую, как туфля, лодку. — Идем.

Двадцать минут спустя моторка причалила возле ничем не примечательного серого здания. Внутри дом оказался удручающе похож на общежитие. Даже красноличный старикашка на входе напоминал вахтера советского разлива.

— Мы точно по адресу? — озадачился Сергей.

Они шли по бесконечному коричневому коридору с унылыми пальмами в кадках.

— Ты был подозрительно мрачен всю дорогу, — заметил Макар, игнорируя его вопрос. — Меж тем вокруг прекрасный город, а ты не сказал о нем ни слова. В чем дело?

Тут Бабкин рассердился всерьез.

— Еще спрашиваешь! Нам здесь работать. А ты, как выяснилось, не сможешь объясниться даже с продавцом мороженого.

— Ты хочешь мороженого? — озадачился Илюшин.

Он толкнул стеклянную дверь в конце коридора. Перед ними открылся внутренний дворик, выложенный плиткой. На другой стороне дворика виднелась вторая дверь, металлическая, вокруг которой по стене расползался виноград.

— Какое, к псам, мороженое! Нам общаться нужно, разговоры разговаривать! Ферштейн? Сейчас встретит тебя пузатый итальянец, и что ты ему скажешь? Чао, бамбино, сори?

Илюшин, остановившись перед железной дверью, склонил голову набок. Ни замочной скважины, ни звонка...

Он задрал лицо вверх и дружелюбно помахал рукой.

В листве щелкнул скрытый динамик, и оттуда раздался хриплый голос. Голос спрашивал что-то — вполне предсказуемо, по-итальянски.

— Макар меня зовут, — по-русски сообщил Илюшин. — Макар Андреевич. А этого товарища — Серега. Мы в гости... — он сверился с бумажкой, — ага, к Рафаэлю.

Бабкин закатил глаза. «В гости!» И тут, к его изумлению, дверь мягко отворилась.

Перешагнув через порог, Сергей огляделся и присвистнул.

Их окружал второй двор, раз в пять больше первого, весь засаженный мандариновыми деревьями. Нежно журчали струйки, вытекающие из мраморной чаши. В воде лениво плавали раскормленные золотые рыбки.

А за деревьями белел небольшой, но впечатляющий особняк: весь в колоннах, завитушках и прочих архитектурных излишествах, названия которым Бабкин не знал.

— Милое местечко! — заметил Илюшин, оглядываясь.

— Ты еще с хозяином не познакомился, — буркнул в ответ Сергей.

Хлопнула дверь, послышались быстрые шаги, и им навстречу выбежал низенький, как и предсказывал Бабкин, пузатый человечек с блестящими глазками. Человечек был чрезвычайно носат, курчав, пухл и сиял таким счастьем, будто собирался продать Бабкину и Макару два пылесоса по цене одного.

— А вот и наш итальянец, — вздохнул Бабкин. — Даже по-английски не спикает, как пить дать.

— Ай, хорошие мои, что ж не позвонили заранее! — воскликнул человечек еще издалека, вздымая короткие ручки к небесам. — Встретил бы как дорогих гостей, да? Зачем такси брали, деньги тратили? Ай-яй-яй!

Бабкин открыл рот и закрыл. Макар засмеялся.

Человечек налетел на них, долго тряс им руки, хлопал по плечам и укорял за то, что его не предупредили. Он до смешного походил на ангелочка, переметнувшегося на темную сторону силы: загоревшего и обрюнетившегося.

— Не хотели беспокоить вас, уважаемый Рафаэль, — с улыбкой сказал Илюшин.

— Я вообще-то Ртвисавари, — понизив голос, сообщил хозяин. — Но как эти обезьяны мое имя коверкают — это стыд и позор, слушай! Рад тебя видеть, дорогой! И тебя, Сергей!

Не переставая болтать с сыщиками как со старыми знакомыми, Рафаэль повел обоих в дом.

Особняк внутри оказался роскошным. До того роскошным, что Бабкин воскликнул про себя: «Лопни мои глаза!» Ему захотелось сбежать обратно в сад. Однако хозяин так явно гордился всем этим ковровозолотым великолепием, что Сергей понимал: своим уходом он нанесет толстяку моральную травму.

Они и глазом моргнуть не успели, как их усадили за стол. Запахло жареным мясом.

— Ребятки мои сей момент все подготовят, — извиняющимся тоном сказал Рафаэль и приложил ручки к груди. — Пять минут, мамой клянусь!

Между колоннами перемещались какие-то тени. За стеной раздавались телефонные звонки, двое темноволосых мужчин словно невзначай проследовали через комнату, кивнув Илюшину и Бабкину.

Сергей проводил их внимательным взглядом.

— Ага. Охрана есть.

— Да здесь вообще полно народу, если ты не заметил.

Макар утянул с тарелки лист какой-то травы и с аппетитом сжевал.

— А ты хоть знаешь, где мы оказались? — понизив голос, поинтересовался Бабкин.

— Откуда? Я просил помощи, мне ее предоставили. Выведать подробности, извини, не успел. Зная Перигорского, могу только догадываться, что это чья-то «крыша».

— Это я и сам понял, — раздраженно отмахнулся Бабкин. — А почему у этой крыши хозяин грузин?

— А ты хотел бы, уважаемый Сергей, чтобы это был итальянец?

Бабкин обернулся. Толстяк, услышавший его последнюю реплику, ввалился в комнату, собственноручно таща огромный серебряный поднос. На подносе лежало мясо. Груды мяса — поджаристого, ароматнейшего! Пучки пахучих зеленых трав обрамляли кроваво-красную помидорную мякоть, призывно темнел баклажан, белоснежная луковица исходила на разрезе прозрачной слезой.

— Зачем обижаешь, дорогой! — сказал Бабкин и сглотнул.

2

— **Н**аших тут хватает, — говорил Рафаэль, отпивая из бокала вино и закатывая глаза с видом величайшего наслаждения жизнью. — Жаловаться грех, живем неплохо.

Сказав это, он немедленно принялся жаловаться на ленивое местное население, паршивый венецианский климат и ежегодную аква альта, от которой у него прострелы и радикулит.

По словам Рафаэля, город контролировал кто угодно, кроме самих итальянцев.

— Расслабленные они, слушай! Скажешь идти и сделать — пойдет и сделает. Послезавтра! А надо было сегодня!

За дальним концом стола пристроились двое мужчин: судя по всему, кто-то вроде ближайших наперсников хозяина. Первый, бесцветный и тощий, как моль, почти не ел и внимательно слушал Рафаэля.

Второй, с нижней челюстью, похожей на ковш экскаватора, медленно пережевывал мясо, глядя перед собой припухшими красными глазками. Определить их национальную принадлежность Бабкин не смог: ни тот, ни другой не произнесли ни слова.

— Щипачи здесь все хорваты. — Рафаэль положил еще кусок мяса и презрительно махнул рукой: — Нашим не чета. Балованные! Турист идет доверчивый, варежку раззявит — на карман ему сесть проще, чем у ребенка формочку забрать из песочницы. На терминалах индусы. Мозговитые они, а!

— Как? — переспросил Илюшин. — На терминалах?

— Ну, скиммеры клеят.

— Поддельные считывающие устройства на банкоматах, — перевел Бабкин.

Рафаэль одобрительно кивнул:

— Лох свою «Визу» тырк, — он изобразил, как вставляют банковскую карту, — пин-код тык-тык, и готов доступ. Ну, порошок — это к албанцам. Травкой разжиться можно у любого черного. Кстати, не требуется?

Бабкин с Илюшиным хором заверили, что ни травка, ни порошок им не требуются.

— Если что — только скажите! Девочки тоже есть, всякие. Арабы девочек держат, но что-то у них резня недавно с местными вышла, не поделили место. Всякое бывает!

Рафаэль тяжело вздохнул.

На этом фоне его собственный бизнес выглядел почти законно. Рафаэль контролировал всю торговлю подделками.

— Вот женщина красивая! — объяснял он, горячась и руками обводя в воздухе, насколько красивая. — Сумку желает! «Шонэль»! В магазин заглянула — вай, две тыщи евро! Она идет, плачет: где взять две тыщи евро! Разве мыслимо — такие деньги за сумку, а!

Рафаэль покачал головой.

— Разве может мужчина спокойно смотреть на слезы женщины? — проникновенно вопросил он. — Или я зверь бесчувственный? Вынимаю точно такую же сумку — шовчик к шовчику, кармашки на месте — и протягиваю ей. Тридцать евро! Для тебя, красивая, — двадцать пять! И она прижимает к себе свою «шонэль» и идет дальше, смеясь, потому что стала счастливая! Мир стал счастливее! — Рафаэль широким жестом обвел окружающее пространство. — Разве плохо? Скажи, Сергей!

Сергей вынужден был признать, что хорошо.

— Вот именно! — воскликнул Рафаэль. — Эта страна должна мне премию выдать! Орден! Жизнь держится на женщинах, а женщины держатся за мои сумки! Что ты смеешься, Макар, дорогой?

Поев, хозяин откинулся на спинку кресла, отдуваясь и пыхтя. По его знаку расчистили стол, принесли сигары. Он раскурил одну — и Бабкин понял, что это сигнал к началу серьезного разговора.

— Ртвисавари, уважаемый, — начал Сергей и по короткому блеску в глазах хозяина понял, что выбрал обращение абсолютно правильно, — у нас проблема. Без твоей помощи не справимся. Женщину ищем, туристку, русскую.

3

Когда Рафаэль отправился показывать гостям их комнаты, человек, во время разговора непрерывно жевавший мясо, встал. Нижняя челюсть его по-прежнему двигалась, просто в силу привычки.

Он ушел в глубь дома, огляделся. Достал телефон, набрал номер, не занесенный в телефонную книжку.

На другом конце города тот, кого называли Папой, ответил на звонок. Послушал три минуты, сказал «ясно» и положил трубку.

Обернувшись к своим людям, он повторил то, что сказал незадолго до него Сергей Бабкин:

— У нас проблема.

— Что? — вскинулся один из помощников.

— Двое. Тоже ищут ее.

— Кто такие? — быстро спросил другой. — Полиция?

— Нет. Русские. Приехали к Рафаэлю.

Мужчины, сидевшие вокруг, понимающе закивали. Если к Рафаэлю — значит, уголовники.

— Надо бы с ними поближе познакомиться, — задумчиво проговорил Папа и оглядел свою группу.

Он знал, что украдет перстень дожа, с того самого дня, как кольцо обнаружили в рассыпавшейся галере. Именно Папа инициировал шумную кампанию с требованием устроить выставку, но об этом мало кто догадывался, включая его собственных людей. Выставка была необходима. Возможностей его небольшой группы не хватило бы для ограбления музея.

Но выставка — дело иное!

Случайное помещение (первое, которое сочтут подходящим). Случайные люди в охране (он отлично знал, как легкомысленно подходит полиция к этому вопросу). В Венеции так давно не случалось громких ограблений, что все расслабились. Единственное, чего власти опасались всерьез, — это терактов. Теракт отпугнет туристов! Это значит, что полноводная денежная река польется в широко подставленный карман другого города! Допустить этого, разумеется, было нельзя. И повсюду устанавливались рамки, вводились ограничения на размер сумок, а патрули обучались правильно реагировать на опасность взрыва.

Папу это все более чем устраивало. Когда боятся хорька, не замечают крыс.

Правда, зернышко, которое он собирался унести, было чуть больше обычного. «Будем считать меня крупной крысой», — посмеивался Папа.

Это дело должно было стать последним в его карьере. Покупатель на перстень нашелся легко, по стечению обстоятельств как раз из России. Папа улавливал мрачную иронию в том, что именно из этой страны появились люди, способные создать ему новые нешуточные проблемы.

И оттуда же прибыла женщина, благодаря которой он уже по макушку в грязи.

Чертовы русские!

Если бы все шло как задумано, он уже получил бы свои деньги! Но дело было даже не в них. Деньги символизировали собой лишь конец этой истории, подпись на картине, в которой он продумал каждый мазок. Вот что больше всего бесило и злило Папу. Деньги можно заработать. Но нельзя переписать заново полотно событий, уже испорченное случайной дурой.

Папу считали открытым, дружелюбным и приятным человеком. Он таким и был. Причина заключалась в том, что всех людей Папа расценивал как носителей ресурса. Конечно, не в прямом смысле. У одного он использовал ум, у другого — обаяние, у третьего — способность нравиться женщинам. Самыми бесполезными для себя Папа считал слабоумных и стариков.

Единственное, что всерьез выводило его из себя, это нарушенные планы. Папа ненавидел, когда что-то выходило из-под контроля.

— Я слишком стар, чтобы мог без сожаления жертвовать драгоценное время на каких-то мерзавцев, — тяжело проговорил он.

Воцарилась тишина. Шесть пар глаз уставились на него. Его люди были исполнены, без преувеличения, сыновней почтительности.

Он знал, что они возражают про себя: ты вовсе не старик, ты крепок и умен, ты дашь сто очков форы тем, кто моложе. Все это была правда — и в то же время ложь. Внутри он ощущал себя столетним, вот что печалило его. Ты стареешь, когда начинаешь проигрывать там, где раньше выходил победителем.

«Но я еще не проиграл!»

«Все уже пошло не так, — возразил он сам себе. — Прежде такого не случалось».

— Русские каким-то образом узнали, что перстень у женщины, — вслух проговорил Папа очевидное. — Кто их навел?

— Рафаэль, — подсказал один из его мальчиков. Он всех их называл мальчиками, даже тех, кому было под сорок.

— А Рафаэля?

Молчание.

— Что рты захлопнули? — усмехнулся Папа. — Это Бенито. Его рук дело, больше некому. Из дурного щенка добрый пес не вырастает.

— Зачем русским искать тетку? — спросил один из его людей. — Если она с Бенито, он сам приведет ее...

— Мы не знаем, где она, — оборвал Папа. — Она *была* с ним — вот все, что нам известно. А теперь русские ее ищут. Как только найдут, перстень окажется у них.

— И черта с два мы его вернем обратно, — подал голос мужчина, молчавший до этого. Если б Вика увидела его, то узнала бы одного из охранников на выставке.

— Вместо одной проблемы получим другую, — согласился Папа. — А я, дети мои, уже изрядно устал от проблем.

Он пожевал губами, ткнул пальцем в ближнего:

— Ты — продолжаешь искать Бенито.

— Мы его спугнули, — мрачно ответил тот. — Судя по следам в палаццо, парень сбежал незадолго до нашего появления. Перетрусил! Сейчас заляжет в очередной норе и носа не покажет.

— Наш малыш падок на баб. Найди его последнюю девочку и расспроси хорошенько. Куда он водил ее? О чем трепался? Он мог похвастаться ей своим укрытием или упомянуть о нем. Понимаешь?

— Да. Папа, как далеко я могу зайти в расспросах?

Взгляды двоих мужчин встретились.

— Так далеко, как сочтешь нужным.

Парень кивнул и отступил.

— Луиджи, подойди ко мне.

Мужчина с невзрачным лицом и сонными глазами приблизился к главарю.

— Ты упустил ее, — констатировал Папа.

— Мы упустили, — прогнусавил тот, делая упор на «мы». — Вместе с Адрианом.

Невзрачный обернулся и поймал полный ненависти взгляд рябого.

Эти двое всегда работали вместе и всегда производили впечатление людей, которых отделяет сущая ерунда от того, чтобы перерезать друг другу глотки. Впрочем, Папа утверждал, что это и есть суть любой семьи.

— Я не виню вас, мальчики мои, — уронил он. — И хотя мне странно, отчего двое взрослых сильных мужчин ничего не смогли сделать с юнцом... — он выразительно скривился, — у вас есть возможность все исправить.

— Как? Скажи!

— Мы все сделаем! — поклялся рябой.

Папа задумчиво потер лоб. Адриан и Луиджи тупы, как банки из-под томатов, им подойдет лишь самое элементарное поручение. Но после того, как они напортачили с русской...

Он быстро прикинул, не избавиться ли от обоих, пока не поздно. Нет, нельзя. Сейчас ему важен каждый человек.

— Вернитесь в палаццо, — вслух сказал он. — Ждите Бенито. Устройте полноценную засаду. Если он появится, схватить, но не калечить.

— А если там будет Алессия? — подал голос рябой.

Папа щелкнул пальцами. Чокнутая девка! Он совсем забыл про нее. А ведь и от слабоумной может быть польза!

— Возьмете ее и привезете сюда. Попробуем выманить на нее нашего мальчугана.

— Как рыбу на червя! — заржал Адриан, но под холодным взглядом главаря стушевался и закрыл рот. Луиджи поманил приятеля, и они исчезли.

— Бенито уже справился с ними однажды, — осторожно сказал им вслед один из мужчин. — Папа, ты уверен?..

— Именно поэтому я их и выбрал. Тот, кто опозорил себя один раз, сделает все, чтобы не допустить этого во второй. Если только Бенито хватит дурости вернуться в палаццо, они возьмут его. Костьми лягут, но возьмут.

— Главное, чтобы не прикончили ненароком, — проворчал кто-то. — У них один мозг на двоих.

— Мозг им не нужен, Франко. Как и подавляющему большинству. Им вполне хватает чужого. Так, мальчики мои, теперь давайте подумаем, что нам делать с русскими.

4

В особняке Рафаэля мужчина, который звонил Папе, увидел на телефоне входящий вызов. Он воровато огляделся, прежде чем ответить. За то, чтобы передавать пожилому итальянцу все, что говорилось у Рафаэля, мужчина по имени Паоло получал ежемесячно некоторую сумму. Но куда важнее денег была для него убежденность, что в случае проблем Папа вступится за него. Папе он доверял больше, чем пришлому грузину, пусть даже сумевшему наладить в Венеции прибыльный бизнес.

Паоло ошибался. Тот, на заступничество кого он надеялся, собирался сдать его Рафаэлю при первой же возможности. Рафаэль должен был оценить этот жест, а хорошие отношения с большим человеком куда важнее, чем один жалкий осведомитель.

Но до этой поры Папа намеревался выжать из своего шпиона все, что можно.

— Что русские собираются делать в ближайшее время? — спросил в трубке низкий голос. — Узнай и перезвони мне.

5

Двадцать минут спустя в комнате, обставленной очень просто, без малейшего намека на роскошь, заиграл телефон.

— Да, — сказал Папа. — Да, я слушаю. Ты уверен? Это точно? Хорошо. Ты молодец, Паоло, — голос его стал мягок и нежен. — Я очень ценю твою помощь.

Отложив телефон, он обвел взглядом оставшихся четверых помощников. И голос его был сух и тверд, когда он объявил:

— Один из русских направляется в «Эдем». Будет там через час.

Мужчины переглянулись.

— Что он может разузнать? — пожал плечами старший. — Ему скажут то же, что и полиции. Жила, выехала...

Папа побарабанил пальцами по столу, глянул в окно, где сгущались шелковые сумерки.

— Мне не нравится, — с плохо скрываемой яростью процедил он, — что эта русская сволочь будет расхаживать по моему отелю и задавать вопросы.

— Зато теперь понятно, что русские ничего не знают, — горячо бросил один из его людей. — Они ищут ее, так же, как и мы.

— Если только это не игра! — дополнил другой.

Главарь молча покачал головой. Может быть, ищут. А может, в самом деле это уловка. Как бы там ни было, он не собирался оставаться в роли простого наблюдателя. Чужаки на его земле! Они собираются забрать перстень и, как выясняется, даже особо не скрываются. Заявиться в его отель!

Папа неприятно улыбнулся.

— Если это игра, то вестись она будет по нашим правилам.

Глава 11

1

К «Эдему» отправили троих. По словам осведомителя, русский был невысок, худощав и не производил впечатления могучего бойца. Паоло ухитрился незаметно щелкнуть обоих на камеру телефона и переслал снимки Папе. Все хорошенько рассмотрели фото светловолосого парня и его коренастого низкорослого приятеля и слегка расслабились. Похоже, проблем с этими дурнями не будет.

Успокоился и Папа, ожидавший худшего.

— Совсем нас за людей не держат, — покачал он головой. — Думают, кто угодно может приехать в Венецию и обделывать свои делишки, будто нас тут и не существует. Франко, если ты слегка прищемишь яйца этому молодому козлу, я не буду на тебя в обиде.

Франко, назначенный старшим, кивнул с понимающей улыбкой. В глубине души его беспокоила мысль о том, что Папа планирует делать с пленником, которого они захватят. Он работал с Папой много лет и за это время научился определять его настроение. Босс был в ярости, а в таком состоянии он становился очень опасен.

Если лет двадцать назад по его приказу Франко без всяких угрызений совести грохнул бы русского и забыл об этом, то теперь ему было не по себе. Он не желал заниматься грязными делами и пачкать руки в крови. Совесть здесь была ни при чем, просто вместе с возрастом к Франко пришла уверенность, что его услуги стоят денег.

А главное — с годами терялся кураж. Франко любил ощущение власти, которое давала ему работа в полиции. Оказавшись у Папы, он испытал еще более пьянящее чувство вседозволенности. Папа умело дергал за нужные струны, но Франко понял это лишь много лет спустя. А впрочем, думал он, что с того! Из полиции его могли выгнать, а то и посадить за злоупотребления. Взять тот случай, когда задержанный сначала требовал врача, а потом чуть не удавился в камере собственными подтяжками... Нет, конечно, в конце концов все утряслось, но именно тогда Франко ощутил, что ходит по краю.

Тут-то его и прибрал к рукам Папа.

Вовремя, что и говорить.

Франко ухмыльнулся, вспоминая, как давал себе волю в первые годы... Не то чтобы он был садистом — нет, боже упаси! Пожалуй, он даже мог сказать о себе, что любит человечество. Но вот считаться с желаниями его отдельных представителей (например, оставить в целости и сохранности все конечности) у Франко не было ни малейшего желания.

Он жалел о том, что эти веселые времена для него остались в прошлом. Никто не молодеет, и его уже коснулось дыхание зрелости.

Украсть перстень — всегда пожалуйста.

Завалить кого-то за этот перстень — спасибо, нет, лучше без Франко. Во всяком случае, пока за это не платят, а Папа о премии ни словом не обмолвился.

Но выбора не было. Поэтому Франко, стараясь заглушить внутреннего червячка сомнений, в эту минуту стоял неподалеку от входа в отель и профессионально внимательным взглядом бывшего полицейского ощупывал проходящих мимо.

Второй помощник Папы, Малыш Дэни, прислонился к стене в десяти шагах от него и курил. Третий, брат Малыша по прозвищу Красавчик, ждал в лодке, готовый в любой момент завести мотор и сорваться с места.

План был прост. Как только русский появляется в поле видимости, Франко дает знак, и они с Дэни выдвигаются ему навстречу. Захват был многократно отработан. Собственно, сам же Франко и научил ему мальчуганов (он называл их так по привычке, следом за Папой, хотя младшему было больше двадцати, а старшему — немногим меньше, чем ему самому).

Но на всякий случай в кармане Малыша лежал шприц. Франко всегда отличался предусмотрительностью. Если что-то пойдет не так, одна инъекция кетамина избавит их от дальнейших хлопот и членовредительства, а клиента — от ненужных страданий. Но обычно шприц не требовался. Руки у Франко были как у хорошего массажиста: чуткие и сильные.

Итак: вырубить русского, дотащить до лодки, хохоча над якобы подвыпившим товарищем, сгрузить и доставить к Папе. Людей в переулке немного, в основном сюда сворачивали с ближайшей улицы лишь постояльцы отеля, так что проблем со свидетелями не предвиделось.

Разложив предстоящую операцию по полочкам, Франко понял, что ему уже не терпится увидеть «клиента». Охотничий зуд заставил его даже забыть об опасениях по поводу дальнейшей судьбы русского уголовника. «Давай, дружок, давай!» — мысленно подгонял его Франко, с нетерпением поглядывая в сторону улицы, откуда время от времени появлялись пешеходы.

Он так ясно представил себе облик их жертвы, так настроился на него, что, когда парень и в самом деле возник в переулке, Франко непроизвольно шагнул назад и уперся в стену.

Это был русский. Только не тот, кого они ждали.

Темноволосый стриженый мужик вывернул из-за угла и быстро направился к отелю. Рядом с ним мельтешил один из людей Рафаэля, хлипкий очкарик, очевидно, взятый в качестве переводчика. Но его Франко в первый момент вовсе не заметил. Взгляд его был устремлен на того, кого им предстояло схватить и запихать в лодку.

Тысячу, нет, десять тысяч проклятий наслал Франко на идиота-осведомителя вместе с его камерой. Паршивый снимок исказил все, что только можно! Словесное описание, обычное словесное описание, дьявол раздери кретина! — и его оказалось бы достаточно, чтобы они подготовились к появлению русского хотя бы морально.

Широкоплечий громила бесшумно приближался к ним. Франко слышал, как пыхтит и семенит по асфальту его тщедушный провожатый.

Малыш Дэни выронил сигарету. Святой Марк!..

Громила был уже в пяти шагах. Франко должен был принять решение, и оно далось ему легко: бывший полицейский остался на месте. Двери отеля раздвинулись, русский, скользнув по ним безразличным взглядом, зашел внутрь, и его мелкий спутник просочился за ним.

Только тогда Франко осознал, что все это время стоял, затаив дыхание.

— Порка мадонна... — ошеломленно протянул Малыш, отлепляясь от стены. — Это что еще за шутка?

— Это наш русский.

— А тебе не кажется, что он малость подрос?

— Говорят, русским подходит наш климат, — мрачно пошутил Франко. — Они тут расцветают.

— Да он убийца какой-то! — не мог успокоиться Дэни. — Это казак! Я читал про них. Они едят сырого цыпленка на завтрак.

Франко начал сердиться.

— А матрешку на обед они не едят? Успокойся!

— А если у него оружие?! Он нас всех перебьет! Что нам делать?

— Эй! Эй! — толстяк положил руку парню на плечо. — Делать то, что и должны. Помнишь — у нас есть план?

— Что-то я не заметил, чтобы мы ему следовали!

— Я растерялся, — признал Франко. — Не ожидал увидеть такого здоровяка. Но большой не значит сильный. К тому же у нас есть шприц.

— А что с переводчиком?

Франко удовлетворенно улыбнулся про себя. Парень начал задавать дельные вопросы, значит, пришел в чувство.

— Вряд ли он захочет вмешаться. Если что, беру его на себя. А ты должен быстро уколоть русского.

— Может, позвать Пепе?

Подумав, Франко решил, что идея хорошая. Втроем они точно завалят этого лося.

— Как только выходят из отеля, сразу действуем. Нам нужен только один укол. Один укол — и все.

Он оглядел помощников. Сильные, крепкие, высокие... У русского нет шансов.

— Малыш, встань сюда. Красавчик, отойди в сторону, чтобы тебя закрывала колонна. Вот так, отлично.

Франко еще раз проинструктировал мальчуганов, убедился, что возле черного хода гостей не ждет запасная лодка, и спокойно приготовился ждать. Русскому ничего не скажут в отеле: служащим самим ничего не известно. Значит, минут через пятнадцать он появится.

Сумерки цвета крысиной шерсти собрались по углам. Франко присмотрелся и сквозь стеклянные двери увидел массивную фигуру, неторопливо приближающуюся к выходу. Русский был один, без переводчика.

Что ж, это все упрощало.

— Малыш, приготовься, — скомандовал бывший полицейский и вытащил из пачки сигарету.

Когда громила вышел на улицу, Франко широко улыбнулся и шагнул ему навстречу. Глубоко посаженные темные глаза недружелюбно уставились на него. Боковым зрением Франко видел, как от стены отделился Малыш Дэни, вскинул руку со шприцем...

— Синьор, не найдется ли у вас спичек или зажигалки? — быстро и громко заговорил Франко. — Такая беда, оставил дома спички и совершенно ни у кого не могу найти прикурить! Все как с ума посходили с этим здоровым образом жизни...

Он тараторил, не умолкая, и подходил все ближе. Громкий голос отвлекает, не дает услышать тихие шаги сзади. Громкий голос сбивает с толку. Хочешь, чтобы противник сосредоточился только на тебе, — говори громче!

— Я был бы вам очень благодарен, синьор!

Русский смотрел на него, не меняя выражения лица. Он явно не понимал ни слова, но не делал попыток ни переспросить, ни остановить поток льющейся на него экспрессивной речи.

«Да он тупой! — понял Франко. — Как наш Луиджи».

Он с улыбкой показал на сигарету. «Ну же, давай, идиот! Сунь руку в карман, облегчи нам дело!»

И тут русский заговорил.

— Как пройти в библиотеку? — произнес он и усмехнулся.

Франко, конечно же, не понял, что ему сказали. Он не знал по-русски ничего, кроме пары крепких ругательств.

Зато до него отлично дошло значение ухмылки. Этот громила над ними издевался!

— Малыш, давай! — крикнул он.

Но было поздно. Русский развернулся и с поразительной точностью вышиб из руки Дэни шприц. Парень взвыл от боли, и тогда Франко с Красавчиком бросились на громилу.

Завязалась потасовка. Первоначальный план летел ко всем чертям. Красавчик пытался затянуть на бычьей шее русского удавку, Франко бил, Дэни ползал под ногами, ища улетевший шприц.

И все это в тишине, нарушаемой только сопением и хрипами.

Франко много раз сражался с противниками сильнее себя. Ему было хорошо известно, что в уличной драке побеждает не самый сильный, а самый умелый и самый беспринципный. Можешь врезать в пах и ткнуть пальцем в глаз врагу? Считай, победа наполовину у тебя в кармане.

Поэтому он дрался без всяких правил, с одной целью — вырубить этого скота.

Но ему впервые встретился человек, который двигался с такой быстротой. Франко считал себя проворным. Но пока он заносил кулак, русский успел врезать ему в челюсть, пнуть шприц подальше от почти схватившего его Дэни, а заодно боднуть затылком висевшего сзади Красавчика.

— А-а-а! — завопил тот, сваливаясь с громилы.

Русский снова пнул, на этот раз метя в Дэни. Второй вопль свидетельствовал о том, что и на этот раз удар достиг цели.

Совсем некстати Франко вспомнилась передача о животных, где льва усыпляли, выстрелив из ружья «сонными» пулями. «Что ж ты, сволочь, творишь?!» — взвыл про себя бывший полицейский, от души сожалея, что у него нет оружия. От злости он исхитрился достать русского резким ударом в печень. Тот коротко втянул воздух сквозь стиснутые зубы и согнулся пополам.

— Бейте! — заорал Франко. Ему уже было наплевать на возможных свидетелей, наплевать на полицию. Он хотел лишь одного: чтобы этот гад отключился и можно было свалить его в лодку и связать.

Они навалились на него втроем. Малыш Дэни, изогнувшись, наконец-то дотянулся до шприца.

— Коли!

Громила, прижатый к асфальту, вдруг извернулся, как кошка. Франко так и не понял, как ему это удалось. Но только русский вскочил — Красавчик слетел с него, как пушинка, — вырвал у Малыша шприц и зашвырнул с такой силой, что тот долетел до канала и плюхнулся в воду.

Сам Франко на несколько секунд перестал фиксировать происходящее. Он помнил, что мгновение назад выкручивал русскому запястье, сидя на нем верхом. А теперь каким-то образом оказался на другой стороне улицы, лежа на спине и ощущая, как в лопатки впивается что-то твердое.

Русский выпрямился и оглядел поле боя, потирая скулу. Затем наклонился, сгреб в охапку валяющегося у него под ногами Красавчика, взвалил на плечи и двинулся к каналу.

Вот тогда Франко действительно потерял связь с реальностью. Громила двигался с такой уверенностью, что на несколько мгновений бывший полицейский уверовал в его возможность ходить по воде. Казалось, русский вот-вот шагнет прямо с причала на мутную поверхность, пересечет улицу и скроется на другом берегу, унося с собой мальчишку, как пещерный тролль.

Громила остановился на краю причала. И швырнул брыкающегося Красавчика прямо в воду.

Раздался вопль и громкий всплеск. В отеле открылось окно на втором этаже, и старческий женский голос выразил надежду, что всем сукиным детям, орущим под ее окнами, пришел конец.

Русский деловито оглядел место драки. И к ужасу Франко, вместо того чтобы бежать, как сделал бы на его месте любой нормальный человек, двинулся обратно.

Бывший полицейский переглянулся с Дэни. Оба, не сговариваясь, вскочили и бросились наутек.

А вслед им по переулку разносилась пылкая брань разъяренной старухи, призывавшей на голову шумных мерзавцев все проклятия и кары небесные.

2

— Их было трое, — сказал Сергей Бабкин, намазывая распухшее запястье. Покрутил кистью и поморщился.

Илюшин сидел на тахте и задумчиво отщипывал от виноградной кисти по ягоде. Рафаэль то присаживался на стул, то суетливо вскакивал, отдавал заглядывавшим в комнату людям какие-то распоряжения на итальянском и снова садился. Похоже, все случившееся он воспринял как личную вину. Так гостеприимный хозяин страдает, что почетному гостю в его отсутствие оказали не слишком теплый прием.

— Разглядел их, Серега?

— Первый — не очень высокий лысый толстяк. Нос сбит набок. Похоже, бывший боксер. Дерется умело.

— Его работа? — Илюшин кивнул на покрасневшее запястье.

— Угу. И он у них за старшего. Парочка юнцов его слушалась во всем.

— А они как выглядели?

— Лет по двадцать с небольшим, похожи друг на друга. Высокие молодцы, курчавые, как бараны. Примет никаких нет. Ну, то есть прежде не было.

— Сильно ты их изукрасил? — усмехнулся Илюшин.

— Не особенно. Сам понимаешь, загреметь в участок за нанесение тяжких телесных мне не хотелось.

Рафаэль, бегавший кругами по комнате, вдруг замер.

— Как ты сказал, дорогой? Похожи друг на друга?

Бабкин пожал плечами:

— Да мне почти все итальянцы кажутся похожими. Смуглые, темноглазые! А что, есть какие-то идеи насчет этих двоих?

Грузин почесал нос.

— Проверить надо. Одна мыслишка имеется.

В приоткрытую дверь постучали. Внутрь заглянул низкий коренастый мужчина, медленно двигавший нижней челюстью, что-то спросил. Рафаэль раздраженно махнул рукой, и мужчина, поколебавшись, исчез.

— Ртвисавари, это кто? — поинтересовался Илюшин.

— Где? А, Паоло! Друг мой. Хороший человек! Вот только без жвачки обходиться не может, вечно жует и жует — чисто корова! Я его сто раз просил как человека: выплюнь ее! Нет, говорит, не могу, привык.

Илюшин задумчиво повертел в пальцах прозрачную виноградину, сдавил — по пальцам потек сок.

— И давно он у тебя?

— Года три. Я ему помог немножко, когда его дела совсем плохо пошли. У него мать из наших мест, так что, считай, он мне наполовину земляк.

— Этот наполовину земляк в Грузии-то хоть раз был?

— Нет, здесь вырос. — Тут наконец Рафаэль насторожился. — А что такое, Макар, дорогой?

Илюшин с Бабкиным переглянулись.

— Очень уж вовремя на меня напали, — вместо друга ответил Сергей. — Знали, куда я пойду, что буду один. Кто-то их предупредил.

Рафаэль вспыхнул:

— Хочешь сказать, среди моих людей крыса?!

— Крыса не крыса, а козел изрядный, — буркнул Бабкин, отложив мазь.

Рафаэль набрал воздуха, но тут Илюшин встал с тахты и подошел к нему.

— Ртисавари, не сердись, пожалуйста. Никто, кроме тебя и твоих людей не знал, что мы здесь. А главное, не знал зачем.

— Муж знал! — воскликнул грузин. — Муж этой женщины, Маткевич! Почему его забыл?

— Муж сидит в Москве, — возразил Макар. — И понятия не имел, куда направляется Серега. Это кто-то из местных навел, понимаешь? А мы, как приехали, поселились у тебя и больше никуда не выходили и ни с кем не общались.

Их хозяин сник. Румянец на красных, как помидоры, щеках начал постепенно светлеть.

— Не сердись, — примирительно попросил Бабкин. — Не хотел тебя обидеть. Просто очень уж разозлился из-за этих... поганцев. У них шприц был, они его в меня дважды всадить пытались.

— «Живьем брать демонов!» — процитировал Илюшин.

Бабкин бросил на него взгляд, в котором недвусмысленно читалось, что напарник выбрал не самое удачное время для цитирования старых фильмов. Но не согласиться с Макаром по сути он не мог:

— Да, они бы меня куда-то отволокли, гады. У них там и лодка была приготовлена. Хотел я ее притопить малость, но побоялся. Порча имущества, мало ли...

— А порча того малого, которого ты в канал спустил, тебя не беспокоит, значит, — съязвил Илюшин.

— Малый побарахтался и вылез. Ничего ему не сделалось, только воды наглотался.

— Я слышал, в местную воду сливают канализационные отходы, — вдруг вспомнил Илюшин.

— Есть такое дело, — кивнул Рафаэль.

Бабкин просветлел лицом.

— Правда сливают? Ха! Ха-ха!

— Злорадствуешь, — с укором сказал Макар. — Нехорошо.

Он подкинул виноградину, поймал и с аппетитом сжевал.

— Ладно, давай подобьем итоги. Что мы знаем?

— Что местные как-то связаны с исчезновением Маткевич. — Бабкин загнул большой палец. — Как мы и предполагали, дело вовсе не в любовнике. Она пропала по другой причине. Может, стала свидетельницей преступления?

— И что у нашего уважаемого хозяина в доме крот, — невозмутимо дополнил Илюшин. Рафаэль открыл было рот, но сник и промолчал.

— Самое важное-то, — напомнил Бабкин, — известно, куда она уехала из отеля.

— Уверен, что горничная ни с кем, кроме тебя, об этом не говорила?

Сергей кивнул.

— Она только в беседе со мной вспомнила, кто помогал Маткевич с вещами. Девчонка глуповата, ей в голову не пришло связать два факта.

— А полицейские, конечно, расспросили ее чисто формально, — пробормотал Илюшин.

Бабкин расхохотался.

— Что смешного?

— Макар, ты слишком хорошо думаешь о местной полиции! Они даже не подходили к горничной! Потрепались с девицей на рецепции — и поставили себе галочку, что дело сделано. А та, само собой, знала только дату приезда и выезда.

— Что ж, — подытожил Илюшин, — тогда завтра с утра попробуем побеседовать с хозяином кофейни. Ртвисавари, толмача к нам опять приставишь?

— Обижаешь! Скажи, что еще нужно тебе?

В разговор вмешался Бабкин:

— Сведения обо всех преступлениях, совершенных в Венеции и окрестностях за последнюю неделю. Как раскрытые, так и не раскрытые. Понимаю, что трудно, Рвтисавари, но очень надо. Сможешь?

— Постараемся, — кивнул Рафаэль. — Еще?

— Еще нужно провести простейшую операцию по вычислению крота, — флегматично сказал Макар. — Чтобы не мешал работать. Этим мы сейчас и займемся.

Глава 12

1

Ночь Вика провела в подвале.

Если бы кто-то сказал, что в Венеции ее ждут крыша заброшенного палаццо и подвал жилого дома, она бы решила, что речь идет об экскурсии. Сидя на сложенном спальном мешке, которым щедро поделился с ней Бенито, жуя остывший кусок жесткой и, по правде сказать, на редкость невкусной пиццы, Вика с горьким сожалением вспоминала ту восторженную себя, которой она была лишь несколько дней назад.

Каким прекрасным казался этот город!

Он и остался прекрасным. Просто Вике в нем больше не находилось места. Город выдавливал ее. Сначала изгнал в осыпающийся от старости дворец, потом заставил бежать оттуда и скрываться на крыше. Крыша Вике пришлась не по душе: там было холодно и пахло птичьим пометом. Но сейчас она понимала, что не ценила своего счастья. По сравнению с подвалом там был просто рай.

«Интересно, куда еще меня забросит? — думала Вика, жуя холодное тесто. — Закономерность пока не слишком воодушевляет».

Чтобы Алессия могла спуститься, Бенито пришлось слезть по веревке тем же путем, которым они забрались наверх, разобрать завалы перед внутренней лестницей и выбить ржавый замок. Это заняло у него больше часа. Успело стемнеть, и хотя вид на залитый огнями канал переворачивал душу, Вика подумала, что отдала бы всю окружающую красоту за теплый плед и тарелку горячего супа. В идеале — борща.

Бенито сразу сказал, что люди Папы могут вернуться. Он нервничал, торопился, подгонял Вику и сестру. Хладнокровие, с которым он действовал, когда они спасались от бандитов, сменилось нервозностью. Вика сказала ему об этом.

— Глупо было бы попасться сейчас только из-за того, что вы шевелитесь как дохлые рыбы! — огрызнулся парень.

«Его злит, что они обнаружили его укрытие, — решила Вика. — Явка провалена, и все из-за меня».

Бенито отвел их к жилому дому в паре кварталов от палаццо. По дороге Вика каждую секунду ждала, что на них набросятся из-за угла, но все прошло благополучно. Их маленькая процессия не привлекла ничьего внимания. Возле дома, выкрашенного в мертвенно-розовый цвет, Бенито набрал код, вошел в подъезд и сразу свернул вниз.

Дом, похоже, был не из благополучных. Воняло кошками и куревом, где-то наверху раздавались скандальные голоса. Спустившись по лестнице вниз, Бенито набрал код еще на одной двери, они вошли, и дверь за ними захлопнулась с неприятным железным клацаньем.

Как будто дом ждал их и наконец-то поймал.

Низкий потолок подвала давил, под ним все время хотелось согнуться, а еще лучше — лечь и поползти, как гусеница. В дальнем углу обнаружились столик и электрическая плитка, а на фанерных плитах, сложенных у стены, — свернутый в рулон спальный мешок. Похоже, Бенито заранее озаботился убежищами на все случаи жизни.

«Зачем?» — спрашивала себя Вика.

Ее тревожили и куда более прозаические вопросы. Остро не хватало туалета и зубной щетки, а уж о душе не приходилось и мечтать. Но Вика готова была вытерпеть все неурядицы, если бы у нее был ответ: ради чего? Что она будет делать дальше?

Бенито явился скоро. Он тащил пластиковое ведро, разогретую пиццу и несколько бутылок воды.

— Я люблю ходить в ведро, — задумчиво сказала Вика по-русски, — заносить над ним бедро, писать, какать, а потом возвращаться в теплый дом.

Бенито потребовал перевода. Выслушав Викины объяснения, покачал головой.

— Вы, русские, все-таки странные люди.

— Это почему?

— Ты читаешь стихи вместо того, чтобы плакать, — на полном серьезе ответил Бенито и ушел с ведром в дальний угол, оставив Вику совершенно озадаченной.

Плакать? Ей вовсе не хотелось плакать. Она плакала, когда случалось что-то, не зависящее от ее воли. Например, когда вспоминала смешного ушастого котенка с гладкой кожицей. Или когда чувствовала себя беспомощной — например, с собственными детьми. Мальчишки, конечно, этого не видели: лить слезы при них Вика считала непедагогичным.

Но здесь, запертая в тесном подвале, она вовсе не ощущала себя беспомощной. «Я властелин своей судьбы, я капитан своей души!» — вспомнилось ей.

Вике стало смешно. Хорош властелин!

И все-таки это было правдой. Что бы ни случилось здесь, в Венеции, она отвечала сама за себя. «Странно сказать, но я чувствую себя... взрослой. Никто ничего не решает за меня. Никто не говорит, что мне делать. Бенито распоряжается, но я могу послушаться его, а могу отказаться».

«Что же тебе мешало быть такой дома, с мужем?» — спросил внутренний скептик.

Вика растерянно покачала головой. У нее не было ответа на этот вопрос. Кажется, она боялась развода...

«Я все время чувствовала себя ребенком».

И не просто ребенком, осознала она, а виноватым ребенком. Несмышленым. Который сам не знает, что для него лучше.

«Здесь я знаю или догадываюсь. Даже если я совершаю ошибку — это моя ошибка».

Нет, ей определенно было не до слез. «А как же дети? — вскинулась Плакса. — Если тебя убьют, что станет с ними?»

Бабушка с дедушкой вырастят, твердо ответила Вика. И родной отец. Мальчики похожи на него как две капли воды, ему будет с ними легко.

Она представила, как Димка, прикусывая кончик ручки, сидит над математикой. Все ручки обгрызены с одного конца, а в пенале целый батальон карандашей-инвалидов. А Колька по сотому разу пересматривает «Человека-паука» и делает вид, будто стреляет из ладоней липкой паутиной.

Что сейчас делает Олег? Она не прилетела вовремя, не отвечает на звонки... Вероятнее всего, пребывает в ярости. Готовит документы для развода.

В глубине души шевельнулась глухая тоска, но Вика задавила ее. Впервые она как никогда остро осознала, что не имеет права на некоторые эмоции. Ей нужно беречь себя. От этого может зависеть ее жизнь.

Она бросила взгляд на бедняжку Алессию. Вот кто покорно следует своей судьбе! Девушка сидела на куске фанеры и водила по ней пальцем, тщетно пытаясь зацепить хотя бы одно волокно.

— Это не ковер, милая, — с жалостью сказала Вика.

Алессия не обернулась. Она все дергала, как будто цепляла невидимую струну. Седые волосы в тусклом свете выглядели как пакля.

Вика нашла в сумке то, что сейчас казалось ей необходимым.

— Ты потерпишь немного, Алес? — извиняющимся тоном спросила она. — Потерпи, голубка.

2

Установив в углу ведро и даже соорудив из фанеры подобие ширмы, Бенито направился обратно. И остановился, не доходя нескольких шагов до освещенного лампой круга в центре подвала.

Алес сидела, блаженно зажмурившись, а русская расчесывала ей волосы и что-то бормотала себе под нос. Сам Бенито несколько раз порывался сделать то же самое, но в конце концов сдался, не в силах слушать воплей сестры. Он решил, что когда колтуны станут совсем уж страшными, просто побреет ее налысо.

Но русская ухитрилась распутать пряди, разложила их по плечам Алессии и теперь брала по одной и очень аккуратно вела по ним расческой. Там, где зубья застревали, она бережно разбирала их буквально по волоску. Прядь за прядью, прядь за прядью...

Бенито прислушался.

— Вот так, моя милая, вот так, — бормотала женщина по-итальянски. — Ты молодец, голубка моя. Бедная моя девочка... Ничего, все будет хорошо.

Она внезапно наклонилась и ласковым, совершенно материнским жестом провела по испачканной щеке Алессии.

У Бенито стиснуло сердце. Вся его затея показалась такой безжалостной, что он заставил себя закрыть глаза, не смотреть на эту женщину, уставшую, постаревшую и все равно красивую странной, ускользающей красотой, на женщину, расчесывавшую волосы его слабоумной сестре и убеждавшую ее, что все будет хорошо.

Она ему чужая. Он должен это помнить. Чужая!

Бенито открыл глаза, растянул губы в ненатуральной улыбке и шагнул к ним.

— Зря возишься! Один черт, снова спутаются.

3

Он заварил для них чай. И даже нашел сахар — кажется, вытащил из кармана, Вика не успела заметить. Но она бы ни капли не удивилась, если б Бенито и впрямь таскал с собой рафинад. Алессия, как маленький ребенок, вцепилась в белый кусок и принялась обсасывать его со всех сторон, чмокая и облизывая пальцы. Зрелище было неприглядное, и Вика, тяжело вздохнув, отвела глаза.

После ужина Бенито решил развлечь ее фокусами. Они были простенькие, но итальянец так артистично исполнял их, что Вика аплодировала от чистого сердца. Бенито вытащил откуда-то не слишком чистый платок, и то уминал его в кулак, демонстрируя после пустую ладонь, то сворачивал в жгут и пропускал через собственные уши, то делал из него человечка и заставлял шагать по коробке из-под пиццы.

Вика смеялась до слез. Надо было отдать должное Бенито: ему удалось отвлечь ее от тягостных мыслей.

Платок в очередной раз исчез.

— Он у меня за ухом? — спросила она.

— Для этого я слишком слабый фокусник, — сокрушенно развел руками парень. — Нет. Всего лишь у меня за воротником.

Он расправил платок на коленях и театрально вытер со лба несуществующий пот.

— Где ты этому научился?

— Помогал одному типу, когда мне было шестнадцать. Ездил с ним по отелям на побережье. Там много детей. Дети любят, когда их дурачат. Вот кое-что и подцепил у него. Даже по канату научился ходить!

Вика не сразу смогла перевести «канат», но Бенито вскочил, расставил руки в стороны и изобразил, как идет, балансируя, по веревке.

— Потрясающе, — искренне восхитилась она. — А что еще ты умеешь?

Скромность не была присуща Бенито, как Вика уже не раз убеждалась. В этот раз парень снова не изменил себе.

— Я умею все! Знала бы ты, чем я занимался в юности! Был грузчиком, разносчиком газет, работал в кафе, водил катер... Даже у гондольеров учился! Но вся эта работа для дурней. Я не такой!

Вика сообразила, что понятия не имеет, чем Бенито сейчас зарабатывает на жизнь. О чем и сообщила ему.

— Тебе вряд ли понравится ответ, — усмехнулся он.

— И все-таки?

— Ну, я торговал поддельными сумками, — он начал отгибать пальцы, — служил вышибалой в одном ночном клубе, воровал часы, подторговывал травкой, резал кожу...

— Как? — переспросила Вика.

Бенито махнул рукой, и она осознала, что у нее нет желания уточнять смысл этого выражения.

— Как же ты попал в «Эдем»?

Ей показалось, что Бенито слегка смутился. Это было не слишком характерно для него, и Вика присмотрелась к парню внимательнее.

— Иланти нанял меня.

— И все? — недоверчиво переспросила она.

Вот так просто? Синьор Иланти взял в свой отель мелкого уголовника, поручив ему кучу дел, от работы носильщика до уборки номеров?

— Ему требовались люди, — кратко ответил Бенито, поднялся и отошел к плитке, на которой в кастрюле булькала вода.

Вика, нахмурившись, смотрела ему вслед. Что-то здесь было не так... Меньше всего Орсо Иланти походил на доверчивого дурачка, который не осознает, кого нанимает.

Но тут Бенито вернулся, и додумать эту мысль она не успела.

Он снова сел напротив, грея руки об чашку с чаем. Кивнул на чашку Вики:

— Хочешь еще?

Она отрицательно покачала головой.

— Бенито, а твой отец... он знает, чем ты занимаешься?

— Я давно его не видел, — уклончиво ответил парень.

— И не хочешь? — осторожно спросила Вика.

Бенито помолчал.

— Хочу, — неохотно признал он. — Но не сейчас. После. Когда я превзойду его.

— Когда ты... что сделаешь?

— Превзойду! — Бенито откинул голову назад, глаза его блеснули. — Тогда я почувствую себя человеком!

— А сейчас ты кто?

— Неудачник! Ничтожество! С тех пор, как мой отец выгнал меня, для всех я дурачок Бенито. Нас двое дурачков: Алес и я.

Он дернул локтем, и горячий чай выплеснулся ему на руку. Вика тихо вскрикнула, но Бенито даже не заметил, что произошло. Ноздри раздувались, скулы покраснели. Вика уже тысячу раз пожалела, что заговорила с ним об отце, но остановить поток его слов она не могла.

— Я смогу доказать всем, чего я на самом деле стою!

— Воруя часы? — не выдержала Вика.

Он вздернул верхнюю губу в полуоскале-полуусмешке.

— Часы — детская забава! С этого я только начал. Но в конце концов я сделаю то, что не удалось ему. Я найду то, в чем его постигла неудача, и одержу победу! Я выиграю на его поле, клянусь, выиграю! Тогда он пожалеет обо всем и поймет, что я лучший! Но будет поздно.

Своим платком Бенито тщательно промокнул мокрое пятно от чая и великолепным жестом отбросил его в сторону.

«Господи, какой же он еще мальчишка. Наполеоновские планы у него! Отца он хочет победить!»

— Ты его сильно любишь? — тихо спросила она, подумав о своих сыновьях.

— Я его ненавижу! — и без паузы: — Хочу быть похожим на него. Ты бы его видела!

«Нет, спасибо! — про себя отказалась Вика. — Твой папаша, судя по всему, полный засранец».

— Он крутой! В лицо я могу бранить его как угодно, но он все равно круче всех в этом городе.

Вика не могла больше молча внимать этому славословию.

— Он выгнал тебя и Алес! — взорвалась она.

— Я бы тоже нас выгнал, — пожал плечами Бенито. — Он не хочет видеть эту дурочку. Жена изменила ему! Родила ребенка от другого! Ты бы простила за такое?

Вика подумала, подбирая слова, и ответила предельно честно:

— Нет, не простила бы.

Бенито развел руками, словно говоря: «Вот видишь!»

— Не простила бы, — твердо продолжала она, — но я бы не стала сводить счеты с умершим, мстя живым. Знаешь, самое большое искушение — когда кто-то попадает от тебя в зависимость. О человеке все можно сказать по тому, каков он со слабыми. Твоя сестра — слабая.

— А я — нет! — вскинулся Бенито и тут же скривил губы: — Но я нищий.

— Не такой уж ты и нищий, не придумывай.

— У меня ничего нет! Даже лодка и та не моя.

Вика решила не спрашивать чья.

— Я столько раз хотел пойти к отцу за деньгами! — ожесточенно продолжал Бенито. — Не знаю, что меня удерживало.

— Гордость? — предположила Вика.

— Нищие не могут ее себе позволить! — резко парировал он.

— Все наоборот! — она повысила голос. — Только нищие и могут! Потому что это единственное, что у них есть. Ты понимаешь меня, Бенито? Последнее утешение и прибежище нищеты — это гордость. Поэтому ею нельзя жертвовать. Иначе ты и в самом деле останешься ни с чем!

Бенито склонил голову набок, как-то странно глядя на нее, и Вика спохватилась, что ее занесло не туда.

— Я жила когда-то очень бедно, — понемногу успокаиваясь, сказала она. — Я помню, каково это. Хотя предпочла бы забыть. Глупости, что страдания смягчают душу. Я никогда не была более жестокой, чем тогда, когда у меня была одна-единственная драная пара обуви.

Бенито задумчиво посмотрел на свои грязно-белые кроссовки с развязанными шнурками.

— Слушай, а у тебя мощная голосина! — заметил он. — Я чуть не оглох.

— Извини, — Вика смутилась окончательно. — Я не хотела. Я пела когда-то... давно.

— Спой мне что-нибудь, — предложил Бенито и растянулся на фанере. — Что вы, русские, обычно поете? Только тихо!

Вика засмеялась.

Если бы кто-нибудь из жильцов розового дома вздумал поздно вечером спуститься в подвал, он застал бы удивительную картину. На полу, укрывшись куртками и свитерами, спали двое: девушка с косичками, торчащими в разные стороны, и смуглый парень в драных джинсах и майке, бывшей когда-то белой. А под тусклой лампой сидела, обхватив колени руками, светловолосая женщина и нежным, летящим голосом выводила:

— Миленький ты мой! Возьми меня с собо-о-ой! Там, в краю дале-оком буду тебе чужой!

4

Побережье одного из греческих островов
За две недели до описываемых событий

— Какого черта он так долго возится?

Один из сидящих в катере рассерженно сплюнул за борт. Суетливая волна подпрыгивала возле борта, с неба сыпало мокрой чепухой.

— Марко, успокойся, — лениво призвал второй, носатый и бородатый. Третий молча вертел в руках рацию. — Ты знаешь правила.

— В задницу твоей мамаше все правила! Сколько можно ползать по дну?!

— Янис, он только что оскорбил зад твоей почтенной матушки! — Четвертый из команды, сидевший на корме и вглядывавшийся в серую глубину, на секунду отвлекся от своего занятия. — Ты можешь утопить его за это!

Носатый Янис зевнул:

— Вот еще! Чтобы мы потом труп и этого дурня искали пять часов?

— Ты кого назвал дурнем?!

— Не стали бы мы его искать, вернулись бы на берег, — усмехнулся тот, что с рацией.

— И то верно, — согласился флегматичный Янис. — Марко, ты слышишь? Твоя туша никому не сдалась.

Толстяк Марко снова разразился ругательствами. Остальные участники поисковой группы слушали безучастно, привыкшие к его пустой болтовне.

Как вдруг тот, что сидел на корме, вскинул руку:

— Тихо!

— Всплывает! Готовимся!

Мужчины заняли свои места. Теперь все видели, как из серой толщи воды к поверхности медленно поднимается темная фигура. Волны раздвинулись, блеснуло стекло...

— Давай!

— Помоги!

Водолаза вытащили на катер, помогли раздеться.

— Ну? — нетерпеливо спрашивал Марко, подсовывая полотенце. — Где труп? Ты его нашел? Почему так долго?

— Черт возьми, заткните его кто-нибудь!

— Марко, заткнись!

— Если он не заткнется...

— Вы можете все помолчать хотя бы минуту?! — рявкнул старший. — Димитрос, не обращай внимания на этих кретинов. Рассказывай.

Водолаз, оказавшийся молодым пареньком, вытер лицо и покачал головой:

— Нечего рассказывать. Тела там нет.

— Оно там есть, — Янис насупился и подергал бороду. — И пока мы не поднимем его, нельзя заниматься кораблем. Правила!

— Тогда можешь отправляться туда вместо меня! — парнишка сердито кивнул на волны за бортом. — Я обшарил все дно! И весь корабль! Бригантина лежит прямо под нами. Она буквально раскололась на две части, я обследовал разлом, думал, может тело зацепилось за какой-нибудь выступ...

— Оно не зацепилось за выступ, его отнесло течением, — авторитетно заявил Марко.

— Все течения вынесли бы его к скалам. Там я искал. Я бы не пропустил его, можешь мне поверить!

Посреди озадаченного молчания ожила и захрипела рация. Тот, что держал ее в руках, бросил пару слов и отключился.

Старший группы задумчиво почесал подбородок.

— А не могло быть так, что он выплыл? — вдруг спросил Янис.

— Исключено! — отрезал руководитель. — У нас сорок человек свидетелей...

— Пять!

— Черт с тобой — пять! Но все как один видели, что он вместе с кораблем пошел ко дну. Штормило так, что даже дельфин бы утонул!

— Рыбы, его съели рыбы! — влез Марко.

— За сутки? — фыркнул Янис. — Что это за рыбы такие, что даже костей не оставили!

— Ну и где он тогда?

Все дружно посмотрели на паренька-водолаза. Тот пожал плечами:

— Получается, тело все-таки всплыло и его унесло.

— А спасатели утверждают, что никакого трупа...

— Море большое! — перебил парнишка. — Спасатели просто его не заметили.

В тишине Янис снова пробормотал еле слышно:

— А вдруг все-таки выплыл...

— Сказки внукам будешь рассказывать! — Старший группы смахнул со лба холодную водяную пыль, поежился и принял решение: — Возвращаемся! Дони, передай на сушу — они могут приступать к подъему бригантины. Мы свою работу сделали.

Катер взвыл, клюнул носом и по широкому кругу, огибая черные, как обсидиан, скалы, пошел к берегу. Глава группы в последний раз оглянулся на место крушения корабля и уверенно повторил:

— Не мог он выплыть!

Человек, который, по утверждению Кости Ифранидеса, не мог выплыть, в эту минуту уходил, шатаясь и едва не падая, все дальше от береговой полосы. Это был жилистый, загорелый, лысый старик с очень яркими голубыми глазами, которые сейчас были мутными из-за слез. Скрывшись за грядой низкорослых деревьев, старик упал на колени и затрясся в беззвучных рыданиях.

Он долго оплакивал погибший корабль. Наконец, дрожа, попробовал встать — и свалился как подкошенный. Слишком много часов его тело, в котором едва теплилась жизнь, валялось на камнях под нависающими скалами, такими низкими, что, когда он пришел в себя и попытался подняться, чуть не расшиб об их своды череп. Тогда он пополз, очень медленно, не обращая внимания на сотни шнырявших вокруг микроскопических крабов и пауков, и выбрался на открытый песок, под серое пасмурное небо.

То же самое пришлось сделать и сейчас. Ползти. Ноги не слушались его, и он боялся, что умрет прямо здесь.

Нет, не боялся. Человек, которого в прежней жизни называли Боцманом, не страшился смерти. Но он хотел бы умереть достойно. У него не получилось утонуть вместе с бригантиной, хотя он, сколько ни старался, не мог вспомнить, каким образом ему удалось спастись с тонущего корабля. Тренированное тело в который раз не подвело его, но сейчас Боцман не был уверен, что он благодарен судьбе за это.

Старик дополз до корявого ствола ближайшего деревца, прислонился к нему и осмотрел себя. Все тело покрывали страшные кровоподтеки, как будто пьяный татуировщик расписал его черным, синим и красным. «Неплохо меня измочалило. Ребра слева точно переломаны, палец, кажется, вывихнут... И тут трещина...»

Небо стало похоже на неумело сваренную манку, в которую кто-то капнул чернил. В нем вспухли комковатые тучи. Мелкая пыль, висевшая в воздухе, вдруг исчезла, как будто ее смахнули, а через несколько секунд на остров обрушился дождь.

Старик выбрался из-под дерева, встал, раскинув руки, и ощутил, как вода смывает соль с его измученного тела. Потом нашел куст с плотными широкими листьями и сделал из самого длинного листа желобок. Вскоре у него была пресная вода. Он долго и жадно глотал, потом набрал еще воды, и пил снова, и снова, и снова, чувствуя, как вместе с водой к нему возвращается жизнь.

Песок стал плотным после дождя. Идти по нему было легко. Старик медленно двинулся в глубь острова, держась под прикрытием деревьев. Его прошлая жизнь покоилась на дне моря вместе с бригантиной «Мечта», и он не собирался возвращать ее. Там его не ждало ничего, кроме тюрьмы.

Когда группа добровольцев, надеющихся все-таки отыскать тело, высадилась в этой части острова, старика уже давно не было.

А следы смыл дождь.

Глава 13

1

Бенито проснулся раньше всех, но с минуту лежал, притворяясь дремлющим, пока не убедился, что русская и в самом деле спит. Только тогда он встал и обыскал ее сумку.

Никаких записей. Конечно! Глупо было надеяться, что она оставила в блокноте указания, где искать перстень. У нее и блокнота-то не оказалось.

Но он обязан был попытаться.

В подвале горел все тот же мертвенный свет, оставленный ими с вечера, а окон, разумеется, не было, но Бенито без всяких окон и часов знал, что на улице ясное тихое утро. У него было чутье на погоду, время и неприятности. А еще, как показали последние события, на прибыльные дела.

Он присел на корточки над русской, вглядываясь в ее лицо. Во сне оно стало беззащитным. Но Бенито не собирался умиляться. Он сморщил нос, глаза его недобро сузились, и если бы в эту минуту Вика проснулась, она испугалась бы не на шутку.

Двуличная тетка, думал Бенито. Втерлась к нему в доверие и использует его! Расчесывает волосы дурочке, притворяясь хорошей, благодарит за спасение, но сама не желает платить добром за добро.

Нет, больше ей не удастся обмануть его фальшивой добротой. Случись беда, она без колебаний пожертвует и им, и Алес.

Будь ее воля, она бы и правда вернула перстень полицейским. Но не потому, что честна, а лишь из-за трусости.

Хорошо, что она всего боится. Это-то ему и поможет.

Бенито выпрямился, ополоснул лицо из бутылки и выключил свет, чтобы Вика и Алес не проснулись раньше времени. Пусть спят, пока он готовит все для последней сцены!

Бенито выбрался из подвала, на секунду задержался у подъезда, оглядывая улицу. Пусто! Все ранние туристы со своими фотоаппаратами спешат сейчас на Сан-Марко и к Риальто ловить тающие розовые отсветы на каменных стенах дворцов. Бенито взглянул на небо и прикинул, что у него есть не больше полутора часов. Потом Алес проснется и разбудит русскую.

Надо успеть.

Он шел по городу, грязному после вчерашних толп, как женщина, не смывшая на ночь макияж и утром проснувшаяся с несвежим лицом. Потекшая тушь, вульгарное алое пятно вокруг губ... Бенито любил именно такую Венецию, непричесанную и настоящую, воняющую куревом, перегаром и приторными духами. Будь его воля, он разрешил бы убирать город лишь раз в неделю. Да придет на его улицы помойка! Нечего прикидываться чистенькими, приманивая наивных дурачков! Венеция, старая портовая шлюха, кого ты можешь обмануть? Не меня, любовь моя, не меня.

Я видел тебя всякой, и если до сих пор не бросил тебя, то это потому, что мы с тобой похожи. Разве что я малость честнее. Ты лжива, как все бабы! Одной рукой прихорашиваешься, а другой лезешь в карман к простакам!

Дворники закопошились вдоль домов, собирая мусор. Кое-где у черного входа в магазины и кафе швартовались лодки, доставившие продукты. Бенито с усмешкой взирал на всю эту суету. Но не терял бдительности: попадешься людям Папы — прости-прощай, честолюбивые замыслы.

Однако ему никто не встретился. Бенито добрался до первой точки своего маршрута.

Церковь Святого Сальваторе в старом рабочем квартале не была занесена в путеводители по двум причинам. Во-первых, архитектура ее не представляла собой ничего выдающегося. Во-вторых, в ней не находилось ни одного полотна, ни одного барельефа, которые могли бы привлечь туристов.

Собственно говоря, в ней вообще ничего не было. Церковь Святого Сальваторе последние пять лет стояла заброшенной, пока власти вели ожесточенные споры, стоит ли ее реставрировать или проще снести.

Бенито, бывший в своем собственном городе изгоем, изучил все подобные места. Подвалы, стройки, старые суда, заброшенные церкви — он пробирался всюду, как крыса. Ему были известны две квартиры: в первой хозяева жили весной, во вторую наведывались осенью на пару месяцев — и к зиме он вместе с Алес перебирался туда, пережидая холодное время. Но ему приходилось не по душе подобное существование. В нем не было ни размаха, ни удали. Живу как какой-то тоскливый мещанин, со злостью думал Бенито. И с возвращением теплого ветра он срывался оттуда, как птица из клетки.

Перед заброшенной церковью Бенито остановился и задрал голову. Трехъярусная колокольня, тонкий, пожелтевший от времени клык, торчащий из полуразрушенного здания, — вот что ждало его. Временами парня охватывал страх, что к очередному его визиту колокольню сломают. Но пока все жалобы жителей были бесполезны. Власти затянули крышу сеткой — и на этом успокоились.

Бенито это более чем устраивало. Он преспокойно вошел в церковь через дверь придела, вытащив ключ из-под сгнившей ступеньки. Двое ранних собачников на площади даже не взглянули в его сторону.

Внутри было промозгло и грязно, как на стройке: стены уже долгие годы понемногу осыпались. Церковь Святого Сальваторе превращалась в руины. Перепрыгивая через раскрошенные обломки, Бенито взбежал по лестнице на первый ярус колокольни, высунулся в окно и убедился, что за ним никто не следил. Сопровождаемый завыванием ветра, поднялся на второй.

Теперь над ним оставался только один, последний ярус. Узкая железная лестница заканчивалась люком, на котором болтался навесной замок. Бенито лично запирал его, а потому он присел на корточки, пошарил в груде строительного мусора и вытащил маленький ключ, предусмотрительно обернутый пакетом.

Тот, кто поднялся бы на третий ярус колокольни при церкви Святого Сальваторе, был бы очень удивлен. В отличие от первых двух этажей, здесь было чисто. Под сложенными у стены толстыми досками (Бенито попотел, пока затащил их сюда) виднелась груда тряпья, заботливо прикрытого от дождя пакетами.

Когда-то с этой башни разносился по окрестностям звон двух колоколов. Сами колокола давно сняли, а ненужные крепления — здоровенные ржавые металлические хомуты — бросили в стороне. Неподалеку были навалены истлевшие толстые — с руку — канаты, от которых исходил тяжелый земляной запах.

Бенито проверил две вещи.

Для начала убедился, что из-под окна к крыше соседнего дома тянется черная веревка. Благодаря своему цвету, с земли она напоминала провод, однако на провод у Бенито не было бы никакой надежды, а веревку он крепил лично и был уверен в ней, как в самом себе.

Веревка была не простая. Двойная, нейлоновая, с водоотталкивающей и термической пропиткой.

Рассказывая Вике, что ему пришлось овладеть самыми разными навыками, Бенито не врал. В число его специальностей несколько лет назад попало мытье окон в высотных офисах, за которое он взялся от полного безденежья и тоски. На целых четыре месяца Бенито пришлось перебраться в Южную Италию. Там-то он и познакомился с промышленными альпинистами.

Альпинисты оказались отзывчивыми ребятами и обучили нового знакомца самым простым вещам, которые знает каждый, кто хоть раз висел на двенадцатом этаже, отдраивая окна. В благодарность Бенито стащил у них стропы, пару обвязок и еще кое-что, на что он рассчитывал в будущем. А небольшой блок, с помощью которого можно перемещаться по канату, он позаимствовал у нанявшей его фирмы.

Определенно, думал Бенито, рассматривая добычу, четыре месяца идиотской работы прошли не зря. К тому же наниматели явно не доплачивали ему (он, Бенито, стоил в три раза дороже!), так что, можно считать, дорогущий блок он взял в счет невыплаченных денег.

Именно его он проверил во вторую очередь. На блок, замаскированный среди ошметков веревок, для верности была наброшена расползающаяся мокрая дерюга. Бенито от всей души надеялся, что никому не придет в голову лезть под нее. Для ближайших целей блок не требовался, но перетаскивать его Бенито было лень.

Что ж, подумал он, на этом первая часть плана выполнена. Декорация для спектакля подготовлена.

Дело оставалось за актерами.

2

Бенито нашел всех троих в Марджеро, в самой грязной и необустроенной его части. Если бы Вика увидела место, куда заявился молодой итальянец, она решила бы, что это притон. Сам же Бенито полагал его чем-то вроде коммуны, где всегда рады помочь спальным местом, выпивкой и травкой в обмен на небольшие услуги.

Трое его бывших приятелей храпели на весь чердак. Бенито растолкал их без всякого сожаления, выслушал ругательства, самым мягким из которых была угроза кастрации, и просвистел насмешливую песенку.

— Есть дельце, — сообщил он в пространство. — Легкое и прибыльное.

— Катись к дьяволу! — прохрипели из угла.

— Пять минут работы! — пообещал Бенито, морща нос от алкогольных паров. — И можете сосать лучший вискарь весь год, не шевеля и пальцем.

Как он и ожидал, эти слова оказали магическое действие. Из груды тряпья высунулись сразу три головы, словно там притаился драконочеловек. Левая голова откашлялась, правая вытерла слезящиеся глаза. Средняя смотрела на Бенито с таким выражением, словно размышляла: сейчас его съесть или подождать, пока прожарится.

— Нечего таращиться на меня, Клоп, — ухмыльнулся парень. — От этого деньги у тебя не заведутся. Оторви задницу от кровати и сделай, что я прошу.

— Я бы с большей охотой оторвал задницу тебе, — проскрипел тот, кого он назвал Клопом. — А заодно и голову.

— Брось! Ты же не злишься всерьез!

Некоторое время Клоп, не мигая, смотрел на Бенито. Под этим взглядом парню в конце концов стало не по себе, но он сохранял нахальный вид и ухмылялся как ни в чем не бывало. Наконец, сбросив одеяло, Клоп выбрался наружу.

Тощий, гибкий, как вьюн, с непропорционально огромной головой на тщедушном теле, он казался карликом. Именно этот странный человечек научил Бенито многим премудростям воровского ремесла. Клопу было очень много лет, из которых последние десять он почти безвылазно торчал на этом чердаке. Когда-то его считали одним из самых опасных людей Венеции, но он давно ни во что не ввязывался, беспробудно пил месяцами и помер бы, если бы еще раньше не проспиртовался насквозь.

— Последний раз ты сказал, что я для тебя староват, — напомнил он, растягивая черные губы в улыбке.

— Хлеб хорош посвежее, а вино постарее, — невозмутимо заявил Бенито.

— То есть тебе больше не к кому обратиться, — кивнул Клоп. — Я так и думал.

Бенито сел на пол в своей любимой позе, по-турецки, и закурил. Почти полную пачку швырнул Клопу. Из-под лохмотьев высунулась и схватила ее желтая рука, только принадлежала она вовсе не головастому пьянице.

Обладатель руки, весь желтый от застарелых болезней, оскалился в лицо Бенито гнилыми зубами:

— Мерси, дружочек!

— Дружочку-то совсем не к кому обратиться за помощью, раз заявился к нам, — заметил Клоп.

Это было до опасного близко к правде. Бенито из-за паршивого характера перессорился со всеми вокруг. Но главная причина заключалась в том, что троица его бывших приятелей получала очень мало известий из внешнего мира. Следовательно, они не были осведомлены о краже перстня и не знали, как много поставлено на карту. Во всяком случае, Бенито очень на это надеялся.

— Я только хотел помочь старым друзьям! — с горькой обидой воскликнул он. — Мне было стыдно за то, что я наговорил вам в прошлый раз!

Судя по саркастической гримасе на лице Клопа, с покаянием Бенито переборщил. Но он, не смущаясь, продолжал:

— Если деньги вот-вот повалятся с неба, к кому мне идти? К тем, кто помогал мне.

— Откуда деньги-то?

— Одно слово — слишком много, два слова — слишком мало, — отбился Бенито известной пословицей. — Лучше спросите, что за работа.

Оба — и Клоп, и Гнилой — молчали, и он заторопился:

— Нужно всего лишь испугать кое-кого. Постучать в дверь, поорать снизу...

— Снизу? — уточнил Клоп.

— Это в церкви Святого Сальваторе, на колокольне.

— И кого мы будем пугать?

— Поди сестренку его, — раздался нежный, почти детский голосок. — Что, Бенито, достала тебя твоя дура? Хочешь, чтобы выкинулась из окна и превратилась в кровавый омлетик? Хи-хи-хи!

Третий обитатель чердака целиком выбрался из кучи лохмотьев.

По сравнению с первыми двумя упырями он выглядел по-человечески. Малокровный одутловатый юноша со слезящимися глазками и отрешенной улыбочкой на розовых губах, сложенных бутончиком. Когда-то он зарабатывал проституцией, потом из-за пристрастия к наркотикам оказался на самом дне того общества, которое традиционно считается бездонным. Рассказывали, что очередной полоумный любовник то ли утопил его, то ли прирезал. Возможно, его и вправду убивали, и не раз, но итог оказался неожиданным: нежный юноша не только остался жив, но и каким-то образом прибился к Клопу. Старый вор известным лишь ему одному способом излечил его. Но и после тот не вернулся к прежним занятиям, а остался, ко всеобщему изумлению, со старым алкоголиком.

У него были разные прозвища, от ласкового «Анжело-голубок», до такого, произносить которое брезговали даже сутенеры. Разговаривал он всегда негромко, смеялся нежно, бранных слов не употреблял и, по слухам, своими руками прикончил тех двоих, которые покушались на его жизнь.

У Бенито от ненависти свело скулы. Но он продолжал улыбаться.

— Верно, Анжело. Сестрицу и еще кое-кого. Одну тетку.

— У нее тоже в головке перегной? — поинтересовался Голубок.

— Не совсем. Но она глупая. Ничего вам не сделает.

Клоп прищурился.

— Зачем тебе это нужно, малыш?

Бенито ответил коротким словосочетанием, означавшим на жаргоне, что это его игра, но выигрыш будет делиться на всех.

— Сколько? — спросил Гнилой.

Бенито назвал сумму. Достаточно солидную, как он полагал, чтобы заставить этих троих выбраться из своей норы. По мелькнувшему удивлению в глазах Гнилого он понял, что попал в точку.

— Ты врешь, дружок, — бросил Клоп. — У тебя нет таких денег.

— Сейчас — нет, — не стал скрывать Бенито. — Но когда вы сделаете все, что надо, они появятся.

Голубок широко раскрыл глаза.

— Твоя сестра от страха родит печатный станок? Или эта, вторая? Кстати, ты будешь принимать роды?

— Да, я буду с ними, наверху, — сухо сказал Бенито. — Но это не имеет значения. Драки не будет. Вам надо только выломать люк и уйти.

— Полиция не обвинит нас в изнасиловании? — просипел Клоп.

Анжело расплылся в улыбке. Бенито с трудом сдержался, чтобы не заехать по его зеленоватой физиономии, и только напоминание о том, что поставлено на карту, удержало его от вспышки ярости.

— Вы выбьете люк и уйдете, — повторил он. — Только это нужно сделать скоро.

— Когда?

3

Вика Маткевич сидела на колокольне церкви Святого Сальваторе, пытаясь справиться с ознобом. Получалось плохо. Озабоченный Бенито накинул ей на плечи свою куртку, которую вытащил из какого-то очередного тайника внизу, в полуразрушенном алтаре, но это не помогло. Ее все равно трясло, хотя куртка была действительно теплая, с подкладкой, и до того огромная, что в нее можно было завернуться почти целиком. Вика подозревала, что парень ее попросту стащил у какого-нибудь толстяка.

Ее лихорадило с того самого момента, как они перебрались в эту церковь. Может быть, причина была в промозглом подвале, где она провела ночь. А может быть, в том, что Бенито примчался возбужденный, разбудил их и велел немедленно следовать за ним. Вика пыталась задавать вопросы, но тот буквально вытолкал ее из подвала, захлопнул дверь, напялил в подъезде ее шмотки на Алес (та безропотно позволила себя переодеть) и погнал их узкими улочками все дальше и дальше от грязно-розового дома.

Похоже, думала Вика, на наш след снова вышли.

Пока они поднимались на колокольню, она приняла решение. Именно здесь, где гулял и раздавал оплеухи дикий сквозняк, Вика осознала, что так больше продолжаться не может. Это уже их третье убежище за два дня. Она должна остановить это безумие.

Завтра. Завтра она пойдет в полицию, и будь что будет. Жаль, что в Венеции нет полноценного российского консульства, но тут уж ничего не поделаешь. Зато ей пришла в голову отличная мысль. Можно попросить Бенито связаться с журналистами. Только нужно найти толкового, который поверит, что этому бродяге действительно что-то известно о местонахождении перстня.

Вернее, о местонахождении той, которой известно о местонахождении перстня.

Вика почувствовала, что путается во всех этих местах и нахождениях. «Кажется, у меня растет температура. Надо бы жаропонижающее...»

Она взглянула на Алес. Поразительно, как спокойно девушка принимает все эти переходы, как легко обустраивается — ни дать ни взять птичка: выстлала гнездо первой попавшейся тряпочкой, свернулась — и сидит, смотрит в пустоту.

— Птичка Божия не знает ни заботы, ни труда, — пробормотала Вика.

Жар, определенно у нее жар. Ее все-таки продуло в проклятом подвале.

А еще Бенито со своими разговорами! Он явно кого-то боялся, он все время оборачивался, когда они в спешке удирали из розового дома, он дергал ее за рукав и тянул за собой. Немного успокоился лишь тогда, когда они оказались в церкви. Разведя маленький огонь на туристической горелке, Бенито нагрел воды, залил упаковку сухого супа и вручил Вике вместе с пластиковой ложкой.

Быстрорастворимую лапшу она ела последний раз в девяностых и надеялась, что оставила этот этап навсегда в прошлом. Но сейчас ей показалось, что это лучшее, что только могло придумать человечество, включая полеты в космос.

И тут Бенито сел перед Викой со своей чашкой и все испортил.

— Ты понимаешь, что, если люди Папы схватят тебя, они тебя убьют?

Вика поперхнулась лапшой.

— Ты должна подумать об этом! — настаивал парень.

— Я не хочу думать об этом!

— Когда захочешь, может быть поздно!

Вика отставила в сторону чашку.

— Бенито, что ты требуешь от меня? — устало спросила она. На дипломатию не осталось сил. — Я все равно не скажу тебе, где перстень.

— Не скажешь — ну и не говори, — неожиданно покладисто согласился тот.

Вика подняла брови.

— Послушай, Виктория, ты имеешь полное право не доверять мне. Я действительно не похож на добропорядочного гражданина, — Бенито обезоруживающе улыбнулся и развел руки, словно предлагая посмеяться над его обносками. — Не веришь мне, что я не украду перстень? О'кей, не верь! Но прошу тебя, поверь в одно: я не хочу, чтобы тебя убили. Иначе бы я давно бросил тебя.

Вика готова была поклясться, что сейчас он искренен. Даже вечная кривая ухмылка исчезла с его лица. Перед ней сидел обычный итальянский парень, такой же уставший, как и она сама, переставший притворяться хозяином этого города. Ей бросилось в глаза, как он молод.

— Я знаю, что не хочешь, — мягко сказала она. — Бенито, я очень благодарна тебе. Если бы я знала, чем отплатить...

— Не нужно мне ничем платить! Виктория, ты думаешь не о том! Вообрази, что люди Папы найдут нас!

Вика вообразила и поежилась.

— Я смогу сбежать, — уверенно продолжал Бенито. — Алес им не нужна. Они схватят только тебя. Будут выпытывать, где перстень! И ты им скажешь.

Вика молча смотрела на него. Возразить было нечего. Да, если будут выпытывать, как выразился Бенито, она все скажет. Вряд ли ограничатся парочкой вежливых вопросов.

— Я уже говорил тебе, что это серьезные люди? Они не захотят сесть в тюрьму. Когда ты скажешь, где перстень, они...

Он замолчал, очевидно, не желая пугать ее еще сильнее.

В глубине души Вика понимала, что Бенито прав. Но она отгоняла от себя саму возможность, что их поймают. Парень заставил ее осознать, что это страусиная тактика и она себя не оправдает. Если ее и в самом деле схватят...

«То меня убьют, как только я скажу, где спрятала перстень».

— Значит, у меня только один выход, — преувеличенно бодрым голосом заявила Вика, — не попадаться.

Бенито молчал, но его молчание было выразительнее слов. «Есть вещи, которые от нас не зависят».

— Хорошо, — сдалась Вика, — что ты предлагаешь?

Он подсел ближе и доверительно наклонился к ней.

— Если ты успеешь сказать мне, где кольцо, я заберу его оттуда.

Вика непонимающе уставилась на него. И что?

— Я буду твоей гарантией. Понимаешь? Этим людям нужны деньги. Большие деньги! Я скажу, что если они отпустят тебя, то получат перстень обратно.

До Вики наконец-то полностью дошел смысл его предложения. А также то, на что обрекает себя этот юноша, если события вдруг станут развиваться по его сценарию.

Она так долго смотрела ему в глаза, что в конце концов Бенито смутился и отодвинулся подальше.

— Не подумай там чего... — пробормотал он. — Просто ты хорошо отнеслась к Алес... И вообще мы вроде как неплохо проводили время...

Вика чуть не засмеялась сквозь слезы. Неплохо проводили время! Господи помилуй, что же тогда для этого бродяжки значит плохо проводить время?!

— Я решил, что должен предупредить тебя... — продолжал бормотать Бенито, по-прежнему отводя глаза.

Вика быстро и крепко обняла его, прижала к себе. И тут же отстранилась, сама страшно смутившись. Дожили! Тридцатитрехлетняя тетка кидается на шею мальчишке лет на десять младше себя.

— Я непременно воспользуюсь твоим предложением, если выпадет случай, — сказала она, от неловкости перейдя на какую-то чугунную канцелярскую речь. — Но вместе с тем выражаю надежду, что он все-таки не выпадет.

На том и закрыли тему. Бенито поднялся и проверил, доела ли Алес свой суп. Заботливо потрогал ей пальцы, нос — не замерзла ли. Но Вика уже заметила, что девушка, как и он, легко переносит ветер и холод, в отличие от нее самой.

Пока она молча наблюдала за ними, одна из фраз Бенито вдруг отчетливо прозвучала в голове.

— Ты сказал, что сможешь сбежать.

Парень обернулся.

— Ты так сказал, — повторила Вика. — Но разве можно сбежать отсюда? — она обвела рукой стены с облупившейся побелкой.

Третий ярус колокольни находился чуть выше пятого этажа. Выглянув в узкое окно, Вика могла разглядеть вровень с ними ребристые крыши соседних домов.

Бенито утвердительно кивнул.

— Что? — не поверила Вика. — Отсюда? Только не говори, что у тебя есть парашют или крылья!

Тут ее осенила новая мысль.

— И между прочим! — она даже забыла про свой озноб. — Если сможешь сбежать ты, то смогу и я!

По губам Бенито скользнула сочувственная улыбка, при виде которой Вику охватили неприятные предчувствия.

Юноша подвел ее к дальнему окну, в которое ветер задувал особенно настойчиво.

— Вот!

— Что? Вижу — провода. Идут к соседней крыше.

Бенито тихонько рассмеялся.

— Ты хочешь сказать... — Вика с ужасом взглянула на него. — Нет! Ты не сможешь!

— Выражаю надежду, что случай все-таки не выпадет, — передразнил он ее. — Но я научился ходить по канату, когда был подростком. Смогу пройти и сейчас. А ты и Алес — нет.

Последнюю фразу он мог бы и не добавлять. Вика не решилась бы балансировать на этой высоте даже под угрозой неумолимой смерти. В конце концов, гибель от рук бандитов представлялась ей менее ужасной, чем перспектива разбиться о камни.

Дрожь, отступившая было, снова вернулась. Вика поплотнее завернулась в куртку и попятилась от жутковатого проема, повторяя про себя, что все будет хорошо.

4

Сразу после ухода Бенито юноша, известный под именем Анжело-голубок, поднялся и потянулся.

— Схожу за куревом.

В ответ Гнилой молча показал ему пачку сигарет, оставленную Бенито.

— Прикопай на черный день, — посоветовал Анжело.

— То есть прямо сейчас и выкурить? — бросил вслед Гнилой. Но за Анжело уже закрылась дверь.

Ни к какому магазину Анжело не пошел. Во-первых, у него не было денег на сигареты. Все необходимое, от жратвы до курева, Анжело получал от Клопа, а откуда Клопу приносят и то и другое, юношу не интересовало.

Во-вторых, он не хотел курить.

Спустившись вниз, где для проверяющих, вздумай они инспектировать эту клоаку, располагался условный бар, Анжело побродил кругами возле стойки. Со стороны он выглядел как человек, пребывающий в мечтательной задумчивости. В действительности Анжело пытался вспомнить нужный номер телефона.

До определенных событий его жизни память на цифры у него была фотографическая. Но сейчас, промучившись минут десять, Анжело понял, что зря теряет время.

Тогда он отправился в город.

Глаза слезились от света. Несколько раз он натыкался на прохожих, но его застенчивая улыбка делала свое дело: те сами извинялись, что помешали такому милому молодому человеку.

Если память на цифры изменила Анжело, то топографическая осталась при нем. Он вышел к нужному дому, почти не поплутав. А подойдя ближе, по лицам стоящих у входа сразу понял, что его узнали.

— Я к вам с миром, мальчики, — улыбнулся он. От этой нежной улыбки одного из парней передернуло. — Где Папа?

— Зачем он тебе?

— Если он не ищет Бенито и какую-то курицу вместе с ним, то незачем, — пропел Анжело. — Но я вижу, мне здесь не рады. Так я пойду?..

Он успел даже неторопливо развернуться и пройти несколько шагов, прежде чем его схватили за рукав.

Когда Анжело вернулся на чердак, из кармана его торчала пачка «Мальборо». Клоп поднялся ему навстречу, покачивая огромной, как тыква, головой.

— Заложил? — сипло спросил он.

Анжело молча остановился посреди комнаты.

— Заложил, значит, — утвердительно кивнул старик.

И со всей силы врезал Анжело по лицу. Хлынула кровь, юноша повалился на пол, кашляя и сплевывая красные сгустки.

Гнилой подошел, мимоходом пнув скорчившегося Анжело, постоял рядом с ним в задумчивости, поглядывая на Клопа.

— Надо бы Бенито предупредить, а?

Клоп помолчал, потирая костяшки.

— Перебьется, щенок, — наконец решил он. — Пусть сам разбирается с Папой.

5

Когда внизу раздались голоса, Вика в первую секунду не придала им значения. Весь день толпа шумела на площади, лаяли собаки, перекрикивались подростки, кидавшие друг другу набитый песком носок... К вечеру стало тише. Издалека пару раз донеслось торжественное пение гондольера, а потом где-то включили магнитофон, и ритмы Мадонны некоторое время сотрясали площадь, пока кто-то не начал скандалить, требуя тишины.

После этого все стихло. Вечер опускался на Венецию, словно растворяя в себе все звуки, и казалось невозможным, чтобы случилось что-то плохое.

Но по тому, с каким отчаянием взглянул на нее Бенито, Вика осознала, что *тот самый случай* все-таки наступил.

Ей не сразу удалось в это поверить. Все казалось немножко театральным, наигранным: и ужас в глазах юноши, и равномерные удары в деревянный люк, который он запер всего час назад.

Хрясь! Хрясь! Хрясь!

Похоже, выбивали топором.

— Кричать бесполезно? — с удивившим ее саму спокойствием спросила Вика.

Бенито коротко кивнул.

— В лучшем случае полиция появится через пятнадцать минут. Виктория...

— Тогда беги! — перебила она.

— Нет! — он выпятил грудь. — Мужчины не сбегают! Я буду защищать нас!

Новый удар снизу заставил обоих вздрогнуть. Алес забеспокоилась, тревожно взглянула на брата.

— А ну быстро проваливай, хвастун паршивый! — прошипела Вика. — Хочешь, чтобы и тебя убили, и меня, и Алес?

Судя по всему, ее слова достигли цели. Бенито попятился к окну, не сводя глаз с люка.

— Послушай, — быстро сказала Вика, все еще не до конца веря, что это на самом деле происходит с ней, — я спрятала перстень в церкви Святого Пантелеймона. Слева внутри на стене барельеф, лев с чашей. Перстень в чаше! Быстрее, Бенито, пожалуйста!

В душе внезапно шевельнулся страх. Неужели он действительно сможет пройти по этому проводу?! Невозможно! Глупый мальчишка соврал ей, хвастаясь по своему обыкновению!

Но когда она в испуге взглянула на него, Бенито снова превратился в собранного мужчину с жестким взглядом и презрительно искривленными губами. Сейчас ему можно было дать все тридцать лет. Тень скрывала выражение его лица, и Вика решила, что ей, несомненно, почудилась насмешка в его глазах.

А в следующий миг Бенито вскочил на подоконник — хоп! — и легко, будто танцуя, шагнул на провод.

Вика перестала дышать. На высоте пятого этажа этот проклятый выскочка, наглец и фанфарон шел, расставив руки, без страховки по проседающей под ним черной нити. Внизу не было никого, кто мог бы заметить этот смертельный номер, кроме одинокого бродячего кота.

Сердце Вики бешено заколотилось, отозвалось молоточком в висках, заглушая удары топора. Раз-два-три-раз-два-три! Бенито шел легко, чуть покачиваясь, и она только теперь заметила, что он босиком. Когда он успел снять кроссовки?

Снизу донесся негромкий хлопок. Юноша пошатнулся, Вика на секунду зажмурилась от ужаса. А когда открыла глаза, Бенито уже бежал по крыше соседнего дома. Она ждала, что он оглянется, махнет рукой, хотя бы на минуту задержится, чтобы увидеть развязку! Но Бенито деловито скрылся за мансардой — и исчез.

— Перешел, — не веря самой себе, проговорила Вика охрипшим голосом. — Алес, ты видела это?

Она обернулась к девушке. Та стояла, как завороженная уставившись на деревянный люк. Из него акульим плавником торчало серебристое лезвие топора.

И тогда Вику окатил ужас.

Ужас был не ледяной, а ошпаривающий, точно кипяток. От него стал горячим даже язык и на ладонях выступили капли жаркой влаги. Как будто где-то копились запасы страха, а с уходом Бенито шлюз открылся.

Рядом с юношей ее не оставляло чувство, что все происходящее — немного не всерьез. Но стоило итальянцу сбежать, вместе с ним растаяла и спасительная иллюзия. Вике вспомнилась сверкающая заточка на тусклых каменных плитах. Яростно оскалившаяся морда одного из тех, на площади. Боль в животе от удара.

Вика кинулась к другому окну и обнаружила, что площадь опустела.

— Помогите! — заорала она, пытаясь перекричать гудение ветра. — Помоги-и-ите!

Голос звучал так слабо и жалко, что, кажется, даже не долетал до земли.

Слишком высоко, поняла Вика. Меня никто не услышит.

Щель в люке неумолимо расширялась. Теперь оттуда доносились команды, отдаваемые снизу властным голосом.

Вика заметалась по колокольне. Хоть какое-нибудь оружие... Хоть что-нибудь, чем можно защитить себя и Алес! В эту секунду ей открылась вся глупость их с Бенито затеи. Алессия не нужна тем людям, которые с минуты на минуту ворвутся сюда! Они не станут разбираться, сумасшедшая она или нет, и просто избавятся от бедной дурочки!

А если решат отомстить Бенито, то перед убийством еще и поглумятся над ней. Вике бросилось в глаза, что рубашка на всполошившейся девушке расстегнута, и в вырезе видна грудь.

«Она даже не сможет понять, что происходит».

Алес что-то забормотала, указывая на кучу тряпок и веревок, от которой исходил несильный, но стойкий запах гнилья. «Я могу ее спрятать! — осенило Вику. — Она привыкла сидеть тихо».

— Девочка моя, иди скорее сюда!

Вика трясущимися руками разбросала вонючие тряпки, забыв про брезгливость.

И увидела под ними очень знакомый механизм, обернутый пленкой.

В первый миг она решила, что от приступа паники у нее начались галлюцинации. Потому что перед ней лежал предмет, который никак не мог здесь оказаться: блок со страховочной системой, каким пользуются спасатели и альпинисты. Тренер не раз показывал такие, и, хотя это было давно, Вика помнила, как ими пользоваться.

А во второй миг в голове что-то щелкнуло, и вместо кома спутанных мыслей четко и ясно протянулась одна — как провод от колокольни до крыши соседнего дома.

— Алес, подойди ко мне! — приказала Вика. Сердце начало отбивать удары, и откуда-то она знала, что ей отпущено всего шестьдесят.

Закрепить карабин на проводе. Она уже догадалась, что никакой это не провод, а веревка. Так оно и оказалось.

Пятьдесят восемь... Пятьдесят шесть... Пятьдесят.

Заставить Алес просунуть ноги в ремни, затянуть на поясе крепление.

Сорок два. Сорок один. Сорок... Тридцать пять.

— Забирайся! Пожалуйста, Алес, быстрее!

Зафиксировать страховочную систему на блоке. Алес, глянув вниз, рванула было назад с подоконника, взвыв и размахивая руками, но Вика успела на долю секунды раньше. Щелк! — и скорее закрутить шайбу на карабине. Теперь Алес прочно удерживала короткая веревка. «Как корову на привязи», — промелькнуло у Вики.

Двадцать девять. Двадцать восемь.

— Смотри в небо. Смотри в небо!

Вика силой подняла подбородок Алес.

— Вон птица летит, видишь? Смотри на нее!

В последний миг у нее мелькнула мысль схватиться за девушку и проехать это короткое расстояние вместе с ней. «Здесь совсем близко! — надрывалась Плакса. — Три секунды! Ничего не случится!»

Но если случится, они упадут вдвоем.

Шестнадцать. Пятнадцать.

Вика до крови прикусила губу — и изо всех сил толкнула с подоконника девушку, продолжавшую таращиться в небеса в поисках несуществующей птицы.

Черный шнур, соединяющий колокольню и крышу, так круто просел под тяжестью человека, что Вика чуть не закричала. Ей показалось, что сейчас веревка лопнет и Алес полетит с высоты пятого этажа на истертую брусчатку.

Но вместо этого глуховатый стук известил, что Алес добралась до соседней крыши.

Десять. Девять.

Получилось! Она доехала! Вика застыла у окна, вцепившись в подоконник окаменевшими пальцами, вглядываясь и пытаясь понять, сможет ли бедная девочка выбраться сама из страховочной системы. Это казалось единственно важным в эту минуту. Важнее, чем стук отброшенного люка. Важнее, чем шаги за спиной.

Три удара сердца.

Два.

Один.

Вика успела увидеть, как Алес, нелепо размахивая руками, выпутывается из пояса.

А потом ее что-то кольнуло в шею, и все закончилось.

Глава 14

1

Вечером на закате редкие туристы, задумавшие побродить по одному из самых неуютных районов Венеции, могли видеть на берегу залива странного мужчину. Мужчина был очень молод и одет не по погоде легко. Он бегал в носках по грязному берегу, размахивал руками, хохотал, подпрыгивал и больше напоминал дикаря, чем цивилизованного человека.

Один из редких туристов авторитетно констатировал: «Чувак под кайфом!»

Второй высказал предположение, что где-то рядом психушка, в которой сегодня день открытых дверей.

Третий, не тратя лишних слов, молча сфотографировал аборигена на айфон.

Но все они предпочли смыться как можно быстрее, стоило парню повернуться к ним. Было что-то такое в его взгляде, что пробуждало в людях запоздалое благоразумие. Внутренний голос подсказывал, что именно в этой части города, среди всякой дряни, вынесенной морем, находиться не следует.

Разогнав всех, Бенито немного успокоился. Когда он только прибежал сюда, из него вырывались разнообразные звуки. Он орал, смеялся до слез, выкрикивал в небеса непотребные ругательства. Его переполняло свирепое счастье, и Бенито должен был выплеснуть хотя бы часть его в окружающий мир. Ему казалось, что иначе его просто разорвет.

Это продолжалось с той секунды, как он достал из чаши кольцо с зеленым камнем. Русская не соврала! Бенито до последнего не верил, что его план сработает. Но вот он, перстень! Он тяжел, как кирпич, и холоден, как льдина! Юноша долго смотрел на него, не дыша, потом обнюхал его, даже лизнул зачем-то — только бы убедиться, что эта вещь отныне и впрямь принадлежит ему.

Привкус металла на языке окончательно убедил его, что он не спит.

Он, Бенито, самый богатый человек во всей Венеции!

К черту Венецию — во всей Италии! Ибо тот, кто был нищ, а затем получил полтора миллиона, в десятки раз богаче того, кто ворочает миллионами всю свою жизнь!

Бенито дико захохотал и под недоуменным взглядом вошедшего служителя бросился прочь из церкви.

2

Ноги сами принесли его на берег. Бенито не собирался рисковать, таская перстень с собой. Он поступил так же, как Вика, разве что подошел к выбору укрытия более осознанно: трансформаторная будка по дороге сюда была местом, посещаемым куда реже, чем церковь Святого Пантелеймона.

Бенито сел на камень и вытянул ноги. Напряжение понемногу отпускало его. Теперь, когда он спрятал перстень, можно было спокойно прикинуть, как вытащить с колокольни сестру.

Самое очевидное: прийти, взять ее за руку, оттолкнуть русскую, которая непременно полезет с расспросами, — и уйти. Должно быть, она уже сообразила, что он перехитрил ее. Тогда она может кинуться, заорать, попробовать ударить его!

Если она так поступит, он будет очень, очень разочарован!

Бенито даже осуждающе покачал головой, представив кидающуюся на него Вику. Ей не в чем обвинить его! В сущности, он повел себя как благородный человек. «Я мог бы бить ее, — размышлял Бенито. — Мог бы пытать! Мог пригрозить ножом, и тогда она точно призналась бы, где спрятала кольцо. Но я ничего этого не сделал. Просто-напросто перехитрил ее, только и всего!»

«Ты обманывал ее все это время».

«Подумаешь, грех! — фыркнул Бенито. — Она мне никто! Чужая тетка, даже не итальянка. Обман — меньшее из зол. И вообще, это не обман, а военная хитрость. На войне как на войне!»

Окончательно успокоенный, он поднялся. Пожалуй, сначала стоит наведаться к троице приятелей, разузнать, как прошло их маленькое дельце. Его все-таки немного грызла тревога: что, если Алес перепугалась и выкинула какую-нибудь глупость?

Бенито стянул промокшие перепачканные носки, швырнул их в воду и пошлепал прочь по грязи, раздумывая, раздобыть ли новую пару обуви или уж добраться босиком до Святого Сальваторе, где остались его кроссовки.

Он прошел два квартала, далеко обогнул мусорные баки, асфальт вокруг которых был усыпан битым стеклом, и столкнулся лицом к лицу с Анжело.

В первую секунду Бенито заметил лишь, что физиономия у Голубка расквашена. У него мелькнула мысль, что это дело рук Вики. Он даже успел удивиться: ведь предупреждал же, не нужно лезть наверх! А затем тот развернулся и тяжело побежал прочь.

Шансов спастись от Бенито у Анжело не было. Первый был проворное дитя улиц, второй мог валяться сутками в каморке под крышей, поднимаясь лишь затем, чтобы облегчиться. Через сто метров Бенито догнал его, сбил с ног и встал над ним, угрожающе сжав кулаки.

— Не трогай! — заскулил Анжело, прикрывая пах. — Я все равно не знаю, где они!

Бенито еще не успел ничего понять, а грозный вид напускал на себя по привычке. Но после слов Анжело ему стало не по себе.

— Что значит «где они»?! — рявкнул он и схватил Голубка за шиворот. — Ты о ком?

— Твои девки!

Анжело извернулся, как червяк, но Бенито и сам разжал пальцы.

— Вы их выпустили? — глуповато спросил он. Ему представилось, что Клоп с Гнилым все-таки вышибли люк, хотя он просил их этого не делать (возись потом, прилаживай новый!), и Вика с Алес сбежали. Это могло стать проблемой, если русская найдет где спрятаться. Но скорее всего у нее ничего не получится, и он легко их отыщет.

Все эти мысли быстро промелькнули у Бенито в голове. А потом он осознал, что Анжело не просто вырывается по привычке — он смертельно боится.

«Чушь! — понял Бенито. — Никого они не выпускали. Здесь что-то другое...»

— Что вы с ними сделали? — прошипел он, прижав грудь Голубка коленом. — Что?!

Анжело молчал, и тогда Бенито положил ладонь ему на горло.

— Мы не успели! — выкрикнул тот. — Папа нас опередил!

Бенито застыл. Пальцы вдруг стиснули горло Анжело, точно клещи. Голубок выгнулся и забился.

— Я, я предупредил их! — прохрипел он. — Сказал им, где искать!

Он исхитрился, взмахнул рукой и ногтями полоснул Бенито по лицу. Тот, казалось, даже не заметил этого.

— Ты их предупредил... — очень медленно повторил он за Голубком. — Вы сдали меня Папе.

Он вдруг ослабил хватку и встал. Анжело перекатился на бок, преувеличенно сильно кашляя и хрипя.

Бенито с каким-то детским удивлением взглянул на него.

— Зачем ты это сделал? Я бы заплатил тебе.

Анжело перестал ломать комедию и приподнялся. Лицо у него было красное, в волосах запутались обрывки бумаги. Но он больше не задыхался.

— Ты никто, малыш, — почти ласково сказал он. — Самовлюбленный козел. А Папа — человек. Большой человек! Как ты думаешь, на чьей стороне я буду: человека или козла?

Он был готов к тому, что Бенито ударит его, может быть, даже изобьет до смерти. Какая-то часть души этого болезненного, истерзанного создания даже приветствовала такой финал своей поганой жизни. Анжело больше не мог слышать от Клопа и Гнилого истории с рефреном «А вот наш мальчуган Бенито!..», когда два старых урода принимались посмеиваться и смотрели сквозь Анжело, как будто он был пустым местом.

Но Бенито не набросился на него. Опустив руки, он развернулся и медленно побрел обратно. Он прошел вплотную с мусорными баками, и Анжело отчетливо увидел, как осколок, сверкнув в лучах заходящего солнца, впился в босую пятку парня. Тот даже не дернулся.

— Эй! — неожиданно для себя окликнул Анжело. — Послушай! Я там был!

Тот словно не слышал.

— Твоя сестра! Она удрала!

Бенито остановился.

— Не знаю, куда она делась. Но люди Папы увезли только ту, вторую.

Вот теперь Бенито резко обернулся к нему. Лишь этого Анжело и ждал: движимый духом противоречия, он насмешливо заорал:

— Должно быть, твоя дура уже попалась какому-нибудь любителю девичьих задниц! Скажешь мне спасибо, когда она родит такого же ублюдка!

Лучи солнца на миг ослепили его. А когда Анжело протер слезящиеся глаза и вгляделся, возле помойки уже никого не было.

Бенито мчался, не разбирая дороги. Он не понимал, каким образом сказанное Анжело могло быть правдой, но чувствовал, что именно в этом мерзавцу можно верить. Алес ухитрилась сбежать от людей Папы. Может быть, они отпустили ее? Нет, Голубок сказал «удрала»!

Но все это сейчас не имело значения. Алес панически боялась оставаться на улицах города без него, ее безумно пугали открытые пространства. Бенито застонал на бегу, представив, как страшно несчастной дурочке одной. Она начнет кричать, она будет бросаться к людям! И ее снова заберут и запрут, как дикого зверька.

У него была лишь одна надежда. Неподалеку от церкви Святого Сальваторе находился док, где ремонтировали лодки. Хозяин давно уехал из Венеции, перевезя маленький бизнес на южное побережье. Бенито, по своей привычке исследовать заброшенные места, обшарил там все сверху донизу. Но док оказался скучен для него. Всего лишь подобие амбара, в котором валялись три старых дырявых лодки.

А вот Алес там неожиданно понравилось. Сестра изучила каждую лодку, обнюхала все углы и каждый раз покидала док со слезами.

«Если Алес запомнила дорогу от церкви, она может быть там».

Бенито твердил это как молитву. Она может быть там. Может быть! Ведь правда же, может?!

Но стоило ему оказаться рядом с облезлой деревянной стеной дока, надежда почти растаяла. Вокруг стояла тишина. Алес кричала бы, оказавшись одна, она звала бы его.

Он все-таки зашел внутрь. И глазам не поверил, увидев, как из-под перевернутой лодки лисьим хвостом выбивается подол юбки.

— Алес!

Сестра выбралась и кинулась к нему. Бенито стиснул ее с такой силой, что она вскрикнула от боли. Только тогда он, спохватившись, выпустил ее. Дурацкие косички, которые заплела ей русская, торчали в разные стороны.

— Алес, слава богу!

Бенито вытер со лба холодный пот и присел на лодку. Алес опустилась рядом и залопотала.

— Я не знал, что туда придут люди Папы, — жестко сказал Бенито, разговаривая скорее с собой, чем с ней. — Это вышло случайно.

Алес скрючилась и принялась вытягивать рыжие нитки из подола.

— Слушай, я правда не хотел, чтобы так получилось! Но я уже не могу ничего изменить. Пускай они сами разбираются, ясно?

Алес что-то чирикнула.

— Как тебе удалось сбежать от них? — спохватился он. — Или тебя отпустили?

Алес посмотрела на брата. Подняла самую длинную нитку. Промычала невнятную тираду и обмотала ниткой талию, а потом указала поочередно на собственные бедра.

Бенито ощутил, что земля уходит у него из-под ног.

— Страховка? — недоверчиво переспросил он. — Она нашла блок?!

Алес встала и зажужжала, как шмель, пытаясь объяснить, что она летела, и птица летела, и крыши летели, и ей было совсем-совсем не страшно!

— Она нашла блок, — упавшим голосом повторил Бенито. — Но почему она спасла тебя?

Нетрудно было вообразить, как все произошло. Вика явно умела управляться со страховкой, если за короткое время разобралась, как закрепить ролик, и смогла уговорить девушку влезть в ремни. Ничто не мешало русской самой воспользоваться этим путем и сбежать. Кто для нее Алес?! Никто! Русская не должна была спасать ее, жертвуя собой.

Почему она это сделала?!

Бенито схватился за голову. В его мире человек человеку был волком, гиеной и птицей-падальщиком. Единственным исключением когда-то стала для него Алес, и лишь потому, что Бенито обожал мать. Пускай сестра была больна — он все равно видел в ее чертах отражение другого лица, нежного, прекрасного, бесконечно любимого.

Но Виктория? Для нее Алес — едва знакомая девчонка, да к тому же и слабоумная!

— Почему она спасла тебя?! — заорал Бенито, пытаясь собственным криком заглушить ставший слишком громким шепот совести. — Почему тебя, Алес?!

Он тряхнул сестру за плечи. Широко раскрыв рот, та заревела во весь голос и кулем осела на землю.

Несколько секунд юноша бессильно смотрел на нее.

— Как ты могла! — чуть не плача, проговорил он. — Она так заботилась о тебе! Как ты могла ее бросить?! Она беспомощная, глупая, она хуже тебя! Ты понимаешь это?! Она доверяла нам! Она бы нас никогда не оставила! Ты виновата, слышишь?! Ты ее предала!

Ему не хватало воздуха, он задыхался.

Бенито швырял сестре одно нелепое обвинение за другим. Словно почувствовав, что в действительности они адресованы не ей, девушка перестала рыдать и вытерла зареванное лицо подолом Викиной юбки.

Бенито осекся.

— Что я наделал, Алес? — прошептал он и закрыл лицо руками. — Что я наделал...

3

Очнувшись, Вика без труда вспомнила все, что с ней случилось.

Ее чем-то укололи. И под воздействием укола душа отделилась от тела и вылетела в окно колокольни Святого Серпентария.

Тут Вика ненадолго задумалась. Кажется, святого звали как-то иначе, но она не могла вспомнить точнее. Почему бы ему, собственно, и не быть Серпентарием, решила она наконец. Имя ничуть не хуже других.

Что происходило дальше с телом, ей не было известно. А сама она полетела над городом, невидима и свободна, как булгаковская Маргарита.

Удивительная особенность восприятия состояла в том, что Вика видела одинаково четко и ярко все предметы, независимо от расстояния. И трещинка в кирпичной кладке, и гнездо на крыше библиотеки, и Дворец дожей — все представало перед ней в истинном обличье. Она парила над Венецией, наслаждаясь новыми ощущениями. Ее только немного беспокоил шум за спиной. Обернуться без тела оказалось непросто.

Позади и чуть выше летел крылатый венецианский лев. При этом крыльями он не махал, а просто держал их немного приподнятыми. Взгляд у льва был понимающий.

— Красиво тут у вас! — крикнула ему Вика. Они как раз пролетали над флотилией судов, над первым из которых сверкал золотой шатер. — А это что такое?

— Передозировка кетамина, — мрачно ответил лев. — Приготовься. Сейчас начнется...

Что начнется, Вика спросить не успела. Ее со свистом втянуло в какую-то воронку, тугую и плотную, как вантуз, и хорошенько помотало внутри. А когда Вика открыла глаза, выяснилось, что воронка — это ее собственное тело.

Она ощущала странную отделенность от него. Рядом в тумане двоились и троились какие-то фигуры. Вика осознала, что ее тело тошнит, и тут же это мерзкое чувство передалось ей самой — той сущности, которая недавно парила над городом.

Встать! Ухватиться за что-нибудь!

Викина рука протянулась и стала удлиняться, удлиняться, точно была из жвачки, пока не схватилась за что-то холодное. Вика попыталась подняться, но ноги выгнулись сначала назад, потом вперед. Она бы закричала от этого жуткого ощущения, если бы язык не скрутился во рту как канатная бухта и не начал распухать, распирая щеки, а потом и всю голову.

Несчастная Вика застонала и повалилась на кровать. Одна из фигур приблизилась.

— Совсем сдурел? — голосом льва спросила фигура очень грубо. — Куда ты ей столько вкатил?

Ответа Вика не слышала. Ее накрыло каким-то блестящим колючим занавесом, и она снова потеряла сознание.

4

Когда она пришла в себя второй раз, рядом с ее кроватью сидел мужчина: невысокий плешивый толстяк с сочувственным выражением лица. Левая щека отсвечивала красивым фиолетовым оттенком. «Опять галлюцинация?» Но, по крайней мере, у него не было крыльев.

Толстяк подал ей чашку с каким-то белым раствором. Вика покорно выпила и откинулась на подушку. Что бы ей ни подсунули, в голове немного прояснилось.

— Что со мной было? — по-русски спросила она.

Толстяк вопросительно сморщил нос. Итальянские слова удалось вспомнить не сразу, но Вика смогла повторить свой вопрос. Одновременно, проверяя себя, она с осторожностью вытянула руку и снова прижала к себе. Слава богу, кости не растягивались!

Мужчина — то ли врач, то ли тюремщик — усмехнулся:

— Это называется «резиновый мальчик». Неприятные ощущения и видения, связанные с передозировкой лекарства.

— Лекарства!

Он с извиняющимся видом пожал плечами. А когда повернулся, стало ясно, что красивая фиолетовая половина лица — не что иное, как громадный синяк на всю щеку.

Вид этого синяка тотчас отбросил Вику в недавнее прошлое. Колокольня, окно, укол в шею... Она огляделась.

Небольшая узкая комната с желтыми стенами. Стул, стол, кровать — спартанская обстановка. Или тюремная, смотря с какой стороны взглянуть. Судя по окну, плотно закрытому ставнями, смотреть следовало с позиции узника.

— Где я?

— Не имеет значения, синьора. Вы у друга.

Она криво улыбнулась. У друга, значит...

— Синьора, где кольцо?

Вика сделала вид, что не поняла. Толстяк положил пухлые пальцы на ее запястье и раздельно повторил:

— Где кольцо?

Вика помнила, что с перстнем связано какое-то событие. Кажется, она передала его кому-то... Девушке? Юноше? Воспоминания путались, она терялась, где выдумка, а где реальность. Огромное крыло... Канатоходец, цирк... Она смотрела представление в цирке?

В одном Вика была уверена: перстень хранился у льва. От напряженных воспоминаний заныло в висках.

Толстые пальцы сжали ее запястье с неожиданной силой. Вика рванулась, но тюремщик держал, как тисками.

— Где перстень? — рявкнул он.

От боли она окончательно перестала соображать:

— В тарелке! Нет, в чашке! Отпустите меня, пожалуйста, я не помню!!!

Человек, стоящий за дверью, покачал головой и отошел.

— Бесполезно! Она не в себе.

— Двенадцать часов прошло! — возразили ему.

— Не имеет значения. У нее провалы в памяти. Скажи Франко, чтобы пока оставил ее в покое. Пусть поспит.

5

Вика барахталась в мутном потоке забвения, из которого на поверхность то всплывали обрывки воспоминаний, то снова пропадали под водой. Этот сон с каждой секундой превращался в кошмар. Течение тащит ее все быстрее и быстрее, грохот водопада нарастает! Если она не выберется на берег, то рухнет со скалы и от нее не останется ничего, даже воспоминаний!

Вика закричала и попыталась схватиться за чью-то протянутую с берега руку. Юная девушка склонилась к ней. «Как зовут твоих детей?» Вика осознала, что не в силах вспомнить имена, в диком ужасе рванулась из воды — и проснулась.

— Колька и Димка, — вслух произнесла она пересохшими губами.

Сердце колотилось как бешеное, но ей все равно стало легче. Это был всего лишь сон.

«Меня накачали какой-то гадостью». Вика попыталась встать и обнаружила, что на этот раз у нее связаны руки и ноги. Что ж, хоть какая-то ясность. Вот только Вика не была уверена, что эта ясность ее радует.

Она помнила все, случившееся с ней, вполне отчетливо до того момента, как они с Бенито и Алес оказались в разрушающейся церкви. Кажется, парень повел их за собой на башню, где гулял ветер... С этого места воспоминания превращались в набор бессмысленных образов. Черная змея над бездной — что это? Или вот кроссовки, белеющие в углу. Они принадлежали Бенито, Вика знала об этом, но почему он их снял? Или это тоже галлюцинация? Ложное воспоминание?

Вот что самое плохое: она не испытывала ни малейшей уверенности в том, что все помнит *правильно*. В конце концов, полет над Венецией в компании крылатого льва стоял перед ее глазами с той же четкостью, что и низкий серый подвал.

«Может, и подвала-то никакого не было?»

Так можно до того договориться, что и Венеции-то никакой нету! Нервный смешок сорвался с Викиных губ.

«Конечно, нету, — согласился внутренний Скептик. — Ты на Канатчиковой Даче. А веревкой тебя санитары связали, чтоб не буянила. И ставни поплотнее закрыли. Правильно: какая же психушка без ставней!»

Вика почувствовала себя так, словно голову, забитую отсыревшими опилками, прочистили ершиком. Вялые размышления о том, где истинные воспоминания, а где ложные, как рукой сняло. К черту эту чушь! Она потом разберется со змеей и кроссовками. Сейчас важно другое: как отсюда выбраться, и поживее, пока не пришли те, кто связал ее.

Вика заерзала на кровати, пытаясь ослабить веревки. Но тут дверь приоткрылась, и в щель втиснулся давешний толстяк.

На его располагающую улыбку Вика не ответила.

— В прошлый раз мы остановились на том, — без предисловия сказал толстяк, — что ты хотела отдать нам перстень.

Он придвинул к кровати стул.

— Я хочу есть, пить и писать, — холодно сказала Вика, глядя в маленькие припухшие глазки.

Толстяк смотрел на нее, не меняя выражения лица. До чего обманчиво было мое первое впечатление, подумала Вика. Как этот тип мог показаться мне миролюбивым? Ну, натуральный же убийца! Эдакий милый раздобревший котик, который придушит меня, как мышь, не переставая мурлыкать.

Мысли, сперва разгонявшиеся со скрипом, теперь летели, опережая друг друга. Бандитов было несколько — в этом Вика не сомневалась. На переговоры к ней отправили именно толстяка. Почему его? Как самого располагающего к себе? Или как самого безжалостного?

— Сперва скажи, куда спрятала кольцо.

— Где Бенито?

— Кольцо!

— Что с его сестрой?

Он наклонился так сильно, что почти лег на нее, и проорал, брызжа слюной:

— Кольцо где, сука?

— Пошел ты к чертовой бабушке, — по-русски ответила Вика, не отводя взгляда. И добавила по-итальянски: — Не смей больше обзывать меня. И помойся! От тебя воняет!

Толстяк вскочил, грязно выругавшись, и завис над ней, упираясь волосатыми руками в спинку койки. «Пугает, собака итальянская, — сказала себе Вика, изо всех сил стараясь сохранять хладнокровие. — Альфа-самца изображает».

— Жиртрест ты на побегушках, а не альфа-самец, — по-прежнему на родном языке сказала она. Толстяк не мог ее понять, но отлично уловил интонацию. Он занес над ней кулак.

— Ударишь — можешь забыть про перстень, — быстро проговорила Вика.

Взгляды их скрестились. Страшно! А вдруг изобьет? Вдруг задушит?!

«Тогда не видать его хозяевам добычи».

Итальянец опустил руку. И вдруг уселся на стул как ни в чем не бывало. Даже улыбочку нацепил прежнюю, понимающую.

— Я должен извиниться за свою грубость, — он галантно поклонился. — Простите, синьора.

Вика настороженно ждала новой пакости.

— Я попрошу, чтобы вам принесли еду и воду.

— И развязали меня!

— Невозможно! — он с выражением величайшего сожаления приложил руки к груди. — Но как только вы вернете вещь, которая вам не принадлежит, вас ждет свобода!

Очевидно, на Викином лице слишком явственно отразилось все, что она думала о своих перспективах после возвращения перстня. Потому что толстяк укоризненно покачал головой:

— Я вижу, что вас беспокоит, синьора! Вы боитесь смерти? Но я не убийца! Я всего-навсего вор!

«Черта с два ты вор, — мысленно процедила Вика. — Вор должен быть хитрый и умный, а ты тупой и злобный. Заправляет у вас кто-то другой».

— Где Бенито? — повторила она, игнорируя его слова.

— Откуда же мне знать!

Кажется, на этот раз толстяк был искренен.

— Нам нужны были только вы. Девушка убежала. Надеюсь, — добавил он с озабоченностью, которая показалась Вике лицемерной, — с ней все в порядке.

«Алес смылась от них!» Вика не помнила, как бедной девочке удалось это сделать, но она немного воспряла духом, услышав, что та не попала к бандитам.

Но ее собственное положение выглядело безрадостным. Связанная, в полной власти этих людей... Вика вспомнила, что толстяк, заходя, приоткрыл дверь совсем чуть-чуть. Скрывал от нее, *что* за дверью?

Или — *кто*?

На двери — глазок. Теперь Вика была уверена, что снаружи за ними кто-то постоянно наблюдает.

Ее беспокоило еще какое-то непонятное ощущение, и, прислушавшись к себе, она смогла ухватить его. В комнатушке пахло чем-то знакомым. Слабый, но явственно уловимый запах. Вот только где она его встречала?

— Перстень, — напомнил толстяк.

— Есть и пить, — напомнила Вика.

Ей не хотелось ни того, ни другого. Но ничего иного не оставалось, кроме как тянуть время и надеяться на чудо.

Греция. За неделю до описываемых событий

Маленький городишко Лутраки, вытянувшийся вдоль побережья, еще спал. Курортники здесь были сплошь пожилые немцы да англичане, приезжавшие лечиться местными водами. В отличие от серьезных греческих старух, эти носили светлую маркую одежду, на седые головы не повязывали платки, а напяливали легкомысленные шляпы, и вечно улыбались, буквально по любому поводу. Панагиотис, продавец в магазинчике сувениров, был убежден, что они делают это нарочно: досаждают местным. Попробуй не позавидовать таким белоснежным челюстям! Сам он, несмотря на довольно молодой возраст — ну что такое сорок лет для мужчины! — вечно мучился зубами. Однако к стоматологам старался без острой нужды не ходить. Нечего обогащать этих пройдох. Грабители! Поковыряются в зубе, да так, что ничего и не почувствуешь, а потом выставят такой счет, что глаза не просто на лоб — на затылок уползут! Нет, не любил Панагиотис ни приезжих веселых старичков, ни зубных врачей.

По иронии судьбы, первым же человеком, который зашел к нему в лавку, был старик, лысый, как дверная ручка. Он вежливо улыбнулся, и Панагиотис с негодованием отметил, что зубы у посетителя просто великолепные. Да похоже, еще и свои! Желтоватые, крепкие, ровные...

Как ни старался Панагиотис скрыть неприязнь, кивок вышел хмурым.

Старик был одет очень просто: длинные хлопковые штаны и свободная рубаха. Которая, кажется, видала лучшие времена. «Не англичанин и не немец, — моментально определил Панагиотис. — У тех и зубы белее, и одежда приличная».

Он вышел из-за прилавка словно бы ненарочно, а на самом деле, чтобы взглянуть на обувь. Ого!

Старик был бос.

Нищий? Побирушка? Не похоже.

Как бы там ни было, посетитель Панагиотису не пришелся по вкусу. Собственно, ему никто никогда не нравился, но большей частью приходилось стиснуть зубы и терпеть. А вот с босым стариканом можно было не церемониться. Панагиотис как чувствовал, что тот зашел вовсе не за деревянными китайскими поделками, выдаваемыми за греческий народный промысел.

И оказался почти прав.

Нет, старикан не стал клянчить еду. Он кивнул на сотовый телефон, лежащий на столе, и на беглом греческом попросил разрешения позвонить.

Вот тут-то и настал звездный час Панагиотиса. До сорока лет просидевший в продавцах, ненавидевший всех людей, не оценивших его по заслугам, — то есть вообще всех, он с самой любезной улыбкой сообщил, что хозяин магазина запрещает сотрудникам выдавать свои личные вещи посетителям.

— Я в трудном положении, — спокойно сказал старик, не сводя с него голубых глаз. — Мне нужно позвонить друзьям. Может быть, ты сделаешь исключение из ваших правил? Я ничего не скажу хозяину.

Глаза у него были удивительного цвета. Чистый сине-голубой, без малейших признаков старческой мути. Панагиотиса это тоже отчего-то взбесило. И еще тон старика — не просительный, не заискивающий, а какой-то невозмутимый. «Не в том положении ты, старый дурак, чтобы достоинство тут из себя корчить», — подумал Панагиотис и на всякий случай спрятал телефон в карман.

А вслух с удовольствием сообщил:

— Если вас не устраивают наши правила, можете позвонить из любого другого заведения.

— Час еще слишком ранний. Они закрыты.

Панагиотис пожал плечами. Его-то какая проблема! Конечно, закрыты — они открываются только через два часа. Один лишь он сидит здесь с десяти. Хозяин, видите ли, убежден, что это на пользу торговле. Придурок!

Из размышлений о своей горькой участи продавца вывел вопрос старика:

— Как тебя зовут, друг мой?

Панагиотиса соседи и знакомые обычно звали козлом. Если вообще считали нужным к нему как-то обращаться.

— А зачем вам мое имя? — осведомился Панагиотис, чувствуя себя дерзким и бесстрашным. — Жалобу хотите накатать?

— Свечку хочу поставить, — смиренно ответил старик.

— Чего? Какую свечку?

— За упокой раба Божьего, — ответил старик по-русски.

Панагиотис толком не понял, что произошло потом. Какая-то сила швырнула его навстречу прилавку. Шею прибило к столешнице железной подковой — не дернуться, ни пошевелиться. По верхней губе полилось теплое, солоноватое. Панагиотис, лежащий носом вниз, не испытывал ни боли, ни страха — лишь ошеломление от того, как быстро все случилось.

— Телефон, — приказал жесткий голос над ухом.

Ослушаться его было невозможно. Продавец полез в карман, вытащил «нокию» и сунул дрожащими руками, не глядя. Только теперь до него дошло, что подкова, прибившая его шею к столу, — это ладонь старика.

Пропикали клавиши.

— Доменико, это я, — по-итальянски сказал старик. Долгая пауза, смешок. — Да, немало! Двадцать? Поверю тебе на слово. Послушай, мне нужна помощь.

Спустя некоторое время Панагиотис обнаружил себя сидящим на полу с расквашенным носом, в окружении кусков разбитого телефона. Голубоглазый старик исчез бесследно.

Панагиотис кинулся к столу проверить, что украдено. Выяснилось, что ничего. Старик не взял даже мелкие купюры, россыпью валяющиеся в ящике.

— Молодой человек, вы уже открылись? — прошамкали от двери.

Седая старушка стояла напротив Панагиотиса, сжимая сумочку трясущейся рукой. Он пригляделся... Из-за толстых стекол очков на него смотрели большие голубые глаза.

Панагиотис вздрогнул. Панагиотис попятился. И под изумленным взглядом ничего не понимающей старой леди бросился бежать со всех ног.

Глава 15

1

Катер заурчал и неспешно отошел от берега. Привязанные к столбам гондолы суетливо закачались ему вслед на волнах, словно прощаясь.

— Старикашку зовут Доменико Раньери, — рассказывал Бабкин Макару, пока они плыли через весь город. — Горничная училась вместе с его сыном. Она узнала парня, когда тот зашел в отель за вещами Маткевич.

— А не ошиблась?

— Скоро узнаем. Раньери — владелец собственной кофейни неподалеку от отеля. Девчонка утверждает, что там варят лучший кофе во всем городе.

— Вот и проверим, — пробормотал Илюшин.

— Угу, только сперва домой к Раньери наведаемся. Он живет недалеко от отеля. Если горничная права, Маткевич снимала у него квартиру.

— А почему она вообще решила съехать из гостиницы, ты выяснил?

— Там какая-то мутная история.... Леонардо во всем разобрался. Я прав, Леонардо?

Узкоплечий человечек, стоявший за рулем катера, обернулся и блеснул стеклами круглых очков.

— Из отеля уволили одного из служащих. Виктория Маткевич заняла его сторону в споре, управляющему это не понравилось.

— И что? — заинтересовался Илюшин. — Он ей дохлых тараканов подбросил в номер?

— Живых было бы эффектнее, — пробормотал Бабкин и привстал: — Леонардо, ты извини, но мы сейчас врежемся!

Однако переводчик, он же по совместительству водитель, уже заглушил мотор. Катер мягко притерся желтым боком к платформе, покачнулся на волнах и встал, как хорошо выдрессированная лошадь.

— Виртуоз! — восхитился Сергей. — Макар, пошевеливаемся! А то смоется наш дедок в свою кофейню, и будем бегать за ним по всему городу.

Справа от двери белела кнопка звонка, но Илюшин проигнорировал ее и схватился за толстое кольцо, которое сжимала в пасти бронзовая львиная голова.

— Всю жизнь мечтал это сделать! — сообщил он Бабкину и так шарахнул кольцом о бронзовую пластину, что бедняга переводчик подпрыгнул. — Что-то никто не идет. Давай я еще раз стукну!

Бабкин едва успел перехватить его руку.

— Я тебя самого стукну, — шепотом пригрозил он. — Сейчас испугаешь старикашку Раньери, он кони двинет со страху, и потеряем единственную ниточку.

Илюшин отошел на несколько шагов и задрал голову, с любопытством изучая здание.

— Начало двадцатого века, а, Леонардо?

— Я бы сказал, ближе к концу девятнадцатого, — тоном опытного экскурсовода сообщил переводчик. Голосок у него был до смешного писклявый, а фразы он строил подчеркнуто литературно. — Толстые стены и маленькие окна в квартирах свидетельствуют об этом. Однако по нашим меркам дом почти современный. Вам, должно быть, известно, что в Венеции очень трудно возвести что-то новое.

— Насчет современного — это шутка? — спросил Бабкин.

Итальянец улыбнулся и поправил очки.

— Ну, почти. Но стены и в самом деле очень толстые. Как и ковер на внутренней лестнице.

Теперь и Макар заинтересованно уставился на маленького переводчика.

— Откуда вы знаете, что там есть ковер?

— Потому что мы не слышим шагов человека, который спускается по лестнице, — улыбнувшись еще шире, объяснил Леонардо. — Следовательно, лестницу покрывает ковровая дорожка, и к тому же плотная.

Бабкин с Макаром переглянулись.

— А человека ты сквозь стены разглядел? — не выдержал Сергей.

Леонардо жестом фокусника вскинул тощую ручку, указывая на высокое узкое окно над входной дверью. Одна створка его была приоткрыта. За стеклом на уровне второго этажа виднелась фигура, медленно спускающаяся по лестнице.

— Тебе бы фокусником работать, — усмехнулся Бабкин. — Ну да, все логично: человека мы видим, но шагов его не слышим, значит, на полу ковер. Могли бы и сами догадаться.

— Каждый фокус прост, когда его объяснят.

— Леонардо, это было впечатляюще! — заверил Илюшин. — На несколько секунд вы заставили нашего Сергея поверить, что способны видеть сквозь стены!

— Это было бы прекрасно, — вздохнул переводчик. — В соседях у меня двадцатилетняя красотка с во-о-от такими...

Чем таким выдающимся обладает красотка, Леонардо не успел договорить: дверь открылась, и к ним, прихрамывая, вышел хозяин.

От характеристики «старикашка» Бабкин отказался при первом же взгляде на него. Раньери тяжело опирался на палку с набалдашником, в пышной шапке седых кудрей было не найти черного волоса. Но лицо при этом выглядело моложавым.

— Это вы мне звонили? — он проницательно осмотрел всех троих и задержал взгляд на переводчике.

Леонардо вежливо склонил голову.

— Доброе утро, синьор Раньери. Спасибо, что согласились на встречу.

Пожилой итальянец проводил их в скромную комнатушку под крышей.

— Я так радовался, когда удалось найти жильца! — посетовал он. — Недельный простой не слишком бы ударил по моему кошельку. Но мне было приятно, что я делаю доброе дело. Молодая красивая женщина в беде... В моем возрасте не так часто выпадает возможность побыть рыцарем.

Он грустно улыбнулся.

Пока Сергей осматривал комнату, Раньери рассказал, что все вещи Вики Маткевич забрали карабинеры.

— Почему вы сразу не обратились в полицию? — спросил Макар.

Раньери удивленно воззрился на него:

— Так ведь я и представления не имел, что синьора исчезла!

— Вы живете в квартире напротив?

— Да, но я стараюсь не утомлять квартирантов излишним вниманием. — Раньери насупился и стал похож на поседевшего носатого ворона. — Навязчивость — дурная черта! А старики часто этим грешат.

— Значит, вы заподозрили, что она пропала...

— ...вчера. Да, именно так. У меня свое кафе. Оно удачно расположено, неподалеку отсюда, и синьора заверила меня, что непременно будет заходить. Я видел, что ей понравилось там. И когда я осознал, что она так и не появлялась ни разу с тех пор, как переехала, меня словно кольнуло! Я сказал себе: Доменико, здесь что-то не так! — Хозяин, волнуясь, вытер ладони о брюки. — И пошел в участок.

— И что полиция?

— Оказалось, у них уже лежит заявление от ее мужа. Бедняга! Двое мальчиков! Я сам отец, синьоры, у меня четверо сыновей, и мне страшно представить себя на месте этого несчастного. Я очень хочу надеяться, что все обойдется...

Доменико оборвал себя на полуслове и помрачнел. Кажется, подумал Илюшин, внимательно наблюдавший за ним, что по какой-то причине синьор Раньери не слишком верит в положительный исход дела.

Интересно, отчего? С исчезновения Маткевич прошло не так уж много времени. Молодая женщина, приехавшая развеяться в Венецию, одна... Она могла отправиться куда угодно, не предупредив его.

Почему же Доменико Раньери пытается скрыть тревогу?

— Полиция что-то предприняла?

— Карабинеры сразу отправились со мной и забрали ее личные вещи. Их было не так уж много — один чемодан, довольно потертый...

— Они обыскали комнату? — подал голос Сергей, перегибаясь наружу через подоконник. Гондольеры, отдыхавшие на канале, задрали головы.

— Они осмотрели ее с помощью специальных фонарей, — припомнил Раньери.

Бабкин нырнул обратно в комнату.

— Ультрафиолетовые фонари! Нашли они что-нибудь?

Бабкин с Макаром напряженно ждали ответа, пока Леонардо переводил. Если были следы крови, с большой вероятностью Виктория Маткевич мертва.

Однако хозяин покачал головой.

— Меня, конечно, попросили покинуть комнату... Но детективы справились очень быстро и вышли с безразличными лицами. Думаю, это о чем-то говорит.

— В вашем доме бывают посторонние?

— Жильцы — тихие люди, гости у них случаются редко. Вы полагаете, кто-то пробрался в дом, убил синьору, вынес ее труп и спрятал? Не хочу обижать вас, но это... м-м-м... звучит фантастично.

«Конечно, фантастично, — про себя согласился Бабкин. — Если только ты в этом не участвовал. Говоришь, у тебя четыре сына? Допустим, один из твоих отпрысков начинает приставать к симпатичной туристке. Она защищается, и он убивает ее. Скажем, душит! Тогда следов крови в комнате никто и не обнаружит. Ты, как любящий папаша, помогаешь избавиться от трупа. Загвоздка в том, что вынести его отсюда и впрямь непросто».

Бабкин покосился в окно. К двум отдыхающим гондольерам прибавился третий. «На улице — туристы, на воде — лодочники. Попробуй тут сплавь куда-нибудь тело».

— Если только оно не лежит под нами в подвале, — вслух подумал Бабкин и спохватился: — Это переводить не надо!

Макару Илюшину не нужно было объяснять ход мысли напарника.

— Следов борьбы нет? — быстро спросил он, сделав знак Леонардо не переводить.

— На первый взгляд никаких.

Оба понимающе переглянулись. «Но у хозяина было достаточно времени, чтобы все здесь почистить».

Раньери вдруг что-то спросил у переводчика. Маленький итальянец явно почувствовал себя не в своей тарелке и неловким жестом поправил очки.

— Что такое, Леонардо?

— Синьор Раньери спрашивает, оба ли вы подозреваете его в убийстве бедной женщины, или только кто-то один из вас.

Макар улыбнулся без всякого смущения. Иногда Бабкин думал, что его другу в принципе недоступна эта эмоция. Окажись Илюшин голым перед стадионом народа, он бы обаятельно улыбнулся и неторопливо побежал по кругу, приветственно маша рукой и распевая гимн. В глубине души Сергей жгуче завидовал этой способности: везде, при любых обстоятельствах ощущать себя уместным.

Сам он долгие годы страдал противоположной болезнью. Среди людей Сергей всегда чувствовал, что *не вписывается*. Как шкаф посреди бальной залы. В конце концов Бабкин свыкся с этим чувством и даже начал извлекать из него пользу. Ну, шкаф, словно заявлял он своим мрачным видом, и что? Шкафа не видели?

Но чувство зависти к Илюшину, который в аналогичной ситуации был способен галантно распахнуть дверцы и предложить: «Я шкаф! Потанцуем?» — все равно тихонько точило его.

— Что вы знаете о скандале в отеле? — спросил Макар, не отвечая на заданный Раньери вопрос.

— Почти ничего. Синьора заподозрила, что в ее вещах рылись. Затрудняюсь сказать, насколько это было близко к правде... Возможно, что и так. Главное, что она верила в это и ей не хотелось возвращаться в гостиницу.

Это совпадало с тем, что Бабкин услышал от горничной. Однако Макара Илюшина не оставляло ощущение, что хозяин квартиры чего-то не договаривает.

Илюшин сделал круг по комнате. Ему всегда легче думалось, когда он двигался, но здесь катастрофически не хватало пространства.

— У вас есть предположение по поводу ее исчезновения, — утвердительно сказал он, обращаясь к Раньери. — Вы сообщили о нем полиции?

Леонардо озадаченно взглянул на сыщика.

— Так и переводить, Макар?

— Да, Леонардо, будьте добры.

Домовладелец выслушал. Умные черные глаза остановились на Илюшине. Очень медленно он произнес две фразы, адресуясь ему, и брови переводчика поползли вверх.

— Что? Что он говорит, Леонардо?

Итальянец промычал что-то невнятное. Доменико Раньери серьезно и строго смотрел на Макара.

— Да переводи же! — не выдержал Бабкин.

— Ну... В общем... Он предполагает... Нет, это в самом деле очень странная идея!

— Леонардо!

— Понятия не имею, с чего он это взял... Честное слово, я бы не стал полагаться...

— Леонардо! — хором рявкнули Бабкин и Макар.

Переводчик, сдаваясь, развел руками:

— Он утверждает, что исчезновение синьоры может быть связано с кражей старинного перстня Паскуале Чиконья.

2

На подносе принесли тарелку зеленой фасоли и стакан воды. «Отвратительный выбор для последней трапезы», — подумала Вика, принимаясь за еду.

Фасоль оказалась жесткой и пересоленной. Но самое плохое было не в этом, а в том, что ни одной свежей идеи у Вики не родилось. Пока она тщательно пережевывала стебли под пристальным взглядом толстяка, ей пришло в голову только ткнуть его вилкой в глаз. Но вилку ей вручили пластиковую, да и толстяк сидел в нескольких шагах от кровати. А самое главное: ноги у нее по-прежнему оставались связанными.

Получается, и фасолью-то давилась напрасно.

«Думай, думай!» — подгоняла себя Вика. Пока она строила планы, пусть даже нелепые, страх отступал.

Потребовать что-нибудь еще? Борщ? Отварную картошку? Это имело бы смысл, будь у нее замысел побега, но как сбежишь из этой комнатушки! Кричать? Ей мигом заткнут рот. Напасть на толстяка? Он справится с ней одной левой, даже если забыть о ее связанных ногах. Заявить, что она откроет местонахождение перстня только главарю?

«Разве что я хочу как можно раньше покончить с жизнью». Вика рассуждала просто: заложник становится опасен, если он видел лица членов банды. А она пока наблюдала только одно лицо, вернее, вот эту мерзкую рожу, которая сидит напротив и провожает взглядом каждый фасолевый стебель. Будто желает убедиться, что Вика и в самом деле их ест, а не связывает в лестницу для побега.

Она хорохорилась, забалтывала саму себя, изо всех сил настаивая, что ей не так уж и страшно. Да, пока все идет к тому, что бандиты получат кольцо и избавятся от нее. Быть похороненной там же, где любимый поэт Иосиф Бродский! Лучше бы, конечно, общность их судеб проявилась в чем-нибудь другом, но тут уж ничего не попишешь...

Однако при мысли о кладбище Вика почувствовала, что отпущенный ей запас бравады иссяк. Некоторую роль в этом определенно сыграла гадкая фасоль. Но и без нее Вике хотелось плакать и просить, чтобы ее отпустили. Она объяснит, где спрятала проклятый перстень, только пусть они дадут ей уйти!

«Я могу поклясться, что никого не выдам полиции!»

Внутренний Скептик грустно покачал головой. «Сомневаюсь, что они поверят твоим клятвам».

С другой стороны, сказать правду она всегда успеет.

Вика доела последнюю зеленую фасоль, больше напоминавшую проволоку, и опустила поднос на пол.

— Где перстень? — немедленно спросил толстяк.

— Не помню. — Вика с отчаянной храбростью взглянула на него. — Клянусь жизнью! Я пыталась вспомнить, но у меня ничего не выходит!

Мужчина медленно поднялся со стула.

— Дай мне еще немного времени! — торопливо попросила Вика. — Это все ваш наркотик, у меня из-за него провалы в памяти! Может, есть противоядие?

— Есть, — кивнул он. Вике показалось, что он скрывает усмешку. — Хорошее противоядие, тебе поможет. Правда, с побочными эффектами.

Она молча смотрела на него снизу вверх, прикусив предательски дрожащую нижнюю губу.

— Нашей синьоре нужна помощь, чтобы вспомнить кое-что, — издевательски сообщил толстяк, полуобернувшись к двери. Щель начала расширяться. Там кто-то стоял, он собирался войти в комнату. И что-то подсказывало Вике, что это вовсе не врач.

— Давайте же, не стесняйтесь! — доброжелательно воскликнул толстяк. Он явно начал получать удовольствие от происходящего.

Широко раскрытыми глазами Вика смотрела на приоткрывающуюся дверь. Раньше она не понимала, как люди могут плакать от страха, и не верила актерам, которые в страшных сценах принимались испуганно всхлипывать. Ей был знаком испуг, от которого бросает в холодный пот, и другой, от которого кровь словно вспыхивает и разогревает тело. Дважды в своей жизни, запаниковав, Вика ощущала движение невидимой змеи по позвоночнику.

Но в этот раз происходящее было до того невыносимо — и мучительно медленное движение двери, и тень фигуры за ней, и паясничающий тюремщик, и собственная беспомощность, — что к горлу подступили рыдания.

Пытаясь сохранить хотя бы остатки достоинства, Вика стиснула зубы. Она не доставит удовольствия этим уродам! Ни за что!

Дверь открылась. Сперва один человек перешагнул через порог, за ним второй.

И тогда Вика поняла, что страх, от которого хочется плакать, не самый плохой.

Куда хуже тот, от которого каменеет горло.

Слезы высохли. Если бы для спасения жизни Вике потребовалось заплакать, она не смогла бы выжать из себя ни вскрика, ни всхлипа.

Перед ней, ухмыляясь, стояли двое мужчин: один рябой, другой с мутными глазами. Это были те самые люди, от которых Бенито спас ее на площади Сан-Марко.

В руках Рябого блеснули маникюрные ножницы.

— Оставлю вас, пожалуй, — любезно сказал толстяк и шагнул к выходу. — Позовете меня, мальчики, как все закончится.

— Мы недолго.

— Все будет тип-топ!

— Стойте! — с трудом выговорила в спину толстяка Вика.

«Все будет тип-топ!»

Тот не отказал себе в удовольствии сделать вид, что не расслышал.

— Подождите!

«Тип-топ!»

Он лениво обернулся.

— Кольцо в церкви Святого Пантелеймона. — Ей приходилось проталкивать слова через пересохшее горло. — В барельефе. Лев, у него чаша. Внутри перстень. Я спрятала его, когда убегала... в тот день.

Внезапно Вику охватило ощущение дежавю. Как будто она уже произносила нечто подобное, совсем недавно...

— Святого Пантелеймона? — переспросил толстяк.

— Да. Низкая, тесная...

Но он уже не слушал. Сделав какой-то знак рябому, толстяк быстро вышел. Тот склонился над окаменевшей Викой, взял ее сначала за одну руку, потом за другую. Закинул ей за плечи — словно кукле — и примотал к спинке кровати. Веревка врезалась в запястья, но Вика не проронила ни слова. От рябого пахло пивом и сладковатым одеколоном, похожим на женские духи. Она задержала дыхание.

Его напарник с сонными глазами все это время крутил в пальцах ножницы. Маленький острый клювик вскидывался вверх, делал полный оборот и утыкался носом вниз.

— Дай-ка сюда.

Рябой протянул ладонь. Приятель вложил в нее ножницы.

Серебристое лезвие блеснуло перед ее глазами. Вика вжала голову в железную спинку и зажмурилась.

Ножницы чиркнули, и Вика почувствовала, как планирует вниз прядь волос, падавшая ей на лоб. Рябой загоготал, похлопал ее ладонью по голове, как собачонку.

— Вздумаешь орать — язык на ремешки покромсаю. Сиди! Курица.

Шаги протопали к выходу.

Когда Вика осмелилась открыть глаза, в комнате уже никого не было.

3

Проводив сыщиков, Доменико Раньери вернулся в дом. В дом, который целиком принадлежал ему. Официально Раньери числился хозяином лишь двух квартир, однако в действительности владел всеми. Кроме того, в его собственности находилась кофейня, еще один известный среди туристов ресторан, который Доменико не любил за напыщенность, и отель «Эдем». Приняв синьора Иланти за владельца, Вика ошибалась. Чернобородый итальянец был всего лишь управляющим, и выбрал его тоже Раньери.

Доменико ласково коснулся деревянных перил. Он любил это место. Не раз дети предлагали ему выбрать что-то более современное и комфортное, но Раньери отказывался. Он чувствовал родство с этими прочными стенами, построенными на века, он привык любоваться маленькими окнами, которые, как прищуренные глаза, скрывали все, происходящее внутри.

В кармане завибрировал телефон. Доменико пользовался устаревшей моделью и тоже не желал менять ее на новую. Он не считал себя консерватором — лишь человеком, который с помощью вещей концентрирует вокруг себя приятный образ жизни.

— Да, дружок? — сказал Раньери. — Порадуй меня чем-нибудь.

Он выслушал короткий рассказ, постепенно мрачнея. Бросил в трубку одно слово: «Возвращайтесь» — и стал подниматься наверх.

Он прошел мимо двух молчаливых мужчин в коридоре, швырявших друг другу карты. Те собирались вскочить, но Раньери отрицательно качнул головой: не стоит. Толкнул незапертую дверь.

И оказался в комнате, где сидела привязанная к кровати Вика Маткевич.

— Ай-яй-яй, — огорченно сказал Доменико Раньери. — Ну разве так можно? Неоправданная жестокость.

Отложив трость, он склонился над онемевшей Викой и быстро развязал узлы. Взбил ей удобнее подушку под спиной, подождал, пока она разотрет запястья — кажется, не вполне отдавая себе отчет в своих действиях, — и с той же ловкостью перетянул ей руки веревкой возле локтей. Теперь Вика сидела, выставив перед собой ладони, словно прося подаяние.

— Что вы делаете? — ожила она.

— Морской узел, — пояснил Раньери. — Друг меня когда-то научил, бывалый моряк. Развязать его сама ты не сможешь, а если будешь дергаться, он затянется туже и причинит тебе боль. Мне не хотелось бы этого, честное слово!

Вика долго, очень долго смотрела на него. Лицо у нее стало такое, что Раньери сочувственно покачал головой. Ах ты бедная моя девочка...

Поняв, что она вот-вот расплачется, Доменико полез в карман за платком. Черт побери, если бы можно было всего этого избежать! Сейчас он искренне сожалел, что втянул в это дело именно ее. Бедняжка не заслуживала такой участи.

— Запах, — сказала Вика наконец.

— Что? — Доменико даже растерялся.

Неужели все-таки передозировка? А ведь врач предупреждал: рано или поздно они столкнутся с тем, что у кого-нибудь случатся необратимые изменения.

— В этой комнате пахнет так же, как и в моей.

Раньери нахмурился.

— Я должна была сразу догадаться, — ровно сказала она. — Это тот же дом, где вы сдали мне квартиру, правда?

Раньери запихал обратно в карман уже вытащенный наполовину платок. Что ж, признал он, ей удалось его удивить. Голова у малютки соображала, несмотря ни на что.

— И еще охранник! — осенило ее. — Не зря он показался мне таким знакомым! Охранник на выставке был похож на вас, синьор Раньери!

— Мне часто говорят о сходстве с моими мальчиками, — согласился он. — Но я надеялся, это не так сильно бросается в глаза.

Вика запрокинула голову, глядя на него из-под полуприкрытых век. Теперь стало видно, какое измученное у нее лицо.

— Почему я? За что вы выбрали именно меня?

— Ты выглядела внушаемой, — мягко ответил Доменико. — Мне ведь требовалось совсем немного: чтобы ты пошла на выставку с утра в нужный день. Вот и все.

4

О, в какое бешенство он впал, когда выставку решили перенести! У них все было подготовлено. Блестящий план, досконально продуманный, дважды отрепетированный! Да только что толку расхваливать замысел, когда он провалился ко всем чертям! А все потому, что кто-то не удосужился вовремя провести ремонт в церкви Гаэтано и с потолка начала пластами сыпаться штукатурка. Дьявол, как не вовремя!

Блестящий план — это всегда реализованный план. А если идеи остались лишь в голове и на бумаге, считай, что тебя поимели. Так полагал Доменико Раньери, и именно в этих выражениях он сообщил о случившемся своим людям.

— Нельзя сдаваться, — сказал один из его сыновей.

— Мы все переиграем, — поддержал второй.

— Еще не поздно, — заявил третий.

Доменико ощутил прилив гордости за мальчиков. Беда в том, что ни один из них не был способен генерировать идеи. Что ж, быть хорошим исполнителем не менее важно. Главное, что ребятки не желали сдаваться. А новый план он придумает сам.

Но время поджимало! Уже был опробован механизм замены перстня на поддельный, уже точно знали, как выведут из строя накануне открытия одного из охранников, уже Кристиан, две недели отработавший в фирме, подстроил все так, чтобы именно его поставили на замену. «Мы, итальянцы, — нация легкомысленных людей!» — всегда говорил Раньери. И это его раздражало. Кроме тех случаев, когда легкомыслие можно было обернуть себе на пользу.

В конце концов они успели переиграть все. Вернее, почти все.

Помимо примитивной системы охраны (в помещении работала всего одна камера, и та над дверью — остальные были муляжами), кто-то из организаторов выставки настоял на том, чтобы на перстень поставили специальную метку. Доменико разрывался между желанием придушить этого предусмотрительного человека и пожать ему руку. Итальянец в нем ликовал, вор скрежетал зубами.

5

— На перстне стояла метка, — объяснил он Виктории. — Она и сейчас стоит, я уверен.

— Нет там никакой метки.

— Есть. Она крохотная, едва заметная, на внутренней стороне кольца.

— Допустим, — согласилась женщина. — И зачем она нужна? Это маячок?

— Нет. Любая железная рамка реагирует на эту метку, и включается сигнализация. Мой старший сын занимается охранными системами. Он сделал все, что было в его силах, и мы смогли отсрочить включение сирены почти на две с половиной минуты. Если быть точным, на две минуты восемнадцать секунд. Но никто не мог дать гарантии, что оно точно сработает. Пятьдесят на пятьдесят.

— Вот почему вам нужен был кто-то со стороны! — поняла она. — Чтобы, если его возьмут, вы были ни при чем, так?

— Мы всего-навсего выигрывали время. Часа хватило было, чтобы мои люди исчезли бесследно. Разумеется, им бы пришлось покинуть Венецию! Однако решили, что риск того стоит. Но ты права: нам требовался человек, который вынес бы кольцо, не догадываясь об этом.

— А если бы я задержалась на выставке? На три минуты?

— Тебе подложили кольцо, когда ты собиралась выходить. Это было просчитано.

Доменико вспомнил, как почувствовал азарт ловца, увидев эту женщину впервые. У него случались озарения, когда он без видимой причины совершал какой-то поступок, потом оборачивавшийся большой выгодой. Так вышло и на этот раз.

Конечно, бедняжка просто вовремя подвернулась ему. Но талант заключается именно в том, чтобы использовать людей, кажущихся случайными. Доменико Раньери был талантлив.

Вика усмехнулась.

— Что такое? — удивился Раньери.

— Один ваш сын служит охранником, другой занимается сигнализациями... Как вы ответственно подошли к делу подготовки смены! Боюсь представить, кем бы вы растили дочь, если бы она у вас была. Второй Миледи?

Судя по тому, каким безучастным стало лицо Раньери, он не понял, о каком персонаже идет речь.

— А третий сын? Можно узнать, чем он занимается? Какие отцовские надежды оправдывает? — Вика говорила все быстрее, все громче. — Специализируется на заказных убийствах? Поделитесь же со мной!

— Довольно, — мягко оборвал Раньери. — Мы с тобой поговорим о другом. Ты сказала, что спрятала перстень в церкви Святого Пантелеймона.

Возбуждение, охватившее Вику, растаяло бесследно. Конечно. Перстень.

— Да, — равнодушно ответила она, закрывая глаза.

Что-то с ней творилось странное. Какая-то часть ее — кажется, Плакса — даже радовалась, что скоро все закончится и кто-то примет решение за нее. Окончательное решение. После которого не будет уже ничего.

Самое гадкое заключалось в том, что Вика ни секунды не боялась Раньери. В отличие от тех двух головорезов, и от толстяка, и даже от его собственных сыновей, которые не понравились ей еще при первой встрече. Доменико не казался страшным, хотя, безусловно, являлся таковым. Кто как не он отдал приказ схватить ее на площади Сан-Марко! Кто связал ее? Кто, черт возьми, отдаст распоряжение ее убить?!

Но когда Раньери с понимающим лицом склонялся к Вике, ей становилось ясно, отчего его называют Папой. Ему хотелось довериться. Чувства вступали в бешеную схватку с разумом, и от этого она чувствовала себя хуже, чем если бы перед ней сидел упырь вроде Рябого.

— Беда в том, что перстня там нет.

Вика не сразу поняла, что он сказал. А поняв, широко раскрыла глаза.

— Этого не может быть!

— Однако это так.

— Я положила его в чашу!

— Ее обнюхали со всех сторон. Она пуста.

— Значит, перстень вынул тамошний священник. Или кто-то из прихожан, — заторопилась она, на миг представив незавидную участь святого отца.

Раньери покачал головой.

— Практически исключено. Ты хорошо подобрала тайник. Если не искать специально, то не догадаешься, что там может что-то лежать.

— Слушайте, вы же понимаете, что меня разыскивает весь город? — как можно проникновеннее сказала Вика. — Мои фотографии развешаны на каждом углу! Может быть, кто-то видел, как я заходила в церковь. А потом связал кражу с церковью и...

Она замолчала, не договорив, потому что Раньери откровенно смеялся.

— Фотографии? На каждом углу? Виктория, что за выдумки!

Вика заморгала от удивления.

— Портреты, — чуть менее уверенно сказала она. — «Разыскивается». И награда обещана...

Раньери с веселым удивлением покачал головой.

— Откуда ты взяла эту чепуху? Тебя не ищет даже полиция, которая обязана это делать. Никому нет до тебя никакого дела.

Он сморщил верхнюю губу в презрительной ухмылке, которая удивительно не шла его обаятельному лицу. И пока Вика ошеломленно смотрела на него, в ее голове вдруг словно переключатель щелкнул.

Все события вчерашнего дня, утопавшие во тьме, озарились ярким светом. Вика вспомнила все и сразу: колокольню, разговор с Бенито, его побег, спасение Алес. Стало ясно, откуда взялась змея над бездной, — это всего лишь трос! Трос, натянутый между колокольней и крышей!

Она даже рассмеялась от облегчения.

— Ты что-то вспомнила, — констатировал Раньери.

«Да! Господи, да! То, что меня спасет!»

— Бенито! — торжествующе сказала Вика и улыбнулась, словно выкладывала джокера в почти проигранной партии.

В какой-то степени так оно и было. Кривляющийся паяц, хитрец, самая странная карта в колоде — вот кто ее новый друг. И он спасет ее в этой игре.

— Бенито? — Ухмылка исчезла с лица Раньери. — Ты сказала мальчишке, где прячешь перстень? Нет. Этого не может быть.

В голосе его звучала такая убежденность, что на секунду Вика даже усомнилась в себе. Она перепроверила собственные воспоминания и отчеканила с глубоким превосходством:

— Кольцо забрал Бенито. Я сказала ему, где оно, до того, как ваши обезьяны ворвались на колокольню! Так что если вы захотите получить перстень, вам придется отпустить меня!

Раньери смотрел на нее, будто не веря своим глазам. Под его взглядом Вика вдруг почувствовала себя нехорошо. Что-то шло не так, хотя она еще не понимала, что именно.

Он поднялся, отошел к окну, хромая. Обеими руками оперся на трость.

Несколько минут прошли в молчании. Вика уже не пыталась понять, что происходит, а просто ждала, стараясь не поддаваться чувству нарастающей обреченности.

— Обезьяна тут одна, — холодно проговорил Раньери, по-прежнему стоя к ней спиной. — Это ты. Только обезьяна могла бы доверить кольцо моему сыну и ждать, что он станет помогать тебе.

Он обернулся и пошел к двери.

— Ты просто дура. Надо же мне было так ошибиться!

— Вашему...

Губы перестали слушаться.

— ...сыну?!

Раньери снова скривил рот в знакомой — знакомой! — усмешке. Он стоял против света, и теперь бросалось в глаза — да что там бросалось, во весь голос кричало о себе сходство, которого она так упорно не желала замечать.

Вику как будто толкнули в затылок. Все встало на свои места.

— Бенито ваш сын... — прошептала она. — О господи.

Все крошечные детали сошлись вместе. Его рассказы об отце и братьях. Его страстное желание доказать, что он лучше. Его удивительная осведомленность во всем, что касалось Папы.

Где-то это было даже смешно. Определенно, Вика начала улавливать иронию в том, что Бенито раз за разом называл главаря бандитов Папой, а она ни о чем не догадывалась. Конечно, он ему Папа! То есть папа. Родной отец!

Ха-ха-ха! Это же прекрасно — так легко и красиво одурачить ее! Бенито должен был держать ее взаперти, пока она не сказала бы, где прячет перстень. Вскоре ему стало очевидно, что благодарность за спасение и доверчивость у Вики вовсе не идут рука об руку, как он рассчитывал. Она не собиралась делиться с ним своей тайной. А когда он спросил ее прямо, испугалась и замкнулась в себе.

Тогда-то Бенито и осознал, что вопросами ничего не добьется. Нужно было создать ситуацию, в которой она сама выдала бы ему, где перстень.

И это удалось.

Черная овца в стаде, он страстно желал опередить отца. Получить перстень! Доказать всем, что он чего-то стоит.

Просчитал ли он все наперед, увидев Вику в лапах Рябого и Сонного, помощников его отца? Или сперва действовал из искренней благодарности, а после сообразил, какую огромную выгоду может извлечь?

Вика перебирала все события с момента их встречи, и каждое, каждое виделось теперь в другом свете.

— Фотографии!

Там, в палаццо, она сказала, что попробует добраться до вокзала и уехать. Но Бенито не мог ее отпустить. Он быстро соображал, юноша, обиженный на весь мир, — этого у него не отнять!

Щелчок, который слышала Вика, был звуком фотокамеры в телефоне. Бенито сделал снимок и распечатал его на дешевой бумаге, чтобы это выглядело как объявление. И, конечно, он не был ни на каком вокзале! Все его время ушло на то, чтобы смастерить фальшивку.

И с помощью этой фальшивки он добился желаемого результата. Вика уверовала в то, что ее ищет весь город.

Она осталась с ним.

Он соврал, что продал телефон, чтобы она не позвонила мужу. Он старательно обрезал по одной все ниточки, которые могли вызволить ее из ямы.

И из подвала Бенито перетащил их с Алес на колокольню лишь по одной причине: оттуда он мог сбежать! Вика застонала при мысли о том, какой доверчивой дурой была. То, что она приняла за заботу, было холодным расчетом.

«Вдруг тебя схватят, Виктория? Скажи мне, где перстень, чтобы я мог тебе помочь!»

Следующая мысль была так чудовищна, что Вика не в силах была ее осознать. Просто закрыла глаза и заставила себя создать в голове белый шум. Она ни о чем больше не станет думать... ни о чем... не станет...

Но то, что она отказывалась признать, произнес вслух Раньери.

— Это Бенито сдал тебя, — негромко сказал он. — Слышишь меня, девочка? Бенито! Сам побоялся прийти ко мне. Нашел старого дружка, который передал нам, где ты прячешься.

— Я не хочу, — прошептала Вика, раскачиваясь из стороны в сторону. — Замолчите!

Он криво усмехнулся:

— Я-то думал, Бенито таким образом заглаживает вину передо мной. Исправляет ошибку. Решил, что ублюдок раскаивается! Если тебя это утешит, меня он тоже одурачил.

Вика Маткевич опустила голову и заплакала. Она плакала не потому, что у нее не осталось шансов на спасение, а из-за того, как глупо все вышло. Единственный человек, которому она доверилась, оказался тем, кто привел ее к смерти.

Раньери постоял, глядя на рыдающую женщину уже без всякого сочувствия. У нее больше не было ресурса, который мог бы его заинтересовать.

Он заткнул ей кляпом рот, брезгливо вытер руки о покрывало и вышел.

Пустая порода, отработанная.

Глава 16

1

Вопреки высказанному намерению, Илюшин не пошел в кофейню, расставшись с Доменико Раньери. А сначала недолго поговорил с кем-то по телефону, отойдя в сторону, а затем купил в какой-то жуткой арабской забегаловке пиццу, кофе в бумажных стаканчиках и уселся на ступеньках, ведущих с набережной в канал.

Бабкина, не склонного к излишней романтизации окружающей среды, эти ступеньки прямо-таки завораживали. Они были повсюду. Как будто кроме видимого существовал еще и незримый подводный город, и среди венецианцев было обычным делом выйти из дома и сойти по ступенькам в воду. Сергей представил человека, спускающегося все ниже, ниже, ниже, пока тот целиком не исчезал в глубине. А через пару часов, погостив в зеркальной Венеции, человек поднимается обратно и, конечно, выходит на набережную совершенно сухим.

«Машку надо сюда привезти, — подумал Сергей. — Вот кто будет в восторге!»

И тут до него дошло, что он и сам в восторге. Нелепый этот город, ободранный, как дворовая кошка, и при том напыщенный, успел чем-то пленить его.

— Дай хоть пиццу попробовать, — проворчал Бабкин. — Леонардо, угощайся.

Переводчик, с плохо скрытым отвращением взглянув на обильно политую кетчупом лепешку, сказал, что сегодня уже завтракал.

Однако пицца оказалась на удивление хороша. Да и кофе был неплох. Бабкин проворчал больше для порядка:

— Надо было в кофейню к Раньери заглянуть всетаки. Мало ли...

— Что ты там надеешься увидеть?

— Не знаю. Увижу — тогда скажу.

Илюшин смял стаканчик из-под кофе.

— Леонардо, вы можете выяснить, во сколько Раньери пришел вчера в полицию?

Переводчик с сожалением покачал головой:

— Вряд ли. Но надо обратиться к Рафаэлю. Вдруг получится!

— У тебя какая-то идея? — спросил Бабкин.

— У меня подозрение.

— Делись.

— Очень уж вовремя дедуля отправился в участок.

Несколько секунд Бабкин непонимающе смотрел на Макара и вдруг сообразил:

— Отель!

— Верно, отель. Леонардо, во сколько вы с Сергеем заявились в «Эдем»?

Переводчик немного подумал.

— Около семи, в начале восьмого.

— Если Раньери появился в участке в восемь, то я бы предположил, что дело обстояло так. — Макар метко швырнул смятый стаканчик в урну. — Его подчиненные донесли, что какие-то типы наводят справки о пропавшей русской. Наш домовладелец, который до этого был уверен, что никто не свяжет его с Маткевич, понимает, что дело становится рискованным. Полиция отнеслась к делу халатно, но мы — не полиция. А тут еще и его сын вспоминает, что горничной он хорошо знаком! Раньери идет в участок и с честным видом сообщает об исчезновении туристки.

— Ты пропустил тот эпизод, когда мне пытались набить морду, — напомнил Бабкин.

— Если бы морду — это еще полбеды. Они хотели тебе что-то вколоть.

— Сыворотку правды, — хмыкнул Сергей, но Илюшин не разделил его веселья.

— Очень странно выглядит нападение на сыщика, приехавшего разыскивать человека, — серьезно сказал он. — Вряд ли тебя собирались убить этой инъекцией.

— Да, чересчур сложно для убийства.

— Значит, планировали что-то другое.

— Напрашивается, что взять живым, — ухмыльнулся Бабкин.

И снова Илюшин кивнул без улыбки:

— ...и что-то у тебя выведать.

— Что? Я приехал накануне!

— Выходит, тебя приняли не за сыщика.

— А за кого же?

— За носителя важной информации.

Бабкин пожал плечами. Он не мог основывать догадки на голой интуиции, как Илюшин. Ему требовались факты, а фактов пока набиралось с гулькин нос.

— Макар, простите, я не понимаю... — переводчик смущенно снял и протер очки. Без них он выглядел совсем беспомощным. — Безусловно, это не мое дело. Однако... синьор Раньери чем-то вам не понравился? Вы действительно подозреваете его в похищении женщины? Он выглядел очень расстроенным.

— Чрезвычайно расстроенным, — подтвердил Илюшин. — И еще крайне озабоченным. Он, кстати, пытался это скрыть, и не слишком-то удачно.

— Но его чувства понятны! Пропала туристка, которая снимала у него квартиру... Он заволновался...

— Именно. Хотя не должен бы. Маткевич ему не дочь, не жена и не любовница. Он с ней разговаривал-то два с половиной раза.

— Неужели вы отказываете другому человеку в праве на сочувствие?

— Слишком уж ярко проявляется у господина Раньери его сочувствие. Другой бы даже не заметил, что случилось. Подумаешь, завтракать она к нему не приходила! Здесь на квадратный метр двадцать четыре кофейни. Это не повод для беспокойства.

Леонардо промолчал, но видно было, что он не согласен с Илюшиным. Попросив разрешения купить нормальный кофе, он ушел, и даже спина его выражала протест.

— Макар, а Макар, — позвал Бабкин, когда итальянец скрылся. — Это что сейчас была за пурга?

— А?

— Вот это все насчет излишней озабоченности Раньери. Не говори, что ты всерьез!

— Почему бы и нет?

— Потому что это бредятина, — напрямик рубанул Бабкин. — Ты не можешь такую башню построить на одном-единственном слабом допущении.

— Не могу? — театрально удивился Макар.

Сергей насупился. Ему крайне редко доводилось критиковать Илюшина, особенно на том поле, где Макар переигрывал его вчистую — в умении делать выводы на основе малозначительных предпосылок. Бабкин был отличным оперативником. Но там, где он сперва отыскивал два и два, потом складывал их и получал четыре, Макар Илюшин видел зяблика, швейную машинку и сыр, а в итоге каким-то немыслимым образом получал те же четыре. Он не был непогрешим и на памяти Бабкина ошибался минимум трижды. Но Сергей всегда помнил о разнице между ними. Которая, с его точки зрения, заключалась в разнице между талантом и добросовестной посредственностью.

Он был бы потрясен, узнав, что Илюшин так не считает и никогда не считал. Убедив Сергея Бабкина идти к себе помощником, Макар полагал, что из них двоих больше повезло ему. «Талантов как грязи, — думал он, — а профессионалов раз-два и обчелся». Сергей был из последних.

— Не могу, конечно, — совершенно другим тоном сказал Илюшин. — Что я, идиот? Пять минут назад Рвтисавари позвонил.

— И что? — привстал Бабкин.

— Как ты думаешь, кому кинулся докладывать о нашем отъезде его жвачный друг?

Сергей думал недолго.

— Неужели Раньери?!

— Ага! — Макар выглядел очень довольным.

— Это точно?

— Абсолютно. Ртвисавари человек простой: оставил включенный айфон в комнате и вышел. Причем заранее предупредил Паоло, к кому мы поехали. Развесил, так сказать, наживку.

— Подожди, почему айфон-то?

— Потому что там диктофон. Весь разговор записался. Как только мы вышли из дома, Паоло сразу же бросился звонить Доменико Раньери. Сообщил ему, что мы едем к нему в гости в компании переводчика.

Илюшин поднял камешек и бросил его в воду.

— Мы должны сказать шпиону спасибо. Он здорово облегчил нам работу! Теперь ясно, что именно люди Раньери напали на тебя. Скорее всего, и с исчезновением Маткевич он как-то связан.

— А ты все это время знал о звонке — и нес чепуху! — рассердился Сергей. — Подозревает он, понимаешь ли, Раньери на основе тонкого анализа его поведения!

— Не хотел при Леонардо рассказывать о шпионе. Это не наши с тобой секреты.

— Ладно. Согласен.

Бабкин тоже швырнул камешек в воду и попал в борт проплывавшей мимо гондолы. Гондольер разгневанно уставился на него.

— Эскузи, синьор! — крикнул Макар. — Миа амиго из форте руссо туристо, бат а литл бит стьюпидо!

— Ща в канале утоплю, — флегматично пообещал Бабкин. — Будешь со дна канала булькать про облико морале.

Илюшин демонстративно отодвинулся и с дальнего конца ступеньки сообщил:

— Ртвисавари сделал только одну ошибку.

— Какую?

— Забрал свой айфон и вышел из комнаты. А пока он прослушивал запись, Паоло успел удрать.

Бабкин приподнялся.

— Как — удрать? Шутишь?!

— Если бы!

Сергей выругался. Теперь Раньери известно, что они не заблуждаются насчет него. Единственное преимущество потеряно.

— Все, нечего больше тянуть, — он встал. — Где там Леонардо? Пошли в участок. Мы с тобой свой ресурс исчерпали.

— А у полиции, конечно, еще большой запас! — с несвойственной ему резкостью отозвался Илюшин. — Который мы могли оценить по их предыдущей работе.

— А чего ты хотел! Чтобы они проявили рвение, разыскивая сбежавшую русскую тетку? Сейчас — дело другое. Если банальный побег грозит обернуться похищением, они на уши встанут.

Илюшин старательно и, по мнению Бабкина, слишком уж неторопливо обтер пальцы салфеткой.

— У меня такое ощущение, что ты сильно идеализируешь местных стражей порядка. Ты хочешь, чтобы они обыскали квартиру Раньери? На основании каких фактов?

— Препятствие нашему расследованию... — начал Бабкин и осекся на полуслове. Теперь ему самому стало ясно, где подстерегает ловушка.

Илюшин откровенно засмеялся.

— Продолжай-продолжай! Ты приехал заниматься частным сыском и в первый же вечер подрался с некими людьми. Которых, по твоему утверждению, подослал почтеннейший мужчина, сдававший Маткевич квартиру. — Макар сощурился и с выраженным акцентом спросил: — Какие ваши доказательства?

Доказательств никаких не было.

— Пускай хоть квартиру старого хрыча обыщут!

— Серега, не горячись. Тебе известно, кто такой Раньери? Нет. И мне неизвестно. Мы видим то, что он считает нужным нам показать. Тебя не удивляет, что Рвтисавари ничего не знает о нем? Кроме того, что его отпрыск занимается какими-то грязными делишками?

— Рвтисавари не так давно в городе!

— Достаточно, чтобы расставить на доске все фигуры. Поверь мне, Раньери скрытен и очень, очень непрост! Ты заметил, кстати, что он умеет делать со своей тростью?

Бабкин слегка растерялся. Трость? Он, конечно, обратил на нее внимание, но лишь из-за хромоты хозяина квартиры.

— Что?

— Драться он ею умеет! — чуть резче, чем требовалось, бросил Илюшин. — Мне доводилось видеть мастера палочных боев. У старика такой же захват, движения кисти очень похожи. Ты не обратил внимания, как он крутанул палку, когда ты к окну подошел? Ну да, ты же спиной стоял. Очень у меня нехорошее чувство возникло в тот момент.

Он тоже поднялся, комкая салфетку.

— Это все лирика, Серега. Любопытно другое.

— Только не говори, что байка с украденным перстнем!

— Это не байка. Я у нашего грузина спросил, он подтвердил. Но не в курсе подробностей, кроме того, что вещь какой-то немыслимой ценности.

— Мог бы и поточнее знать, что творится на подведомственной ему территории, — буркнул Бабкин. — О'кей, даже если правда. Макар, старик всего-то кинул нам кость напоследок! Запоминается последняя фраза, как говорил Штирлиц.

— Или он хотел, чтобы мы думали, будто это кость.

Бабкин сдался.

— Черт с тобой. Что ты предлагаешь?

— Для начала найдем Леонардо. А потом... У меня родилась идея.

Они поднялись на набережную. Илюшин, память которого цепляла клочки любой информации, а затем старательно разглаживала их и складывала в аккуратную стопку, отметил про себя, что это не набережная в прямом смысле. Обычный широкий берег в Венеции называется «рива». А узкие каменные улочки над каналами, одновременно служащие фундаментом домам, — фондаменте. Они оказались как раз на второй.

Ему вспомнился дом Раньери, узкий, с крохотными окошками... Двери подъезда выходили на обычную узкую улочку. А с противоположной стороны никакой фондаменте не было, стены вырастали прямо из воды. Или нет? Макар напряг память. Он прошел мимо окна в квартире, занимаемой Маткевич, всего один раз. Что он видел? Отдыхающие гондольеры, тяжело нависающая над водой дуга моста, туристы...

Сергей, заметивший невдалеке сквозь стекло кофейни профиль переводчика, склонившегося над газетой, заторопился к нему, но через несколько шагов обернулся.

Макар Илюшин неподвижно стоял на месте и смотрел сквозь Бабкина.

— Э! Ты чего?

Макар не слышал. Он думал о том, что если старик действительно не соврал об украденном перстне и связь между исчезновением Вики Маткевич и кражей впрямь существует, то бедная Вика ввязалась в игру со слишком большими ставками.

А если в эту же игру вступил Раньери, то не нужно быть прорицателем, чтобы понять, кто останется в выигрыше.

Сергей приблизился к другу и похлопал его по плечу:

— Макар, проснись!

Взгляд Илюшина приобрел осмысленность.

— У меня такое чувство, что мы совершаем ужасную ошибку, — сказал он. — И я не знаю, как этого избежать.

2

Доменико Раньери по прозвищу Папа сидел в кресле, а его сыновья стояли перед ним. Пьетро по прозвищу Красавчик. Даниэле, он же Малыш Дэни. Кристиан — самый старший: он когда-нибудь займет место отца.

Не хватало только Бенито.

Зато в углу на стуле приютился Франко с разукрашенной скулой. Она красиво переливалась фиолетовым, как бабочкино крыло.

— Они приходили прямо сюда? — недоверчиво переспросил Пьетро. — И ты их пустил?

Нет, не зря говорят, что самый младший — всегда самый красивый. И самый глупый.

— Если бы я их не пустил, они бы что-то заподозрили, — терпеливо ответил Доменико. — Они представились частными сыщиками. Якобы ищут нашу синьору по просьбе ее мужа.

— И ты им поверил?

— Они ничего не знают про перстень.

— Почему ты так уверен, отец?

— Я рассказал им про него.

— Рассказал? — хором воскликнули все трое. Франко с молчаливым укором смотрел из своего угла.

— Я хотел посмотреть на их лица. Они оба стояли передо мной. Поверьте мне, я бы заметил, если бы что-то промелькнуло в их глазах. Но они даже не поняли, о чем я говорю!

Старший сын почесал в затылке:

— То есть они на самом деле сыщики? Напрасно мы вчера напали на них?

— Счастлив это слышать! — не удержался Франко. И непроизвольно потянулся ладонью к ушибленной щеке.

Доменико Раньери крутанул в пальцах тяжеленную трость.

— Один из них меня насторожил. Нет, Франко, не тот, что напал на тебя.

Пьетро и Франко переглянулись.

— Не говори, что второй еще хуже, — попросил сын. — Это просто невозможно!

Раньери щелкнул пальцами:

— Он как крыса. Вынюхивает. Чувствует опасность. Я встречал таких людей... К счастью, редко. С ними всегда нужно держаться около правды. Это сбивает их с толку. Он чувствовал, что я вру, я видел это по его лицу, по его движениям...

— Думаешь, тебе удалось его обмануть?

Раньери промолчал. Его самого интересовал ответ на этот вопрос.

— Не нравится мне вся эта суета, — заметил Франко. — Вчера полиция, нынче эти русские... Очень уж они бойкие. А главное, — он не удержался и потрогал синяк, — непредсказуемые.

— У меня неприятное предчувствие, что они вернутся, — негромко сказал Раньери. — И приведут с собой полицейских.

— Нам конец, если они найдут бабу!

— Значит, они не должны ее найти, — спокойно возразил Доменико. — Мы уже это обсуждали. Но теперь нас подгоняет время. Ее нужно убрать отсюда, и как можно скорее.

— Ее нужно убрать в принципе, а не только отсюда! — влез Пьетро.

Иногда Доменико жалел, что из четверых его мальчиков именно Бенито вступился за Алес и ушел из дома. У него, кроме наглости, самонадеянности и хитрости, все-таки имелся какой-никакой ум. Раньери любил Пьетро: мальчик был абсолютно предан семье, ему и в голову не пришло бы выкинуть ничего подобного тому, что сотворил Бенито. Но изредка Доменико хотелось, чтобы в голове у самого красивого его сына было чуть меньше верности и чуть больше мозгов.

— Ты хочешь убить ее прямо здесь? — с видимым спокойствием спросил он.

— А что такого?

«Скудоумный щенок!»

Почувствовав грозу, двое других сыновей отодвинулись. Пьетро, дурачок, остался стоять перед отцом, глупо ухмыляясь.

— Ты сам это сделаешь? — вкрадчиво поинтересовался Доменико. — Ты убьешь ее, малыш?

— Н-ну... Почему бы и нет?

— Я предпочел бы не слышать этого от тебя. Убивать человека очень неприятно, Пьетро. А убивать беспомощную женщину еще и нехорошо. Это не красит мужчину. Но дело не только в этом. Скажи, когда ты пойдешь и задушишь ее — например, подушкой, — что ты сделаешь с телом?

Чистый лоб Пьетро омрачился раздумьями. Правда, недолгими.

— Погружу его в лодку и отвезу... куда-нибудь...

— Прекрасно, малыш. А если представить, что тебя захватят карабинеры? Как ты объяснишь им, откуда у тебя в лодке труп?

Пьетро не рассматривал такую возможность. Видно было, что предположение о встрече с полицией выбило его из колеи. Он напряженно размышлял, шевеля губами, и все это время в комнате стояло тяжелое молчание.

Наконец он нашел аргумент против отца и торжественно выложил на всеобщее обозрение:

— А как бы я объяснил им, будь она жива?!

— Ты юный идиот, — процедил Доменико. — Найдут у тебя в лодке труп, и ты отправишься в тюрьму до конца своих дней. А если баба окажется жива, ты получишь срок! Срок, а не смертную казнь, замененную на пожизненное! Ты понимаешь это, придурок?!

Пьетро побледнел и отодвинулся. Ярость его отца была ощутима почти физически.

— Но ты — это еще полбеды! — продолжал бушевать Доменико. — Ведь с тобой будут братья! Будет Франко! Ты и их подведешь под монастырь, чертов тупица! Они окажутся не соучастниками в похищении, а соучастниками в убийстве! Вот что ты сделаешь, если вздумаешь прикончить девку прямо здесь, вместо того чтобы сначала вывезти ее, спрятать, а уже потом все закончить!

Доменико выдохся и махнул Франко. Тот расторопно поднес стакан воды. Раньери ополовинил его в два глотка, вытер подбородок. Пьетро молчал, уставившись в пол. Когда отец переходил на крик, в дело обычно шла трость.

Но Раньери счел, что вчера его сыну и без того изрядно досталось от русского. К тому же на воспитательную работу не было времени.

— Вот что, мальчики, — тон его снова стал жестким и деловитым, без всяких признаков возбуждения. — Перстень у Бенито. Скорее всего, подлец уже не в Венеции. Нам его не достать.

— Он никогда в жизни не сможет продать кольцо! — бросил Франко.

— Ты его недооцениваешь. И я недооценил, как выяснилось. Сможет! Пусть не за ту сумму, что выложил бы наш покупатель... Но ему столько и не нужно, он удовольствуется меньшим.

— Неужели мы спустим ему это с рук? — вспыхнул Даниэле.

— Наша первая задача — обезопасить себя. А потом уже будем решать остальные. Ты не подумал о том, что Бенито, сдав нам тетку, мог бы запросто позвонить в полицию и сообщить, где она?

Судя по лицам собравшихся, никто, включая Франко, не предусмотрел такой возможности.

— Он так не поступит... — неуверенно покачал головой Кристиан.

— Ты и понятия не имеешь, поступит или нет! Еще раз говорю вам: это не тот маленький Бенито, которого вы шпыняли. Он отбил у нас эту глупую девку, выведал у нее, где перстень, и смылся. А теперь может подставить нас, чтобы спокойно заниматься продажей перстня и ни о чем не тревожиться. Я бы на его месте так и сделал!

Сыновья переглянулись.

— Тогда чего мы ждем? — выразил всеобщее мнение Кристиан. — Увозим ее скорее!

— Катер будет здесь через пять минут. Франко, приготовь наш груз. А ты, Пьетро, иди и помогай ему. Пусть он сам сделает ей укол, Франко! Если наш мальчик достаточно храбр, чтобы убить ее, уж вколоть-то снотворное ему не составит труда! Правда, малыш?

Не глядя на стушевавшегося сына, Доменико подошел к окну. Гондольеры в полосатых рубахах безмятежно курили. Один из них поймал взгляд Раньери и сделал условный знак, показывающий: все чисто, никого нет поблизости.

На мосту показалась знакомая фигура. После того, как Луиджи с Адрианом испугали русскую до полусмерти, Папа дал обоим поручение — найти Алессию. Адриан до сих пор занимался поисками. А вот Луиджи, судя по всему, вообще забыл, за чем его посылали. Папа не мог разглядеть из окна его лица, но живо представлял эти мутные глаза, оплывшие черты... Он ненавидел опустившихся людей!

— Стоп! — приказал Раньери вслед сыну, идущему за Франко. Мысль его еще не успела оформиться толком, но он уже понимал, что первоначальный план можно и нужно изменить.

Франко и Пьетро замерли на пороге.

— Не нужно никаких уколов, — спокойно распорядился Доменико. — Убейте ее. Сейчас же.

Именно в этот момент Макар Илюшин встал как вкопанный в двух километрах от дома Раньери и сказал, что, кажется, они совершают ужасную ошибку.

3

Вопреки убеждению Раньери, его сын не только не уехал из Венеции, но и находился гораздо ближе к нему, чем Доменико мог бы предположить.

Алес он оставил в доке. Случись с ним что, она сможет выбраться самостоятельно, а дальше — Бог ей в помощь.

После страшной вспышки ярости Бенито словно отупел. Он, привыкший принимать решения за себя и за сестру, не мог сообразить, что теперь делать! Ему требовался человек, с которым он мог бы все обсудить, мужчина, старше и опытнее.

Уже очень много лет Бенито не чувствовал себя таким маленьким и жалким. Таким ребенком!

Он бы давно уже кинулся за помощью к Клопу. Но там место домашнего любимчика прочно занял Голубок. Ему захотелось плакать.

Он залепил себе беспощадную оплеуху и вскочил. Злые слезы тут же высохли. «Бенито — сопля, Бенито — тряпка! Щенок! Расклеился из-за какой-то бабы!»

Действовать, не сидеть на месте! Бежать, спасать, драться! Но возбуждение вдруг сменилось полным упадком сил и духа.

Куда бежать?

С кем драться?

Отдать перстень отцу? Папа никогда не был сторонником честных сделок. Он возьмет перстень и убьет русскую. Бенито один — не воин против него.

Пробраться в дом и спасти Викторию?

Во-первых, ее могут держать и не там. У отца, как и у самого Бенито, много укрытий.

Во-вторых, он не пройдет дальше входной двери.

Но хоть что-то он должен предпринять!..

Час спустя по улочке, на которой располагалась кофейня Доменико Раньери, шел человек. Он не привлекал к себе внимания, поскольку ничем не выделялся из толпы. Джинсы, рубашка, сумка для фотокамеры через плечо... И шляпа. Вика Маткевич опознала бы ее, если бы увидела.

Человек задержался возле витрины маленькой кофейни. Остроносая женщина, расставлявшая цветы, послала ему мимолетную улыбку и отвернулась. Фотограф! Обычное дело.

Но мужчина отчего-то не стал снимать ни окно с цветами, ни живописные плетеные кресла. Он свернул в ближайший переулок и уселся на ступеньку у подъезда.

Итак, его не узнали. Мария, с ее наметанным глазом, не обратила на него внимания. Городской камуфляж сработал! К тому же Бенито тщательно следил за походкой, а она-то и могла выдать его вернее всего.

Никакого фотоаппарата в сумке у него, конечно, не было. Саму сумку он нашел сто лет назад, забытую в парке, и захватил — мало ли, пригодится.

Вытащив сигареты, парень закурил. У него по-прежнему не было никакой ясности в том, что делать дальше. Наконец-то он возле дома отца. И что?

Когда Бенито шел сюда, ему казалось, что его ведет внутреннее чутье. Что стоит ему оказаться рядом с мостом, и он поймет, что делать!

Но этого не произошло. Он почувствовал себя даже еще беспомощнее, чем прежде!

Бенито выкурил три сигареты, одну за другой, и резко встал. Он так ничего и не придумал, а сидеть на месте было выше его сил. Чего он дожидается? Что отец убьет русскую? Возможно, это уже случилось.

Надо идти в полицию. Бенито не дал бы и двух шансов из ста, что ему помогут. Но он не видел выбора.

В ту самую секунду, когда он вышел из переулка и обреченно двинулся в сторону ближайшего участка, мимо него прошел низкорослый красноглазый человек с тяжелой нижней челюстью, находившейся в непрерывном движении.

Бенито будто на стену налетел. Паоло! Он с детства знал его, как и то, что Паоло подвизается помощником у Рафаэля, а Рафаэль имеет свою долю с каждого торговца сумками на всем побережье. Похоже, Паоло направлялся прямиком к его отцу. Зачем? Да еще и с самого раннего утра!

Что-то здесь было не так. По всем правилам Паоло должен скрывать свои отношения с Папой!

Бенито осторожно двинулся за ним следом. Вскоре сомнений не оставалось: Паоло определенно двигался к дому Раньери.

Бенито ускорил шаг, поравнялся с Паоло и словно невзначай оттер его плечом к ближайшей стене.

— Э! — возмутился тот. — Что ты...

Нож, прижатый к ребрам, заставил его заткнуться. Бенито одной рукой опирался на стену возле плеча Паоло, второй сжимал рукоять ножа на уровне пояса. Со стороны казалось, что старые приятели просто беседуют. Может быть, излишне тесно прижимаясь друг к другу, но разве это не простительно друзьям!

— Тащи свой вонючий зад за мной, — процедил Бенито.

Он завел Паоло в ближайший переулок, где очень удачно стояли мусорные баки. За баками их не было видно. Бенито не любил прибегать к оружию, но сейчас ему нечего было терять.

— Куда ты идешь?

— К Раньери!

— На черта?

— Бенито, что за шутки?! — попробовал возмутиться Паоло. — Я помню тебя еще вот таким мальчуганом, вечно угощал тебя сладостями...

Призыв к общим ностальгическим воспоминаниям не подействовал. Бенито несильно, но ощутимо врезал Паоло по почкам и прошипел в искривившееся от боли лицо:

— Рассказывай все! Или останешься лежать тут. Я не шучу, клянусь!

...Через десять минут Бенито, воровато оглядываясь, выскользнул из переулка. От волнения он даже забыл о том, что должен следить за походкой. В мусорном баке лежал Паоло, связанный собственной разорванной рубахой, смотрел в небо и старался дышать через рот. Первый раз в жизни он не мог двигать челюстью — она была сломана.

4

— Убить?

Они переспросили хором и с таким ужасом, будто Папа приказал им прикончить друг друга. Раньери даже усмехнулся.

— Пьетро, ты пять минут назад собирался это сделать своими руками.

— Но ты доказал... ты объяснил...

Юноша начал бормотать что-то еще и сбился.

— Правда, Папа, в чем дело? — Франко подошел к нему и тоже выглянул в окно.

Луиджи остановился на мосту и перебрасывался фразами с гондольерами.

— Тысячу раз ему было говорено не трепаться... — с досадой начал Франко и вдруг замолчал.

Понял.

— От него надо избавиться, — ровно сказал Раньери. — Сейчас подходящий случай. Убьем двух зайцев!

— Один-то заяц нам может еще пригодиться... — пробормотал Франко. Не то чтобы он испытывал теплые чувства к Луиджи. Но в отсутствие этого безбашенного придурка всеми грязными делами придется заниматься самому Франко.

— Его видели с русской на площади, — напомнил Раньери. — Если полиция возьмется за дело всерьез, это всплывет. А расколоть Луиджи теперь, когда он в таком состоянии, — пара пустяков. К тому же он оказался беспомощен против Бенито. Ты давно смотрел в его глаза? То ли он подсел на какую-то гадость, то ли понемногу сходит с ума. Он становится опасен для нас, Франко! Но у него еще есть ресурс. Мы еще можем его использовать напоследок.

— А что ты скажешь Адриану?

Вопрос повис без ответа. Франко понял, что Папа списал второго помощника точно так же, как и первого. Просто пока не затруднял себя размышлениями о его судьбе.

— Оглуши его, — сказал Раньери, не сводя взгляда с сутулой кривоногой фигуры на мосту. — Ты знаешь, чем он колется?

Франко, поколебавшись, кивнул.

— Сбросим оба трупа в катер и доставим в какое-нибудь заброшенное место. — Доменико отступил назад, в тень. — Когда их найдут, картина будет ясна. Женщина задушена, рядом труп с передозом. На этом все успокоятся. Решат, что она связалась с наркоманом, и он ее убил.

— А катер?

— Это катер Луиджи, он уже три дня здесь стоит.

Франко подумал, что удача определенно на стороне старого лиса.

— Убить надо сейчас, — тихо продолжал тот. — Время смерти медики установят довольно точно. В лодке ты с Луиджи не справишься, отключи его здесь. А баба должна откинуться раньше. Хоть немного, но раньше.

— Папа, я все сделаю, — пообещал Франко. — Но скажу честно, мне это не по душе.

— Ты — не Пьетро. Или боишься, что совесть замучает?

— Совесть здесь ни при чем. Ты до того красочно расписал, как лодку обыскивают карабинеры, что я в это почти поверил. Уж не надеешься ли ты избавиться заодно и от меня?

И Франко хохотнул. Он ни на секунду в это не верил и знал, что Папа знает, что он не верит.

— Мечтаю с того самого дня, как ты начал пользоваться этим одеколоном, — парировал Раньери. — Воняет так, будто лошадь сначала полиняла, а потом обгадилась!

Оба рассмеялись. Они не были слишком уж циничными людьми. Просто с некоторых пор не придавали большого значения смерти. Ни своей, ни чужой.

— Никто тебя не станет обыскивать. В крайнем случае пристанешь к берегу и смоешься.

— Обустройство в другом городе обойдется мне недешево, — намекнул Франко.

Раньери с невозмутимым видом пожал плечами.

— Когда мы вернем перстень и продадим, возьмешь себе половину.

Франко онемел. За половину стоимости кольца дожа он придушил бы не только наркомана Луиджи, но и всех остальных помощников Папы, с сыновьями включительно.

— Обещаешь? — хрипло спросил он.

Но вопрос был бессмысленным. Папа никогда не подводил тех, у кого оставался ресурс. А у Франко его было с избытком.

Бывший полицейский обернулся к троице, покорно ждавшей окончания их разговора. С этого момента он становился главным. Папа отдал распоряжения — теперь в дело вступал исполнитель.

— Приготовьте катер Луиджи! Найдите что-нибудь, чем можно будет закрыть тела. Только следите, чтобы это была не одежда, по ней могут легко опознать.

Кристиан покачал головой: мол, уж об этом можно было не напоминать. По сравнению с братьями он держался спокойно. Зато Пьетро, лишь недавно вызвавшийся убить женщину, совсем раскис. Похоже, он смертельно боялся, что Франко потащит его с собой.

— Пьетро! — окликнул толстяк. Юноша поднял на него испуганный взгляд. — Ты мне не понадобишься. Извини, парень, сегодня обойдусь без тебя.

Облегчение, выразившееся на лице Красавчика, заставило Франко расхохотаться. Неплохо подколол! Толстяк знал, что в ближайшее время ему будет не до шуток, и не видел ничего дурного в том, чтобы насмеяться впрок.

Развинченной походкой он двинулся из комнаты. На него всегда перед серьезным делом нападала дурашливость.

У Папы зазвонил телефон.

Франко не обратил на него внимания. Он уже мысленно входил в комнату, где лежала женщина, уже чувствовал в руке скользкий шнур и затягивал петлю на ее шее. Веревку они потом подбросят в катер, это хорошая улика. Можно было бы задушить руками, но ладони у него меньше, чем у Луиджи, так что этот способ отпадает.

А жаль. Он *любит работать руками.*

Скаламбурив, Франко снова довольно хихикнул и вышел на лестницу.

За его спиной Папа, наконец, ответил на звонок.

Первый пролет. Второй.

Дверь в комнату, где лежит пленница.

— Стой! — крикнули снизу. — Франко, нет! Остановись!

Толстяк перегнулся через перила и недовольно уставился на старшего сына Раньери.

— Что такое, Кристо?

...Когда он влетел в комнату, все находились в полном остолбенении. Включая самого Раньери, а уж Папу-то Франко видел в таком состоянии всего пару раз.

— Что у вас тут произошло?!

— Звонил Бенито, — медленно, со странной интонацией, будто не веря самому себе, ответил Доменико.

И замолчал. Кажется, осмысливал разговор.

— И что, что? — поторопил его Франко. В окно он видел, что Луиджи уже ушел с моста — значит, с секунды на секунду будет здесь. Нечего с ним затягивать!

— Он предлагает вернуть перстень.

— Что?!

— Не просто вернуть! А в обмен на женщину.

— Не понял...

— Бенито готов отдать перстень, если мы вернем ее живой и невредимой.

Вот тут-то Франко и сел.

Глава 17

1

— **П**орка мадонна! Он что, влюбился?

Все по очереди посмотрели на русскую через глазок.

— Она же старая! — не удержался Пьетро.

Франко почесал в затылке. Ну, не молодая, конечно. Однако что-то в ней есть.

— Она красивая, — в голосе Папы не было и тени сомнения, — но Бенито в нее не влюблен. Иначе бы он не сдал ее нам с самого начала. Здесь что-то другое.

— Разговор записывался!

— Он хочет подловить тебя!

— Сукин сын!

— А ну тихо! — Раньери вскинул руку. — Я ему сказал лишь одну фразу: спросил, не сошел ли он с ума. Если на этом основании меня можно арестовать, то я готов съесть свою трость.

— И все-таки это ловушка, — убежденно воскликнул Франко. — Прости меня, Папа, но твой сын — хитрый, жадный говнюк! Он не отдаст нам перстень добром!

Раньери побарабанил пальцами по двери. Вика Маткевич внутри вздрогнула и съежилась.

— Даже если он и в самом деле готов на обмен, ее нельзя отдавать, — отчеканил Доменико. — Она видела нас всех, она в курсе нашего дела! Отпустить ее — то же самое, что подписать судебный приговор!

— Тогда о чем мы спорим?! — не выдержал Даниэле. — Вывезти ее и убить, сейчас же!

— Мы спорим о перстне, идиот! Который находится у твоего брата! Или ты готов выбросить полтора миллиона евро коту под хвост?

Малыш Дэни насупился:

— Мы найдем Бенито потом. И отберем у него перстень! Мы же так и собирались сделать!

— А если у Бенито хватит ума спрятаться хорошенько? Если он решит бросить дуру? Тогда он может уехать куда угодно, хоть в Россию! И ищи его там!

— ...среди медведей и снегов, — веско добавил Франко.

Дэни сник.

— Мы в патовом положении! — продолжал Раньери. — Нельзя выдать ему русскую, это слишком рискованно для нас. Но и глупо лишиться перстня, убив ее! Бенито пришел на все готовое: не участвовал в деле, не готовил его. Он украл у своих! Мне тяжело говорить такое про собственного сына, но он крыса и вор.

Четыре пары глаз уставились на него. Франко и Кристиан быстрее остальных поняли, к чему ведет Папа. Но старший сын еще не осмеливался поверить.

Франко был опытнее и взрослее. И он дольше всех знал Раньери. Парень совершил страшный грех: покусился на его собственность, сорвал планы. Если существовали для Папы люди с отрицательным ресурсом, то Бенито перешел в их ряды.

— Сдается мне, не такое уж и патовое у нас положение, — уронил Франко после долгого молчания.

2

Макар Илюшин и Сергей Бабкин приближались к полицейскому участку. «Я согласен, мы ничего больше не можем сделать», — признал Илюшин. После его слов об ошибке Бабкин долго уговаривал друга рассказать, в чем дело, но ничего внятного выжать из него не мог. Единственное, что дало ему небольшую подсказку, было их возвращение к дому Раньери. Илюшин перевесился с моста под пристальными взглядами отдыхавших гондольеров и внимательно рассмотрел основание дома.

— Что ты там увидел? — Бабкин прищурился, пытаясь разобрать, что так заинтересовало его друга. Но его все время отвлекали рожи гондольеров. Слишком напряженные они были для отдыхающих лодочников в начале трудового дня.

И кстати, отчего это они постоянно балбесничают?

Только Бабкин хотел задать этот вопрос вслух, как Илюшин дернул его за рукав.

— Пошли.

И рванул с такой скоростью, что Бабкин еле успел догнать его на краю моста.

Про бедного Леонардо и говорить нечего: переводчик мотылялся где-то в кильватере еще целый квартал, прежде чем поравнялся с сыщиками.

— Макар, позвольте спросить: куда вы бежите?

— Здесь, судя по карте, поблизости должен быть участок, — отрывисто бросил тот.

— Да, минутах в пяти.

— Отлично!

Как Илюшин, глянувший на карту один раз, ухитрился запомнить расположение участков, Бабкин уже и не спрашивал. Но почему он передумал насчет полиции?

— Макар, да что случилось?! Что ты там увидел?

— Гараж!

— Какой гараж?

— Макар, у нас тут нет машин, — осторожно подал голос сзади переводчик. Похоже, он окончательно уверился в том, что его подопечные свихнулись, один-то уж точно.

— Машин нет, а катера есть. До сих пор я думал, что вы всегда держите их возле домов. Уличная парковка!

— Кое-где есть доки.

Макар обернулся так резко, что Леонардо налетел на него и едва не уронил очки.

— Вот именно, док! В доме Раньери он расположен внизу, как подземный гараж!

— И что же? Да, со стороны набережной дом стоит на сваях, а между ними...

— А между ними можно погрузить в лодку все, что душе угодно! — перебил Макар. — И вывезти куда угодно.

— Так ты думаешь, Маткевич в доме? — встрепенулся Бабкин.

— Понятия не имею. Но гондольеры, несущие там службу денно и нощно, мне не по душе.

Два человека входят в комнату, где сидит связанная Вика Маткевич. Один из них склоняется над ней со шприцем, второй силой удерживает рвущуюся женщину.

— Ты рассчитал дозировку? Мы не убьем ее?

— Хочешь сказать, раньше времени? Надеюсь, что нет.

У Вики Маткевич есть пятнадцать секунд, пока подействует кетамин. Она слышит их разговор, понимает, что времени у нее осталось немного, и ее последняя мысль — о муже, с которым все вышло так нелепо. А после крылатый лев роняет черное перо, которое все растет, растет, пока летит вниз, и наконец накрывает ее, и все исчезает: и комната, и убийцы, и боль…

Бабкин выругал себя за невнимательность. Это он, а не Илюшин, должен был заметить, что бравые парни в лодках слишком пристально наблюдали за ними.

— До сих пор я думал, что достаточно установить наблюдение за входом, и Раньери не сможет вывести Вику незаметно. Я идиот! Мне надо было раньше сообразить про катер!

Макар потер лоб и болезненно поморщился.

— Слушай, ты что-то навыдумывал себе! — решительно сказал Бабкин, которому совершенно не нравился настрой друга. — Ты сам говоришь, что не знаешь, где Маткевич.

...Яркий электрический свет заливает помещение. Трое стаскивают вниз бесчувственную женщину, грузят в старый катер с треснувшим лобовым стеклом. Закрывают брезентовым тентом, сверху набрасывают вещи.

— Видно ее? — спрашивает один.

Другой качает головой. Он наклоняется, поддевает тростью край брезента.

— Ноги ей подогните. Мало ли, заглянут...

Женщину укладывают, словно куклу — маленькую легкую куклу с золотыми волосами. Ее рука безвольно падает, обручальное кольцо сверкает на пальце. Один из тех, кто стоит поблизости, мужчина с расширенными зрачками и болезненной улыбкой на тонких губах, присаживается рядом и незаметно стаскивает его.

— Луиджи, что ты там делаешь?

— Руку ее прячу.

— И что ты хочешь заявить в полиции?

Макар не успел ответить: Леонардо ткнул направо.

— Все, пришли!

Неприметная дверь ничем не напоминала вход в участок, если бы не скромная табличка сбоку и зарешеченные окна на первом этаже. За стеклом торчал кактус, похожий на инсталляцию из утыканных иглами оладьев.

— М-да, место не слишком приветливо выглядит, — признал переводчик. — Но если я правильно понял, вы настроены побеседовать с кем-нибудь из местных?..

— Очень настроены! — твердо сказал Макар.

— Вы сначала ответите на телефонный звонок или считаете, что разговор с полицией не терпит отлагательств? — Леонардо поправил очки и выжидательно уставился на Илюшина.

— Господи, где ты учил русский! — простонал Бабкин. — В корпусе благородных девиц? И, кстати, ты о чем?

— Телефон. Я должен заметить, он уже минуту гудит у Макара в кармане.

Илюшин вытащил трубку, поставленную на виброзвонок. Та тряслась так отчаянно, будто от бессилия впала в эпилептический припадок.

— Да! — сказал Макар. — Ртвисавари, ты? Нет, ничего хорошего. Что? Что-о?!

Он отступил на несколько шагов от двери. Бабкин и Леонардо, переглянувшись, последовали за ним.

Илюшин слушал, озадаченно глядя на Сергея, время от времени бросая короткие вопросы.

— Занятно... Ты его знаешь? Когда? Почему? Ах, Паоло!

— Так! — не выдержал Бабкин. — Ну-ка транслируй нам сюда, что у вас происходит!

— Я перезвоню, — сказал Макар и отключил телефон.

А затем широко улыбнулся.

До этого Бабкин чувствовал себя, по выражению его жены, как еж с колючками внутрь. Он видел, какое мучительное напряжение охватило его друга, и осознавал: что-то идет не так. Катастрофически не так, бесповоротно! Что бы там ни чуял Илюшин, его интуиции Сергей доверял на все сто. Если уж он решился обратиться в полицию, значит, был готов на крайние меры.

И вдруг вернулся прежний Макар, словно сбросивший груз с плеч. Но что такого мог сообщить ему толстенький грузин, чтобы Илюшин перестал бояться за жизнь Вики Маткевич?!

— Мы идем в полицию или нет?

Леонардо переводил взгляд с одного сыщика на другого.

— Нет, — сказал Илюшин. — Возвращаемся домой. У Рвтисавари для нас сюрприз!

Нижние доски ворот темны от пропитавшей их воды. Когда они расходятся, стоящие в лодке жмурятся от солнечного света.

Один из гондольеров напротив ободряюще кивает.

— Никого нет, выезжаем, — командует лысый толстяк.

Катер выползает в канал на самом тихом ходу и понемногу набирает скорость. Старик с пышной гривой седых волос напряженно смотрит сверху из окна. Но никто не мешает отплывающим, и он расслабляется, выпускает из скрюченных пальцев набалдашник трости.

А пять минут спустя нет уже ни катера, ни волн.

3

Сюрприз оказался молодым парнем с заостренными чертами и впалыми скулами. Память на лица у Бабкина была профессиональная. Стоя в дверях, он несколько секунд смотрел на него, а потом в изумлении обернулся к Рвтисавари:

— Это сын Доменико Раньери?

— Браво! — Макар хлопнул в ладоши. — Именно он. Бонджорно, Бенито!

Юноша, только что сидевший в кресле в скованной, крайне неудобной позе — словно его пытались силком сложить пополам, — вдруг распрямился одним неуловимым движением.

— Это у нас что, цирковая подготовка в анамнезе? — прищурился Бабкин. — Нет, Леонардо, не переводи. Что этот тип тут делает?

— Если я правильно понял, он сопровождал Вику, а потом выдал ее своему отцу.

Бабкин всем корпусом повернулся к Ртвисавари.

— Это правда?

— Тебе лучше спросить у него самого! — уклонился тот.

— Серега, не горячись. Дай сначала разобраться с парнем.

— Именно это я и предлагаю: разобраться!

Илюшин успокаивающе похлопал по плечу Леонардо, втянувшего голову в плечи. Рядом с рассерженным Бабкиным люди часто старались уменьшиться в размерах, так что Макар понимал переводчика.

— Переведи, что я рад его видеть.

— Что?! — вскинулся Бабкин.

Леонардо перевел. Итальянец неприязненно усмехнулся.

— А вот он нас не очень, — фыркнул Сергей.

Черные глаза, опушенные до того густыми ресницами, что выглядели накрашенными, уставились на него. Взгляд у парня оказался въедливый, как кислота. «Смотрит так, словно хочет забраться прямиком в мозг. Вот же гнусный тип!»

— А можно я его стукну для профилактики? — лениво поинтересовался он у Макара. — Он станет фиолетовый!

— Ты уже одного стукнул.

— Не профилактики ради, а самозащиты для.

— И не одного, а троих! — пискнул Леонардо.

— Правильно! — с горьким сарказмом согласился хозяин дома. — Давайте увеличим количество побитых итальянцев в Венеции!

Бенито набычился и сжал кулаки. Он уже пожалел, что пришел к Рафаэлю. Что-то не похоже, чтобы эти двое смогли ему чем-то помочь! Этот, с бритой башкой, громадный и свирепый — просто горилла какая-то, сбежавшая из зоопарка! Бенито всерьез опасался его, а такое с ним случалось редко — он мало кого боялся. Но по свойству характера, чем больше он трусил, тем сильнее ему хотелось кинуться в драку с этим русским тяжеловесом.

Бабкин, не сводя давящего взгляда с молодого итальянца, качнул головой:

— Давайте лучше увеличим количество спасенных женщин. Одна единица меня вполне устроит.

— Тогда кончай глядеть на него так, словно твоя голубая мечта — проломить ему кувалдой башку, — посоветовал Илюшин. — Если кто и может нам помочь, так это он. Леонардо, повтори этому упрямому ослу последнюю фразу.

— Откуда ты знаешь, что он упрямый? — удивился Бабкин.

— А я и не про него.

Илюшин своего добился: Сергей перевел взгляд с Бенито на приятеля. Всем показалось, что ослабла невидимая нить, натянутая между ним и юным итальянцем. Парень едва заметно выдохнул и опустился в кресло.

Макар ухмылялся во весь рот, очень довольный нехитрой шуткой. Ртвисавари в стороне хихикнул.

Бабкин махнул рукой и тоже сел. Всеобщее напряжение спало.

— Давайте разберемся, — предложил Макар. — Леонардо, начинай переводить! Бенито, можешь рассказать, как ты познакомился с Викторией Маткевич?

...Бенито рассказывал долго. Несколько раз на протяжении его истории Рафаэль крякал и порывался что-то сказать, но сдерживался. Когда юноша закончил, он молча покачал головой.

Зато Бабкин не смолчал.

— Вот же ж ты засранец, дружок! — ласково сообщил он Бенито. Тот вопросительно глянул на Леонардо, но на этот раз итальянец сам сообразил, что переводить не стоит.

— Засранцем он был бы, если бы уже улепетывал в сторону канадской границы, — спокойно возразил Илюшин. — А не сидел тут с нами и не строил козни против своего папаши. Кстати, на его месте я бы выбрал первое.

— Канадскую границу? — удивился Леонардо. — Рискну заметить, Макар, что Канада — очень скучная страна, хотя, несомненно, местами весьма живописная.

Бабкин покачал головой. Илюшин засмеялся:

— Леонардо, вы неподражаемы!

— Улавливаю сарказм, — печально констатировал переводчик. — Я что-то сказал не так?

— Все так, просто про канадскую границу — это цитата. Из О.Генри — был такой прекрасный писатель. В переносном смысле имеется в виду, что очень далеко.

— Загнал тетку в капкан и бросил! — стоял на своем Сергей.

— А еще у вас есть пословица, что повинную голову меч не отрубает, — вспомнил Леонардо, моргая за круглыми очками. — Я, правда, никогда не понимал, что ему мешает.

— Имеется в виду, что виновного вешают, дабы не тратить рабочий день палача, — любезно пояснил

Бабкин. — Давайте повесим этого хмыря, а? Хотя бы за ноги!

— Давайте его для начала выслушаем. Скажи, Бенито, — Макар кивнул переводчику, — почему ты пришел к нам?

— Один не справлюсь. У отца много людей, у меня никого. Сестра не в счет.

— Думаешь, честного обмена не будет?

Бенито усмехнулся.

— Отец никогда не выпустит свидетеля. Он работает очень редко, раз в восемь — десять лет. Но всегда безупречно. Никаких следов.

— Можешь сказать, в чем еще он участвовал?

— В ограблении семьи Тионе, — после паузы признался Бенито.

Рвтисавари, не удержавшись, присвистнул.

— Что, громкое дело? — спросил Бабкин.

— Очень. Я позже приехал, но отголоски до меня доходили. С опасным человеком мы имеем дело, дорогие мои! Недооценивать его нельзя.

Сергей не стал уточнять, осталась ли в живых семья Тионе. Что-то подсказывало ему, что это знание окажется лишним.

— Сейчас большой куш, — продолжал Бенито. — Перстень. Отец хочет получить его, на этом можно сыграть.

Макар наклонился к нему.

— Бенито, ты лучше нас знаешь своего отца. Что он постарается сделать?

Губы юноши исказила короткая улыбка, больше похожая на судорогу.

— Он постарается меня убить.

Повисло молчание. За приоткрытым окном вдруг расчирикалась какая-то местная пташка. И по тому, как дернулся Бенито, стало видно, до чего он напряжен.

— Думаешь, тебя постараются прикончить на встрече? — уточнил Бабкин.

— От Папы можно ждать любых сюрпризов. Но это самое логичное. Я бы так сделал на его месте.

— И в итоге мы получим труп Маткевич, — вставил Илюшин.

Рафаэль развел пухлыми ручками:

— Но дорогие мои! Ведь можно устроить обмен так, чтобы никто не пострадал! Это не так уж и сложно! Они выпустят девушку, ты скажешь им номер ячейки...

Издевательская гримаса на лице Бенито заставила его смолкнуть.

— Именно потому, что можно устроить нормальный обмен, отец на это никогда не пойдет, — раздельно, как маленькому, объяснил юноша. — Он настоит на своих условиях.

— А ты не соглашайся!

— Тогда он оборвет диалог. Он всегда настаивает на своем.

— И мы получим труп Маткевич, — закончил Илюшин.

Рафаэль притих.

Бабкин, что-то сосредоточенно обдумывавший, поднял голову:

— Друзья мои, а вам не кажется, что настало время подключать полицию? Это стандартная операция с заложником и выкупом. Возьмут своих омоновцев — Леонардо, как у вас называется местный ОМОН? — раз-два и готово: лежать мордой вниз, руки за голову.

Бенито вздохнул. Вместо него ответил Илюшин:

— У тебя есть уверенность, что в полиции нет человека на ставке у Раньери? Он предусмотрителен! Даже к Рафаэлю запустил «крота», хотя их интересы на первый взгляд не пересекаются. А стоит ему хотя бы заподозрить, что в дело вмешалась полиция, как он тут же избавится от заложницы и исчезнет.

— И мы получим труп Маткевич, — заученным тоном сказал Леонардо.

Все вздрогнули и посмотрели на него так, будто только что увидели.

— Простите, — смутился переводчик. — Извините!

— Бенито, а можно взглянуть на перстень, о котором столько говорят? — вдруг спросил Рафаэль.

Парень окаменел.

— Я его спрятал! Далеко!

И вызывающе уставился на грузина, будто проверяя, станет ли тот ловить его на лжи.

— Спрятал так спрятал, — согласился Рафаэль. — Главное, чтобы ты мог быстро достать его оттуда, когда он потребуется.

— На этот счет можешь не беспокоиться!

— Мне, дорогой, беспокоиться вообще не о чем. Макар, прости, ради бога, — грузин приложил руку к сердцу, — но я в это дело не полезу. Вы уедете, а мне тут еще работать. Чем бы ни закончилось, скажут: Рафаэль чужакам помог! Что от него ожидать, когда Рафаэль сам чужак! И конец моему предприятию. Не сердись, пожалуйста! И ты, Сергей, тоже!

Макар и без того догадывался, что Ртисавари выберет политику невмешательства. Не потому, что опасается местных, а потому, что никакой выгоды от участия в деле ему не получить. Принять у себя двух московских сыщиков, навести для них кое-какие справки, приставить переводчика — все это не требовало больших усилий. К тому же как компенсацию он получил «чистку рядов».

Но сейчас, когда они всерьез обсуждали обмен заложницы, Ртвисавари понимал: советом тут не отделаешься. У него попросят людей, и бог знает чем им придется заниматься! Нет, на такое он не подписывался.

— Хорошо, друг мой, — кивнул Макар. — Мы понимаем.

Итак, их трое. Сергей, молодой итальянец и он сам.

— Бенито, дальше тянуть не стоит. Звони отцу и спрашивай, как он видит обмен заложницы на перстень.

— Может, сами что-нибудь предложим? — вмешался молчавший до этого Бабкин.

— Отец забракует мои идеи, как ты не понимаешь! Потому что они исходят от меня.

— Так и здорово! Давайте подберем парочку самых отстойных вариантов, чтобы Раньери их гарантированно не принял.

Бенито усмехнулся и потянулся за телефоном.

4

— Он хочет обмена! — оповестил всех Франко, закончив разговор.

Они вновь собрались в скромной квартире Папы: Кристиан, Пьетро, Даниэле и вечный сторожевой пес Франко, успевший чем-то замазать свою жуткую гематому вполлица. Вика Маткевич валялась без сознания в надежном укрытии, и к ней был приставлен Луиджи.

Раньери не принимал участия в диалоге с Бенито, только слушал. «Я не смогу ни о чем договариваться с этим отродьем, — сразу предупредил он. — Да и если он все записывает, лучше мне не светиться».

Все молча признали его правоту. Случись беда, и в стороне должен остаться тот, кто сумеет всех вытащить.

— Обмен, значит... — протянул Доменико, нехорошо улыбаясь. — Что ж, он его получит.

— Что ты задумал, Папа?

Он обвел взглядом сыновей и жестко бросил:

— Вас это больше не касается!

У Доменико Раньери были твердые представления о нравственности. Он полагал не только необходимым, но даже правильным убить своего сына, давно исключенного из семьи. Бешеную собаку стреляют без жалости. Но остальные дети не должны этого наблюдать. Это было бы безнравственно по отношению к ним.

Бенито когда-то вступился за Алессию. И этим нанес чудовищный удар Раньери. С точки зрения Доменико, сын отверг все, что было ценно его отцу: понятия верности, чести, любви. Он выступил на стороне жены, предавшей мужа, изменившей ему, родившей от него ублюдочное дитя! Бенито сделал свой выбор, и этот выбор ошеломил Доменико Раньери до глубины души. Ни один из его сыновей не причинял ему такой боли.

Если бы так поступил Пьетро, Раньери простил бы сына. Красавчик Пепе не отличался большим умом, да собственно, никаким не отличался. Он действовал бы под влиянием жалости к убогой, не осознавая ни последствий, ни значения своего ужасного поступка.

Но Бенито — о, Бенито был дело другое. Раньери считал его самым способным из своих детей, и потому счет к Бенито тоже предъявлял другой. Переиначивая старый афоризм, он думал так: что простительно ослу, то непростительно Юпитеру.

И безжалостно вывел предателя за рамки семьи. Предателя, который, по иронии судьбы, был больше других похож на самого Доменико. Который мог бы стать самым любимым, самым обласканным! Главным в семье, невзирая на старшинство! Чем острее осознавал Папа несбыточность этих надежд, тем сильнее он ненавидел сына.

— Как это может нас не касаться? — поразился Даниэле. — Отец, что ты говоришь?

Раньери твердо взглянул на него.

— Вы не станете принимать в этом участие.

— Но почему?!

— Это не обсуждается! — отрезал Доменико. — Мы справимся сами!

— Отец, Бенито очень хитер, — рассудительно напомнил Кристиан. — Вас будет только двое, ты и Франко. Прости, но мы не можем позволить, чтобы ты так рисковал.

И сыновья покачали головами вслед за старшим братом: нет, мы не позволим тебе. Мы слишком тебя любим.

Доменико, который уже погасил ярость, вскипевшую в крови при мысли о Бенито, смог улыбнуться. Хорошие мальчики. Видит Бог, хорошие! Добрые, преданные, готовые на все ради отца. Он не сомневался, что любой из них отдал бы за него жизнь.

— Нас будет не двое, — мягко сказал он. — Во-первых, вы забываете об Адриане. Луиджи довериться уже нельзя, он больше похож на заплесневелый хлеб, чем на разумное существо. Но на Адриана можно положиться.

— А кстати, где он? — озадачился Даниэле. — Почему мы его не видели с самого утра?

— Потому что он занят кое-каким делом. И если у него все получится, моя задача существенно упростится.

Сыновья поняли: это все, что отец готов им рассказать по поводу странной отлучки Адриана, и больше вопросов о нем не задавали.

Но их по-прежнему интересовало все остальное.

— Ты сказал, «во-первых», — вспомнил старший сын. — Есть и во-вторых?

— Непременно есть! — промурлыкал Раньери. Глаза его по-волчьи блеснули.

Пьетро и Даниэле вопросительно взглянули на Франко, словно ожидая пояснений от помощника отца. Но тот и сам ничего не понимал.

— Мой старый друг вчера вечером прибыл в Венецию, — сказал Раньери с теми же мурлыкающими интонациями, пугавшими сильнее, чем любой крик. — Старый дружище, которого я не видел вживую много долгих лет. К счастью, у меня хранился его портрет.

Кристиан первым сообразил, о ком идет речь.

— Неужели дядя Йаков? — недоверчиво спросил он.

— Не может быть!

— Я его помню! — Пьетро расплылся в счастливой улыбке.

— Конечно, ты помнишь его, Пепе, — ободряюще кивнул Доменико. — Вы все должны его помнить. Он привозил вам такие чудные подарки, когда навещал нас...

— На коленке меня качал! — вспомнил Даниэле. — Он правда здесь?

— Здесь, здесь. Йакову потребовалась моя помощь, и две недели назад я отправил одного очень полезного человечка туда, где он скрывался. В Грецию. Мы смогли переправить его сюда только вчера. Он отдыхал. Но теперь сможет нам помочь.

После недолгого молчания Кристиан выразил то, что беспокоило их всех:

— Сколько Йакову лет? Ты уверен, что ему хватит сил?

— На то, что я задумал для него, — хватит, не беспокойся.

— Это его фото я видел в кофейне? — поинтересовался Франко

— Фото... — протянул Доменико, глядя куда-то мимо него. — Да. Я рад, что долго смотрел на этот снимок. Забвение пагубно для мести. Воспоминания выцветают, и ты уже не понимаешь, кому хотел отомстить. Где тот человек? Как он выглядит? Да и есть ли он? Реальный Монте-Кристо никого не стал бы разыскивать через много лет, потому что не вспомнил бы облика своих врагов.

— Папа, ты о чем? — озадачился Франко.

Раньери не слышал его. Он думал вслух, глядя в окно:

— Человек отличается от животного тем, что умеет мстить. Только лучшие, умнейшие из тварей Божьих способны на это, вроде слонов или дельфинов. Вот свидетельство разумности — умение не забывать и не прощать принесенное зло! Тем самым способствуя уменьшению его в этом мире.

Врагов? Сыновья испуганно переглянулись. Они и мысли не допускали, что их отец от старости начал заговариваться, но его слова звучали как бред сумасшедшего!

— Папа, это же твой друг, — осторожно напомнил Кристиан. — Мы все помним его. Ты рассказывал о нем много раз!

— В самом деле?

Раньери обернулся, и все трое непроизвольно отступили, увидев его лицо.

— Мой старинный друг! — улыбнулся Папа. — Переспал с моей женой — совершенно случайно, конечно же! А она совершенно случайно родила от него ребенка.

С губ Пьетро сорвался тихий вскрик.

— Неужели я никогда не упоминал об этом? — удивился Раньери. — Что ж, сейчас подходящее время.

— Ты шутишь? — пришел в себя старший сын.

— Нет. Это правда.

— Почему ты ничего не рассказывал?!

— Полагал, что вам ни к чему об этом знать, — вздохнул Раньери. — Да и, честно говоря, был уверен, что Йаков никогда здесь не появится. Но судьба любит запоздалые шутки.

— Папа, откуда ты знаешь? — с ужасом пробормотал младший. — Про Алессию и твоего друга?

— Твоя мать призналась в этом перед смертью. Вернее, я выбил это из нее. Не буквально! — покачал головой Раньери, увидев, как изменился в лице младший сын. — Просто уговорил. Обманул, если хочешь. Мне необходимо было узнать, и я узнал.

— А... Он сам...

— В курсе ли он? Нет, понятия не имеет. Ему, видишь ли, было так стыдно перед другом, жену которого он трахнул, что Йаков решил больше не показываться мне на глаза.

Пьетро, не выдержав, по-детски прижал к ушам ладони.

— Если вы подумаете, мальчики, — спокойно продолжал отец, не обращая на него внимания, — то поймете, что это и есть самое прекрасное во всей истории.

— Что именно, Папа?

— Йаков понятия не имеет, что мне все известно. Для него я по-прежнему верный старый друг.

Доменико Раньери закурил сигару, хотя всю неделю не играл в свою игру. Но сейчас он чувствовал, что выиграл где-то в другом месте, где ставка была неизмеримо выше.

Он получит перстень.

Русская женщина, Бенито и его старый друг-предатель будут мертвы.

«Господь любит меня!» — подумал Раньери и засмеялся:

— Назначайте встречу в складах Бари!

Глава 17

1

— Господь отвернулся от нас! — горестно взвыл Рвтисавари, услышав о том, где назначен обмен. — Склады Бари! Будь ты проклят, Раньери!

Макар усмехнулся.

— От тебя он отвернется только тогда, когда люди снова станут ходить нагими.

— Пальмовые листья-то всегда пригодятся, — пробормотал толстяк и, поймав взгляд Бабкина, приложил палец к губам: — Молчу, молчу!

«Вот и молчи, — недобро подумал Сергей. — Тебе-то ничего не грозит. Ты, дорогой, вовремя соскочил. И хотя осуждать тебя за это трудно, нечего тут привлекать Господа к нашим делам».

— Что такое склады Бари? — вслух спросил он.

Бенито придвинул лист бумаги и начертил схему.

— Вот берег. Из берега выдается небольшой «язык». На нем — контейнеры. Это называется склады Бари.

— Что в контейнерах?

— Все! — коротко ответил Бенито. — Шмотки, продукты, запчасти, детали... Все товары, поступающие в Венецию. Неподалеку проходит железная дорога. Грузы доставлялись по ней, все распределялось по контейнерам. Потом прибывали катера, на них перебрасывали все, по каналам переправляли в город.

Бабкин обратил внимание, что переводчик бойко перешел с настоящего времени на прошлое.

— Подожди! Железная дорога? Так доставлялись или доставляются? Если второе, это должно быть самое людное место в Венеции после Сан-Марко! Погрузочные работы, контролеры, работяги... Тогда обмен ничем серьезным не грозит, там будет полно свидетелей.

Бенито поморщился и перечеркнул рельсы на своем рисунке.

— Есть другая дорога, проложена два года назад. Она удобнее. Все хранилища перенесли в другое место. На Бари сейчас тишина. Остались только те грузы, которые подвозят с моря. Их немного. Там маленький порт, доки, краны, но даже это сейчас в запустении.

Бабкин поднялся:

— Короче, так! Надо глянуть своими глазами. Макар, на сколько этот хромоногий назначил обмен?

— На четыре.

— Уже темно будет?

Оба взглянули на Ртисавари.

— А что вы на меня смотрите? — почему-то обиделся грузин. — Как будто я такой лентяй, только и делаю, что вечерами выползаю на балкон — и давай закатом любоваться! Вон, у Бенито спросите.

И без всякой видимой логики прибавил, покраснев:

— В пять тридцать солнце садится.

— Значит, светло!

— Относительно.

— В любом случае рекогносцировку местности надо провести, — кивнул Макар. — Серега, бери парня и отправляйтесь туда. У нас с Леонардо здесь кое-какие дела. Будьте очень осторожны! Раньери мог устроить там засаду.

— Ну, кольца-то у нас нет, так что пользы от нас немного, — усмехнулся Бабкин.

— Мы понятия не имеем, из чего этот Папа сможет извлечь пользу.

Макар Илюшин даже не подозревал, насколько он близок к истине. Ему и в голову не могло прийти, что Доменико собирается использовать профессионального убийцу, против которого даже прекрасно тренированный Сергей оказался бы бессилен.

— Оружие с собой есть? — деловито осведомился Ртвисавари.

— Откуда!

— А нужно?

Сергей немного подумал и качнул головой:

— Нет. Устраивать там перестрелку — это безумие! Лучше погибнем героями.

— Лучше вернитесь трусами, — попросил Макар. — Правда, Серега, давай там аккуратно.

Бабкин широко ухмыльнулся.

— Иначе жене твоей все расскажу, — невинно добавил Илюшин.

Улыбка сползла с лица сыщика. Как всякий человек, счастливый в браке, он был немного подкаблучником. Узнай Маша о том, что он рисковал попусту, Бабкина ждал бы такой прием, по сравнению с которым даже возможное нападение людей Раньери показалось бы встречей с бывшими одноклассниками: неприятно, местами противно, кое-где бьет по самолюбию, но в целом не смертельно.

— Ладно, ладно, — проворчал он. — Собирайся, Бенито. Времени мало.

2

—Она придет в себя к четырем? — спросил Раньери.

— Уже пришла.

— Имей в виду, ей придется пройти какое-то расстояние. Одной, без всякой помощи!

Франко поразмыслил и кивнул.

— Ногами перебирать сможет!

— Главное, чтобы не свалилась не вовремя, — пробормотал Раньери. — Адриан не такой хороший стрелок, как хотелось бы.

Франко собирался сказать, что стрелок-то он паршивый, но и задача нетрудная. Однако подумал и смолчал. Сглазит еще!

Сглазить их план было никак нельзя.

Адриану отводилась серьезная роль. Он должен был засесть на крыше одного из контейнеров с пистолетом в руках и ждать, пока Бенито передаст перстень. А потом застрелить русскую. Даже если женщина успеет добраться до лодки, расстояние не так велико, чтобы он промахнулся. Спрятаться на складах негде, она пойдет по линии, хорошо освещенной заходящим солнцем.

Склады Бари были знакомы Доменико как свои пять пальцев. Лучшее место для расправы трудно и представить. Тихо, далеко от города, некуда убежать. На случай, если Бенито заручится чьей-нибудь поддержкой, Раньери отправил на склады Луиджи: следить из укрытия, не появится ли кто. Пусть хоть какая-то польза будет от придурка!

Но в глубине души он не сомневался, что помощи Бенито ждать неоткуда. У мальчишки нет друзей. А те, что были, не пойдут против Папы.

Словно отвечая на его невысказанные мысли, Франко спросил:

— Ты не боишься, что парень что-нибудь придумает? Обратится в полицию, например?

Раньери негромко рассмеялся.

— Бенито? Никогда! Мера его самодовольства безгранична. Он обязательно что-нибудь выдумает! Может быть, даже найдет каких-нибудь неудачников, которых поманит перстнем и пообещает золотые горы за помощь. Они не будут помехой. Но в полицию, поверь мне, он не пойдет ни за что.

— Самоуверенность его погубит, — сочувственно пробормотал Франко.

— Его погубит то, что он предатель и негодяй!

Франко даже отшатнулся от ярости, исказившей лицо Раньери.

— А что будет с Алессией? — после короткого молчания решился спросить он.

Доменико тяжело вздохнул.

— Ты, как и мой сын, считаешь меня зверем? Я отправлю ее в больницу и оплачу содержание.

Франко отрицательно замотал головой, протестуя против зверя. Но Раньери не смотрел на него.

— Раньше я думал, что она послана сюда как напоминание о том, что сотворила Леона с нашим браком и со мной. Уродливая память о случившемся! Но со временем понял, что ошибаюсь. Девчонка — это живое доказательство расплаты. За измену, за унижение.

Франко подумал, что Леона вовсе не считала Алес расплатой. Насколько он помнил, жена Раньери обожала девчонку. Сам Франко не понимал, как можно любить убогих, и долгое время был уверен, что Леона лишь притворяется счастливой матерью. Пока не заметил незадолго до смерти женщины, какими глазами она смотрит на дочь. Тогда Франко начал что-то осознавать. Единственным человеком, у которого он видел подобный взгляд, был подросший Бенито. Тот тоже кудахтал над Алес, как курица над яйцом. Ну и чем все закончилось?

«Лучше б Леона сделала аборт. Дура, дура!»

— Ты сам убьешь Йакова? — спросил Франко. — Или хочешь, чтобы это сделал я?

Раньери усмехнулся.

— А ты как думаешь?! Ствол точно не засвечен?

Франко покачал головой.

— Чистый. На нем будут отпечатки Бенито. Пистолет Адриана подбросим Йакову. Нам на руку, что они с Викторией оба русские, — решат, что это были их разборки.

Доменико удовлетворенно похлопал помощника по плечу.

— Ты прав, мой друг. И знаешь, что я еще подумал?

Франко поднял брови.

— Я не смогу убить Бенито. А если это сделаешь ты, я не смогу тебя видеть.

— Хочешь, чтобы его застрелил Адриан? Мы все равно собирались избавиться от него.

— Нет. Я хочу, чтобы он остался жив.

Толстяк совершенно растерялся.

— Но Папа... Ты же только что утверждал... Ты хотел...

— Хотел его смерти. Да, ты прав. Но сейчас я думаю, что правильнее будет оставить его в живых. Пусть видит, к чему привели его поступки! Русская мертва, перстень в наших руках. Будем надеяться, что-то просветлеет в его голове.

Пораженный Франко покачал головой. Просветлеет? Да скорее Бенито, который и так малость чокнутый, окончательно свихнется!

— Ты понимаешь, что он никогда тебе этого не простит? Я знаю твоего сына! Он станет одержим одной мыслью — отомстить тебе!

— Или осознает, к чему приводит предательство, — спокойно возразил Раньери. — Довольно, Франко. Я все решил. Это будет полезно для него — взглянуть на дело своих рук.

Только тогда до бывшего полицейского дошло, что в своем решении Доменико руководствуется отнюдь не порывом доброты и не жалостью к сыну.

— Полезно, значит, — растерянно повторил Франко, сам не зная, как к этому относиться. — Что ж, Папа, тебе виднее. Тебе виднее...

3

Сергей и Бенито вернулись спустя полтора часа после отъезда. Изголодавшийся Бабкин накинулся на жареное мясо, которое Ртвисавари заготовил в избытке специально в расчете на Сергея. Юноша от еды отказался вовсе, взял стакан воды и ушел в угол.

— То-то ты тощий, как глиста, — Бабкин поцокал языком, глядя на его «обед». — Поесть бы тебе, дружок.

— Как обстоят дела? — живо спросил Макар.

Бабкин не видел смысла скрывать правду.

— Хреново, — признал он. — Место выбрано грамотно, не подкопаться. Пацан прав: это что-то вроде языка суши, высунутого в море. Прийти и уйти можно беспрепятственно, по воде. Но на самих складах особенно не разгуляешься и не спрячешься, они выстроены не как попало, а вроде улиц. Обмен назначен на самой длинной, метров шестьсот. Называется «бивосемь».

— Как выглядит эта «би-восемь»?

— Как долгий ряд вплотную стоящих друг к другу контейнеров без всяких щелей и зазоров между ними. Места мало, его экономили, втыкали железные коробки тесно-тесно. По ширине могут разъехаться две машины-погрузчика, но и только. За коробками — несколько кранов, как ни странно, в рабочем состоянии. Во всяком случае, выглядят прилично.

Он начертил план. Бенито сразу подсел и стал внимательно наблюдать. Макар отметил про себя, что парень выглядит не таким взъерошенным и издерганным, как до поездки на склады.

Илюшин предположил бы, что они с Бабкиным успели поговорить по-мужски. Но один не владел итальянским, а второй ни слова не знал по-русски, так что эта версия выглядела сомнительной.

— Нас там, кстати, ожидал сюрприз, — будто между делом заметил Сергей, скрипя карандашом по бумаге.

— Какой?

— Наркоман под кайфом, валявшийся возле одного из контейнеров.

Макар вскинул на друга недоверчивый взгляд.

— Правда-правда, — заверил Бабкин. — И знаешь, кто это оказался? Один из людей Папы. Бенито опознал этого хмыря.

Юноша утвердительно кивнул:

— Луиджи. Поганая рябая тварь!

— Что он там делал?

— Я думаю, Раньери отправил его следить за местностью. Но этот идиот выбыл из строя раньше времени.

— Он вас видел?

— Если и видел, счел глюками. Говорю тебе, он был практически в отключке.

— А что вы?..

— Оттащили его в сторону. Оружие Бенито забрал себе. И кое-что еще забрал, по дороге, — вполголоса прибавил Сергей, убедившись, что Ртвисавари и Леонардо не слушают их.

Макар посмотрел на друга, перевел проницательный взгляд на молодого итальянца и кивнул, догадавшись, о чем речь.

— Ты его видел? — так же тихо спросил он.

— Видел. Дура здоровая, зеленая с розовым. Я бы за нее баксов сто отвалил. Сколько, ты говоришь, она стоит?

— Полтора миллиона евро.

— А давай мы эту дряхлую печатку изымем у пацана! — воодушевился Бабкин. — Загоним какому-нибудь коллекционеру! А на эти деньги...

Он внезапно замолчал. Макар с любопытством уставился на него.

— Ну? — поторопил он. — Что на эти деньги?

— Черт его знает, — сконфузился Сергей. — Не оперировал я прежде такими суммами. Масштаба не хватает, веришь?

— Тебе? Масштаба? Не-а, не верю. Ты скоро в дверь перестанешь проходить. Кстати, завязывай лопать, меня Машка убьет, если я верну тебя из Италии с отвисшим животом.

— Ну и пожалуйста! — легко согласился Бабкин, макая последний кусок мяса в горчицу. — Не нужны нам запросто полученные полтора миллиона евро! Будем в поте лица зарабатывать свои трудовые копейки.

— Вот давай этим и займемся. Время на исходе. Встреча в четыре, помнишь?

Сергей отодвинул огромную тарелку, на которой остались одни лишь пучки травы и помидорные дольки. Бенито, наблюдавший за ними, увидел, как подобрался огромный русский, словно готовясь к драке, и как спала дурашливость с юнца, в серых глазах которого бегали веселые чертики. Он сразу, как-то рывком, повзрослел, и Бенито с удивлением понял, что перед ним человек намного старше него.

— Леонардо, вы нам нужны, — позвал Макар. — Бенито должен понимать, о чем речь.

Очкарик с готовностью подсел ближе. Сергей повертел в пальцах карандаш.

— По условиям обмена, Бенито стоит на берегу, около лодки. Вот на этом конце улицы «би-восемь».

Он поставил крестик на схеме.

— Лучше кружочек начерти, — посоветовал Илюшин. — В крестике просматривается ненужный пессимизм.

Бабкин зыркнул мрачно, но крестик стер.

— Для оптимизма у нас не много оснований. С другой стороны улицы, вот отсюда, должны появиться Раньери с Викой.

Он поставил две точки.

— Шестьсот метров... — задумчиво протянул Макар, глядя на схему.

— Около того. И мы понятия не имеем, сколько народу Папа приведет с собой на самом деле.

— Бенито?

— Минимум четверых, — откликнулся юноша. — Это те, на кого он может положиться, как на себя.

— А максимум?

Судя по помрачневшему лицу Бенито, мысль о максимуме его не обрадовала.

— Допустим, у Доменико Раньери при желании может быть человек десять в запасе, — подытожил Макар. — Вооружены?

— Вооружены, — подтвердил Бенито.

— И очень опасны, — буркнул Бабкин. — По условиям, которые выторговал Бенито, его отец сначала отпускает женщину. Она добирается до лодки.

— И что мешает Бенито удрать вместе с ней?

— Ничего, — кротко заметил Сергей. — Кроме того, что их догонят на мощных катерах и пустят ко дну. Поэтому он, надеясь на честный обмен, идет к отцу и отдает ему перстень. А потом возвращается в лодку. Все!

— Позвольте заметить, это бессмыслица какая-то! — от души высказался Леонардо, которого давно распирало негодование. — Одна идет туда, другой идет сюда! Нельзя ли было организовать это как-то проще?

— Можно. Если целью действительно был бы обмен.

— Согласен, — кивнул Бабкин. — Этот план только подтверждает подозрения Бенито. Отец собирается избавиться и от него, и от Маткевич. А перстень забрать!

Четверо мужчин уставились на безобидный листочек в клеточку, словно перед ними свернулась змея.

— Хорошо, — нарушил молчание Макар. — Но все равно остается вероятность, даже если Бенито прикончат — извини, Бенито! — что Вика удерет в лодке.

Юноша пожал плечами:

— Значит, отец что-то придумал. Он никого из нас оттуда не выпустит.

— Два ряда контейнеров. Между ними проход. — Сергей раздраженно стукнул карандашом по столу. — Людей, людей нам не хватает! Что мы можем втроем?

От окна подал голос Рвтисавари, который в обсуждении участия демонстративно не принимал, но и не уходил.

— Врачом хорошим могу помочь, слушай! Пулевые ранения лечит как бог! Переломы сращивает!

— Дырку в черепе он не лечит? — буркнул Бабкин, и грузин стушевался. — Парнишке светит именно она.

Бенито, слегка побледнев, кивнул.

— Отец не будет меня жалеть.

— Но как такое возможно! — всплеснул руками Леонардо. — Что за немыслимая жестокость!

Бенито с кривой улыбкой покачал головой.

— Нет. Он бывает жестоким, это правда. Иногда. Но в остальное время он хороший человек. Я не знаю, как это объяснить.

— А никак не надо объяснять, — по-русски сказал Сергей. — Не бывает такого: тут человек черный, а тут белый. Это тебе так хочется думать, дружок. Мы тебе мешать в твоем заблуждении не станем, этот хромой хрыч тебе как-никак родной папаша, так что, Леонардо, не переводи ничего.

— Я уже и так... — тихо пробормотал переводчик и умолк.

Все это время Илюшин, не слушая их, вертел в руках схему.

— Что-то придумал, что-то придумал... — бубнил он под нос, повторяя слова Бенито. — Что же вы придумали, синьор Раньери? — Он вскинул голову. — Серега, вот что бы ты сделал, если бы был на его месте?

Бабкин ответил, не задумываясь:

— Да снайпера посадил наверху, и всех делов. На этих крышах можно дивизию спрятать и в войнушку играть. Бенито отдает перстень, снайпер тут же стреляет в Вику, а потом...

Он взглянул на молодого итальянца и с извиняющимся видом развел руками.

— А потом разберутся со мной, — одними губами проговорил Бенито.

Похоже, с каждой минутой он терял веру в успех их предприятия.

— Ты, паря, не дрейфь! — пробасил Сергей. — Щас чего-нибудь сообразим на троих. Не в смысле нажремся как свиньи, а придумаем чего-нибудь. Впервой, что ли!

Леонардо вдруг рывком снял очки, протер салфеткой, схватив сослепу уже использованную Бабкиным, и нацепил снова. Маленькие глазки воинственно блеснули за стеклами.

— Макар и Сергей! — звенящим от напряжения голосом начал он. — Я хочу официально заявить, что готов поступить в ваше распоряжение для любой... любой... любой операции, которую вы сочтете необходимым провести!

Выпалив это на одном дыхании, он испуганно заморгал и втянул голову в плечи, ожидая насмешек.

Макар и Бабкин смотрели на него — один озадаченно, второй изумленно. Ни тот, ни другой даже не улыбнулись.

— И надеюсь быть вам полезным, — тихо добавил переводчик.

— Леонардо, я обдумаю ваше предложение, — помолчав, серьезно сказал Илюшин. — Если мы не обойдемся своими силами, я обязательно прибегну к вашей помощи. Пользуясь случаем, хочу поблагодарить вас за то, что вы уже для нас сделали.

— Ты ему еще орден повесь за проявленное мужество! — не выдержал Бабкин, для которого градус высокопарности зашкалил за все мыслимые значения. — И вообще, Леонардо, у тебя кетчуп по стеклам размазался. Давай сюда твои окуляры! Тоже мне, черепашка ниндзя! Микеланджело, Рафаэль, Донателло и — прошу любить и жаловать — Леонардо!

Некоторое время все трое созерцали Бабкина, ожесточенно протиравшего очки переводчика своей рубахой. Первым засмеялся Илюшин. За ним захохотали Бенито и Леонардо.

— Ну и чего вы ржете? А? Чего тут смешного? — Бабкин переводил сердитый взгляд с одного на другого. — Человек под пули готов идти! И ради какой великой цели?

— Да мы не над великой целью ржем, — успокаиваясь, сказал Макар. — А над тем, что у тебя рубаха в соусе. Дай сюда очки!

Отчистив стекла, они снова сосредоточились на схеме.

— Снайпер, говоришь, — задумчиво протянул Илюшин.

— Там даже настоящий снайпер не нужен, — поправил Бенито. — Любой человек с оружием.

— С оружием, на крыше...

Макар выбил пальцами из столешницы чечетку. Бабкин поморщился.

— Давай без лишних сложностей, — предложил он. — Я заберусь наверх, там легонько придушу этого козла и вернусь.

— Он услышит шаги, пальнет сперва в тебя, потом с перепугу в Маткевич! А заодно и Бенито положит.

— Я тихо подберусь!

— Не выйдет, — поддержал Илюшина Бенито. — Эти крыши очень шумные. Они громыхают. Как крышка кастрюли!

Сергей разочарованно умолк.

— А если... — вдруг начал Макар, не сводя взгляда со схемы, — если спрятать?

— Кого?

— Вику!

— Я тебе уже говорил, ты забыл: там нет щелей между контейнерами. На протяжении всех этих шестисот метров ей некуда деться.

— Щелей там нет, — согласился Илюшин. — Но там есть контейнеры.

Некоторое время Бабкин непонимающе смотрел на него. Как вдруг глаза его расширились.

— Контейнеры!

— Нужен только один!

— Укрепить изнутри засовом!

— Снаружи сбить замок! Они на замках?

Оба требовательно уставились на Бенито.

— Кажется... да... Да! Сергей же видел!

— Точно! — Бабкин хлопнул себя по лбу. — Видел. Навесные замки, обычные. Сбить — не проблема!

Переводчик поерзал на месте, но не удержался:

— Сергей, Макар! Вы о чем, разрешите осведомиться?

Бабкин ухмыльнулся и довольно потер руки:

— Идея проста. Женщине нужно спрятаться по дороге от точки А до точки Б. Вопрос: где она может найти укрытие, если известно, что в точке А ее могут застрелить с вероятностью девяносто процентов, а в точке Б застрелят почти наверняка?

— Ты забыл добавить, что еще ей нельзя оставаться на самой линии, соединяющей точку А с точкой Б, — напомнил Илюшин.

Леонардо выслушал задачу и кивнул:

— Я понял ваше решение. Вы хотите, чтобы она по дороге спряталась в контейнер.

Илюшин согласно кивнул:

— Именно так! Потому что больше ей деваться некуда.

— Спряталась, — пробасил Сергей, — и закрылась изнутри.

Глаза Бенито вспыхнули. Он понял, что они задумали.

— Я скажу отцу, что она пойдет в полицию, если он пристрелит меня. И даст показания!

— Вопрос, проймет ли это твоего папашу!

— Позволю себе заметить, что вопрос не в этом, — снова вмешался Леонардо. — Как вы хотите дать понять женщине, что нужно спрятаться? И где именно? Вот в чем главная проблема! Ее выпускают, она идет к лодке, как ей велели. По сторонам десятки пронумерованных дверей. Назовите хоть одну причину, почему она должна броситься к одной из них?

Он был убежден, что его вопрос поставит сыщиков в тупик. И с недоверчивым изумлением увидел на их лицах улыбки.

— Как ни странно, именно в этом проблемы нет вовсе, — весело сказал Илюшин.

— Неужели?

— Ага, — подтвердил Бабкин. — Видишь ли, Леонардо, у нас есть один фильм.

— Фильм! — эхом откликнулся ошеломленный итальянец.

— «Место встречи изменить нельзя».

— Нельзя!

— Да, это название. В этом фильме есть сцена, где заложник идет по коридору. И вдруг видит на двери портрет своей возлюбленной. Он понимает, что его спасение — за этой дверью, и как только отключается свет, кидается туда. Понимаешь?

Леонардо по-птичьи округлил глаза.

— Правильно ли я понял, что вы хотите использовать эпизод из вашего фильма, чтобы заставить Викторию спрятаться в контейнере?

— Точно!

Переводчик уставился перед собой, нервно облизывая губы.

Зато Бенито было что сказать. Он вскочил и нервно прошелся вокруг стола, пылко жестикулируя:

— Слушайте вы, двое! Изображение на двери — это же чертовски зыбкое основание, чтобы за ней спрятаться!

— Нормальное! — заверил Илюшин. — Надо только правильно подобрать рисунок.

— А что, если она не поймет ваших намеков? — воскликнул парень.

— Исключено! В России каждый человек старше тридцати смотрел этот фильм.

— А если все-таки...

— Тогда пусть помирает! — рявкнул выведенный из терпения Бабкин. — Туда ей и дорога, если она не знает классику отечественного кинематографа!

— Э-э-э... — проблеял Леонардо. — Сергей, это тоже переводить? Про классику и кинематограф?

— Непременно, — ответил за него Илюшин. — Глядишь, в парне проснется тяга к образованию. Не ознакомился вовремя с Феллини — получи пулю в лоб.

— У вас весьма своеобразный юмор, Макар, — заметил Леонардо, бочком отодвигаясь от него. — К тому же мне непонятно, как вы собираетесь привлекать внимание заложницы. Ведь если рисунок на двери — кстати, когда вы успеете его нанести? — окажется слишком ярким, у синьора Раньери непременно возникнут подозрения!

— Значит, он должен быть таким, чтобы его заметила и поняла только Вика.

— И что же это может быть?!

Глава 18

1

Солнце нижним краем коснулось воды и распустилось в ней, как малиновое варенье в чае, окрасив розовым.

Вику вытащили из лодки, сдернули с головы мешок. В первую минуту она зажмурилась — слепящий диск простреливал зрачки злыми белыми стрелами.

Но когда она вновь открыла глаза, солнце больше не жгло их. Оно повисло над самым горизонтом, как огромное красное яблоко, готовое упасть в подставленную прохладную ладонь венецианской лагуны.

— А ну держись, красавица!

Вика вздрогнула и отшатнулась. Человек, обращавшийся к ней, говорил по-русски. Снова галлюцинации?!

Но последние три часа Вика провела в полном сознании. После укола, отключившего ее так же быстро, как и в первый раз, она пришла в себя в каком-то техническом строении. Над ней нависали провода, где-то шумели машины — невероятный звук для Венеции! — и после недолгих размышлений она пришла к выводу, что ее держат в подсобке на каком-то заводе.

Проверить эту догадку ей не удалось. Вика задремала от усталости и страха, а когда проснулась, ей милосердно дали напиться, отвели в туалет, а потом нахлобучили на голову мешок, связали и снова куда-то повезли.

«Только бы не топить, только бы не топить», — молилась она про себя, лежа на дне моторки и всем телом ощущая вибрацию. Вдруг вспомнилось, как Бенито заявил: «У вас буль-буль делает собака!»

Утопят ведь, как несчастную псину, со страхом подумала Вика. Камень на шею, ноги в цемент — и бултых.

Тут лодка ударилась о берег, и ее вытащили наружу.

Руки были связаны, шея затекла, но Вика все-таки ухитрилась изогнуться так, чтобы взглянуть на своего сопровождающего, поддержавшего ее за локоть, чтобы она не упала на песке. Русский? Здесь?!

Вика узнала его с первого взгляда. Это был человек с фотографии в кофейне Раньери. Лет на двадцать старше, но, без сомнения, это был он.

У него и в жизни оказались такие же синие глаза, как на снимке. Щеки запали, проступили на лбу морщины, похожие на волнистую линию гор, зато кожа на голове казалась туго натянутой на череп. Старик был тощ, но довольно крепок, судя по хватке на ее локте.

— Кто вы такой? — тихо спросила Вика. — Куда меня привезли? Казнить?

— Бог с тобой, милая, — изумился тот. — Ты ж не леди Винтер! Выдадут тебя твоему дружку, и пойдешь на все четыре стороны.

Ее охватила слабость.

— Какому еще дружку?

— Что?

Она шептала так тихо, что старик не расслышал и склонился к ней.

— Что за дружок?

Ответить голубоглазый проводник не успел: к ним подошел Франко.

— Шевелись! — он пихнул ее под колени. Вместо того чтобы идти, Вика чуть не упала.

— Эй, эй! — старик вскинул ладонь. — Полегче!

Он помог ей устоять на ногах и придержал, когда она неуверенно двинулась вперед. «Разыгрывают хорошего полицейского и плохого», — подумала Вика. Но все равно была благодарна своему провожатому.

В странном месте они высадились! Повсюду, куда хватало глаз, стояли красно-коричневые коробки, похожие на гаражи, только выше. Из-за них торчали журавлиные шеи кранов.

«Мы что, в порту?»

Ветер обдувал лицо. Прямо перед Викой открывался довольно широкий проход между коробками. В конце его, далеко-далеко, плескалось море. У берега покачивалась лодка, а возле нее стоял человек. Заходящее солнце било в глаза, и Вика не могла разглядеть, кто там.

— Это Бенито? — тихо спросила она старика. — Пожалуйста, не врите! Бенито?

— Он самый!

Старик выглядел довольным.

— Вымахал, красавчик! — сказал он, прищурившись. Вика с такого расстояния не могла разобрать даже, мужчина там или женщина, и решила, что друг Раньери издевается над ней.

Сзади негромко заговорили, и она обернулась. За ее спиной стояли только двое: лысый толстяк и сам Доменико Раньери, как всегда, опиравшийся на палку. Вика была уверена, что ее сопровождает целая толпа бандитов, и растерялась.

Что происходит?

— Выпускай, — негромко скомандовал Раньери.

Толстяк положил ладонь на кобуру за поясом.

Старик развязал ей руки, прикоснулся к плечу.

— Лодку видишь? Во-он там! — он показал на море в конце прохода.

— Вижу, — пересохшими губами подтвердила Вика.

— Иди к ней потихоньку.

— А Бенито?

— А Бенито дождется тебя и придет к нам, — пояснил старик. — Ничего тебе не грозит, не дрожи, как заяц.

— Вы его убьете, — утвердительно сказала она и обернулась к Раньери. Тот стоял с непроницаемым лицом. — Вы его убьете! — выкрикнула она по-итальянски.

Доменико ничего не ответил. Он смотрел на лысый затылок своего друга с трудноопределимым выражением. Вике даже показалось, что он забыл и про нее, и про опального сына.

— С ума сошла? — искренне, как ей показалось, удивился старик. — Отдаст парнишка кольцо — и свободен. Шагай, голубка, ничего не бойся.

Вика неуверенно сделала несколько шагов.

— И никуда не сворачивай! — пожелал вслед старик.

Что? Разве здесь можно куда-то свернуть?!

Она снова обернулась и по ухмылке на его загорелой физиономии поняла, что он шутит. Шутит! Сейчас, в такой момент? Как будто не понимает, что происходит!

«Ты сама-то понимаешь? — спросил внутренний голос. — Иди, только тихо».

Лодочка покачивается в конце ее пути, ждет, манит, как кровать уставшего путника. Пройти надо совсем немного!

Но с первого же шага Вика поняла, что это расстояние дастся ей нелегко. Слишком много времени она провела без движения. Ее шатало и качало, пару раз она чудом удержалась на ногах.

Хочется обернуться! И страшно!

Неужели Бенито сделал то, что обещал, и обменял ее жизнь на перстень дожа? Она хотела поверить в это — и боялась.

Как далеко идти!

Как близко спасение!

Что же произошло? Выходит, Раньери обманул? Бенито не предавал ее?

При этой мысли Вика не выдержала и оглянулась. Лиц она не разглядела, зато ясно увидела черный матовый ствол в руке Франко.

2

— Серега, если объявится полиция, мы ничего не знали о перстне, ясно? Ты сам-то понимаешь, во что мы лезем?

— Тот же вопрос могу задать тебе, — проворчал Бабкин. — И еще один: на фига мы туда лезем?

— Второй — риторический?

— Как обычно.

Оба приглушенно рассмеялись.

Они лежали на остывающем к вечеру асфальте за старым, полуразобранным и проржавевшим погрузчиком, опрокинутом на бок. Бабкин приподнялся и выглянул из-за ковша.

— Что там?

— Высадились, — тихо ответил он.

— Сколько их?

— Трое. Подозрительно мало.

Илюшин покрутил головой, оценивая опасность с тыла. Береговая полоса с двумя кранами, причал... Пока никого не видно. Плохо, что, если начнут стрелять, спины у них не прикрыты.

— Не отвлекайся, — приказал Бабкин. Здесь он был главным, и Макар безоговорочно слушался его. — Надо было все-таки на крыши забраться!

— Пристрелили бы нас.

— Мы бы сами его пристрелили.

Они пробрались на склады Бари три часа назад. Час ушел на то, чтобы изрисовать двери, пока Бенито обходил дозором территорию, чтобы никто внезапно не подкрался к ним, пока они заняты настенной живописью. Леонардо, рвавшегося в бой, оставили в городе под присмотром Рвтисавари. Маленький переводчик проявил поразительную воинственность: размахивал кулаками, ругался, клялся, что будет полезен, и грозил сначала врагам Макара и Бабкина, а потом самим Макару и Бабкину — когда стало ясно, что его с собой точно не возьмут.

— Хорошо хоть не с пальцем идем против уродов, — пробормотал Сергей, ощущавший в кармане приятную тяжесть.

Пистолет, отобранный у наркомана, Бенито передал ему. Со стволом Сергей почувствовал себя куда увереннее. Правда, мальчишка остался без оружия, но сам Бенито здраво заметил, что в самом худшем случае, если начнется пальба, он даже не успеет его вытащить. «Там Франко, — сказал Бенито. — Он вышибет мне мозги быстрее, чем я икну. Рука у него не дрогнет. Так что лучше пускай эта пукалка будет у тебя. К тому же, — тут он криво ухмыльнулся, признавая, что хоть в чем-то Бабкин превосходит его, — ты наверняка стреляешь получше меня».

У самого Бенито за поясом был нож, и еще один, позаимствованный у Ртисавари, он привязал к ноге. Бабкин глянул будто бы невзначай, каким образом парень закрепил его на лодыжке. И удовлетворенно кивнул: обвязка из обычного эластичного бинта выглядела грамотной. И вытащить легко, и не поранишь самого себя.

— Кто тебя учил? — он показал на обвязку.

— Друг отца. Очень давно. Я маленький был, до сих пор помню.

«Хорошие друзья были у твоего папы», — подумал Бабкин. Одобрительно хлопнул парня по плечу и пошел за баллончиком с краской.

— Серега, а Серега, — позвал Илюшин.

— Что?

— Я как-то не додумался тебя спросить... А ты отсюда сможешь попасть в кого-нибудь из тех? — он кивнул в сторону троих мужчин.

Бабкин усмехнулся и покачал головой.

— Нет, Макар. Я же не снайпер. Да и прицельность у этой пушки не та. Надо ближе подходить.

— Вот прекрасная новость, — пробормотал Илюшин. — И насколько ближе?

3

Нет, подумала Вика, здесь что-то не так. Это ловушка. Я знаю Доменико Раньери в лицо. Этот человек никогда не отпустит меня живой.

И словно отзываясь на ее мысли, на крыше правого ряда ржавых коробок мелькнула какая-то тень. Вика не была уверена, что ей не показалось. Но сердце у нее сначала остановилось, а потом забилось часто-часто.

«Меня убьют... И Бенито тоже... Заберут перстень, там сверху засада, я должна предупредить его».

На нее снова накатила дурнота. Вика оперлась ладонью о ближайший контейнер — и брезгливо отдернула руку. На ней остались следы белой краски.

Кто-то бегал здесь с баллончиком и испачкал все вокруг граффити. Дети, наверное. На железных коробках белели оставленные ими каракули.

По спине пробежали мурашки. Кто-то смотрел на нее, и это были не те трое, что ждали за спиной. Вика могла бы поклясться, что тот, кто разглядывает ее, находится совсем в другой стороне.

«Полиция?» Слабая надежда трепыхнулась в душе. Вика давно поняла, что Бенито лишь пугал ее продажными карабинерами. Неужели он все-таки обратился в полицию, и ей ничего не грозит?! Тогда понятно, чей взгляд она ощущает на себе.

Нахлынувшее облегчение придало ей сил. Вика пошла быстрее. «Господи, скорее бы все это закончилось...»

Взгляд ее упал на ближнюю дверь контейнера. В первую секунду она сама не поняла, что видит.

Крупным, якобы детским почерком, маскирующимся под каракули, на ржавом металле было выведено по-русски: *«Торин и Ко + Крош»*.

Она прошла по инерции еще два шага и встала как вкопанная. Торин плюс Крош! Не может быть! Откуда здесь эта надпись?!

«Здесь кто-то из своих», — шепнул внутренний голос. От накатившего на нее облегчения Вика ненадолго закрыла глаза и чуть не упала, потеряв равновесие.

«Тише! Не радуйся раньше времени».

Но она не могла не радоваться. После всего пережитого увидеть эту надпись было подобно глотку чистой воды в пустыне.

Торином по имени предводителя гномов называл себя Колька, насмотревшись «Властелина Колец». А Димка еще пару лет назад увлекался «Смешариками» и собирал все предметы с кроликом Крошем, какие только мог найти. Они даже ласково дразнили Крошем его самого.

У Вики не было никаких сомнений в том, что делать дальше. Даже если бы она не смотрела «Место встречи», то поняла бы, что означает эта надпись. Домашние прозвища детей словно знак: здесь безопасно. «Жаль, что никто свет не выключит, — подумала она, сглотнув. — Стрельнут же в спину. Мамочки, страшно-то как...»

Она еще додумывала последнюю мысль, а ноги уже сами несли ее к спасительной двери. Громкие крики сзади не остановили, а только придали сил.

— Стреляй! — закричал кто-то, кажется, толстяк. — Стреляй же!

«Странно, что он сам не стреляет», — подумала Вика очень спокойно, будто бы не о себе, и рванула дверь.

Засов оказался фикцией: он не был закреплен. Железяка, громыхая, брякнулась ей под ноги, и Вика ввалилась в контейнер. Тело по-прежнему двигалось словно на автомате, быстрее, чем она успевала отдать себе отчет в своих действиях.

Захлопнуть дверь — раз!

Задвинуть засов — два!

Отскочить от двери на случай, если станут стрелять — три!

Вика отбежала в дальний угол, заваленный каким-то мусором, и только сейчас осознала, что все видит. На полу посреди контейнера стоял туристический светильник, неяркий, но разогнавший темноту. А возле него лежала бутылка воды и печенье в красной упаковке с детской рожицей.

Увидев печенье, Вика рухнула на пол и изо всех сил прижала его к себе.

«Бенито!»

4

Когда Леонардо предположил, что заложница, добравшись до лодки, может попросту уплыть, одна или вместе с Бенито, он был не так уж далек от истины. Именно поэтому Доменико Раньери подстраховался. Только Вика Маткевич спряталась в контейнере, послышались выстрелы и громкие гулкие щелчки, словно кто-то бросал камешки в бочку.

Бенито едва успел отскочить от лодки. Первая пуля прошла мимо, но вторая пробила мотор. Следующие изрешетили борта, и стрелок на время затих. Но стоило Бенито сделать шаг в сторону — пуля выбила в песке ямку в метре от него. Парень замер.

По плану Макара и Бабкина, Бенито должен был удрать и спрятаться на складах, воспользовавшись замешательством при побеге женщины. Неподалеку от лодки сыщики собирались подготовить для него точно такое же укрытие. Но слишком много времени ушло на контейнер для Вики, и с Бенито они ничего не успели.

А когда сверху начали стрелять, стало ясно, что и укрытие не спасло бы. Бенито не мог и полшага сделать в сторону от лодки. Возможно, Адриан и не был хорошим стрелком. Но с такого расстояния попал бы даже он.

Бенито оставалось лишь одно: идти навстречу отцу.

Шестьсот метров показались ему очень, очень долгими. Проходя мимо железной банки, где спряталась Вика, он замедлил шаг. Ему стало бы легче, услышь он хоть один звук изнутри. Но в контейнере было тихо.

Трое мужчин ждали его в конце пути. Чем ближе подходил Бенито, тем сильнее вытягивалось его лицо. Потому что за двумя знакомыми фигурами стояла третья. Он до последнего был уверен, что ошибается, и только подойдя вплотную, убедился, что глаза его не обманывают.

Невероятно!

— Дядя Йаков! — ошеломленно выговорил Бенито.

— Привет, малыш! — старик устало улыбнулся. — В нехорошую историю ты влип, верно?

Но Бенито давно не был тем пацаненком, который жадно ловил каждое слово русского моряка. Он выпрямился, глаза надменно блеснули.

— Как и ты, Йаков! Как ты мог связаться с этими...

— Заткнись!

Это было первое слово, произнесенное Доменико Раньери. Бенито замолчал, словно его ударили по губам.

— Значит, ты ее спрятал, — со странным удовлетворением констатировал Раньери. Ветер шевелил его седую гриву. Он опирался на трость двумя руками, и Бенито вдруг подумал, что отец тоже очень устал от всего происходящего.

— Спрятал, — кивнул он. — Ее оттуда не вытащить.

— Ее можно там расстрелять! — это Франко.

— Стены укреплены изнутри, — соврал Бенито, не моргнув глазом. — Если только у тебя нет миномета...

— И что же ты собирался предпринять дальше, мальчик мой? — ласково спросил Доменико. — Удрать вместе с моим перстнем?

Бенито покачал головой.

— Я лишь обезопасил русскую, — сказал он, стараясь, чтобы голос звучал твердо. — Перстень я принес тебе.

Он снял с шеи цепочку, на которой болтался увесистый мешочек.

— Возьми.

Раньери вытряхнул содержимое мешочка на ладонь.

— Это оно? — с удивлением спросил лысый старик. — То кольцо, из-за которого столько шума? Забавная вещица.

Он не мог видеть взгляда, который бросил на него Франко, но Бенито заметил его и похолодел. Слишком хорошо он знал толстяка, слишком много времени провел с ним бок о бок, чтобы не понимать его значения.

Что здесь творится?!

— И ты думаешь, что можешь откупиться от меня этим?

Доменико указал на кольцо.

— Таков был договор...

— Нет, Бенито! — Папа улыбнулся. — Это было то, что тебе хотелось услышать. А теперь я скажу тебе, как все случится на самом деле. Ты уговоришь русскую выйти оттуда. А потом можешь отправляться на все четыре стороны.

Боцман недоверчиво взглянул на Раньери, а Бенито рассмеялся.

— Отец, ты по-прежнему думаешь, что можешь заставить меня скакать, как пуделя, по одному твоему слову? Ты можешь меня застрелить, но Виктория не выйдет. Она будет сидеть там, пока не приедет полиция. А она приедет.

— У нее там телефон? — деловито спросил Франко.

— Да. На нем записан один-единственный номер. Что бы вы ни вкололи ей, если она смогла идти, то на одну кнопку точно в состоянии нажать.

Это снова было ложью: после долгих споров полицию решили не вмешивать. Но по части вранья Бенито не было равных — он перехитрил бы даже детектор лжи.

— Что ж, — с сожалением признал Доменико, — значит, у нас мало времени.

— Будешь стрелять?

Бенито с вызывающим любопытством уставился на отца.

— Это лишнее.

Раньери махнул рукой. Человек, только что подошедший к берегу на втором катере, выбросил на берег упирающуюся девушку, выпрыгнул сам и потащил ее к Раньери. Выполнив свое дело, он приветственно ухмыльнулся Бенито и бросился обратно в катер. Теперь ему оставалось только ждать Папу.

Бенито окаменел.

Адриан справился со своим заданием. Он поднял на уши всех нищих, бродяг, воров и шлюх, он прочесал весь город, но в конце концов нашел Алессию.

Девушка, тихо поскуливая, упала на песок и зажмурилась изо всех сил.

— Твой выбор очень и очень прост, — сказал Раньери, почти сочувственно глядя на побелевшего сына. — Перстень остается у меня. И одна из двух женщин остается у меня. Или ты уговоришь русскую выйти наружу, и будешь очень убедителен, чтобы она тебе поверила. Или отправляйся на все четыре стороны, но Алес поедет со мной.

— Что ты с ней сделаешь? — не сказал, а каркнул Бенито.

— То, что нужно было сделать еще до ее рождения.

Бенито, утратив над собой контроль, шагнул вперед. В живот ему уперлось дуло пистолета, который держал Франко.

— Выбирай, мальчик мой.

— Ты не можешь ее убить! — прохрипел Бенито. — Она... она...

Он хотел сказать «она твоя дочь!», но осекся и беспомощно взглянул на Йакова.

Старик хмуро молчал. Он перестал понимать, что здесь происходит. Раньери рассказал ему почти всю правду, за исключением некоторых деталей, но именно они все меняли.

— У тебя десять секунд, чтобы принять решение, — предупредил Доменико. — Я очень долго возился с тобой, мальчик мой! Долго щадил тебя! Но ты влез во взрослую игру, и обращаться с тобой будут как со взрослым. Знаешь, чем взрослые отличаются от детей? Они способны делать осознанный выбор и нести за него ответственность.

Бенито молчал. Он беззвучно шевелил обескровленными губами, не сводя с Алес застывшего взгляда. На лбу вздулись синие жилы. Франко даже испугался, что щенок вот-вот свихнется на их глазах, и плану придет конец.

— Скажи русской, чтобы выходила! — приказал Раньери, поняв, что выбор сделан. — Поклянись ей, что все закончилось. Потом бери Алес и проваливай к лодке!

— Вик-то-ри-я, — выдохнул Бенито.

Краски понемногу возвращались на обескровленное лицо.

— Что?!

— Я выбираю Викторию, — раздельно повторил парень. — Ты можешь забирать Алес.

Доменико оцепенел. Он ни секунды не верил в то, что сын сделает такой выбор!

— Просто чтобы ты понимал... — медленно проговорил Раньери. — Она будет мертва очень скоро.

Бенито расправил узкие плечи и даже растянул губы в привычной ухмылке. Франко едва сдержался, чтобы не разбить эту наглую морду рукоятью пистолета. Как он мог жалеть этого тупого самодовольного ублюдка?!

Но Бенито не был тупым. Как справедливо заметил его отец, он был самым умным из всех детей Раньери.

Однако даже сам Доменико не осознавал до конца, на что способен его сын, загнанный в угол.

— Почему ты говоришь это мне? — еще шире оскалился Бенито. — Скажи это ее настоящему отцу!

Он кивнул на старика.

Йаков непонимающе уставился на него.

— Ты ее настоящий отец! — выкрикнул Бенито так громко, что эхо заметалось вокруг них обезумевшей птицей: «Отец! Отец! Отец!»

И тогда Франко выстрелил.

5

— Твою мать! — выругался Бабкин. Гром выстрела разбился на сотни осколков и оглушил их. — Макар! Сидеть здесь, не высовываться!

Он выскочил из укрытия и, пригнувшись и держась в тени контейнеров, бросился туда, где на песке сидел человек.

Илюшин догнал его через десять шагов.

— Куда прешься без оружия? — прошипел Бабкин. — Живо обратно!

— А у меня есть оружие, — невозмутимо сообщил Илюшин. — Это ты.

6

Адриан, перебегавший по крышам все ближе к Папе, вдруг заметил двоих, быстро приближающихся к месту событий.

— Это еще кто такие?!

В руке того, кто выше, блеснул пистолет, и Адриан больше не колебался. Он сел, вскинул ствол, сделал поправку на ветер... Стрелять по движущейся мишени — это вам не по лодке палить, удовлетворенно подумал он, держа на прицеле коротко стриженную темноволосую голову. Ему давно хотелось потренироваться на людях, но Папа не разрешал.

И вот наконец-то — такая возможность!

«Давай, Адриан!» — подзадорил он себя.

Палец плавно лег на курок.

Что-то огромное, как комета, просвистело позади него и со страшным грохотом обрушилось на металлическую крышу. Кран на берегу пришел в движение. Стрела то поднималась, то опускалась, нанося чудовищной силы удары рядом с Адрианом.

— Макар, ты это видишь? — прошептал Бабкин.

— А ты не хотел ему орден вешать! — напомнил Илюшин.

В кабине крана блестел круглыми очками Леонардо, маленький переводчик, удравший из дома своего патрона и тайком пробравшийся на склады. У него всегда были трудности со сложными механизмами. Но этот кран Леонардо полюбил всей душой.

— На! — выкрикивал он. — Получай! А вот так! А вот эдак! А так еще не хочешь?

С последним ударом стрела проломила крышу контейнера, по которой ползал Адриан, и стрелок провалился вниз.

Леонардо демонически захохотал, стащил очки, швырнул их на пол и растоптал. Он был воин, победитель, а победители не носят очков.

Появление крана, крушащего все вокруг, потрясло не только Бабкина. Бандиты тоже на время потеряли дар речи. А когда очнулись, к ним приближались двое.

Франко отодвинул Раньери за свою спину. Теперь его оружие было наставлено на Бабкина.

— Бенито, ты живой? — еще издалека крикнул Макар.

— Он вообще-то не понимает по-русски, — буркнул Сергей. — Во всяком случае, не мертвый.

Юноша сидел с искаженным от боли лицом, держась за простреленную ногу. Пока Франко и Раньери таращились на русских сыщиков, Йаков присел возле юноши, задрал ему штанину и быстро осмотрел рану.

— Глупый ты мальчишка!

— Йаков, это твой ребенок, — прошептал Бенито. Старик молча смотрел на него без всякого выражения. — Алес — твоя дочь!

Голубые глаза впились ему в лицо.

— Клянусь тебе! — выдохнул юноша. — Поэтому отец ее так ненавидит!

Бенито понятия не имел, о чем он говорит. Мать никогда не упоминала, кто настоящий отец Алессии. Он разыграл единственную карту, которая была у него на руках, и та оказалась джокером — самой лживой картой в колоде.

Картой-притворщиком.

Той, которая могла выиграть при любом раскладе.

Раньери услышал последнюю фразу.

— Так ты все это время знал? — спросил он, от удивления даже забыв на время о приближающихся к нему русских сыщиках. — Твоя мать рассказала тебе, да? И ты молчал, малыш Бенито! Умный маленький Бенито, наперсник своей шлюхи-матери! Франко, дай сюда!

Раньери выхватил пистолет у помощника и прицелился в старого друга.

Звук выстрела совпал с криком Бенито.

Но за миг до того, как Раньери нажал на курок, его жертва начала двигаться.

Никогда прежде Бенито не видел ничего подобного. Первым ударом лысый старик вышиб трость из руки Раньери. Пуля, предназначавшаяся ему, ушла в сторону и взвизгнула, отрикошетив от стенки контейнера.

Доменико Раньери стремительно перехватил трость, крутанулся и нанес Йакову страшный удар. Этот удар вышиб бы из старика мозги, если б тот не уклонился в последний момент.

— Ты! — с холодным бешенством выкрикнул Раньери, снова прицеливаясь. — Ты предал меня! Ты спал с ней, гнусный ублюдок!

От второй пули старику было не уйти. Но Бенито, сидевший на земле, со всей силы пнул здоровой ногой по палке, и Раньери потерял равновесие. На секунду дуло револьвера оказалось перед лицом Бенито. Три бесконечно долгих секунды юноша ждал, что отец нажмет на курок.

Но выстрела не последовало. Раньери обернулся, ища глазами предателя.

— Йаков, беги! — заорал Бенито. Если не отец убьет его, то Франко!

Старик действительно уже бежал. Но только не прочь от толстяка, а на него.

С молниеносностью ящерицы Йаков подскочил к бывшему полицейскому и обеими ладонями с размаха ударил толстяка по ушам.

Это выглядело до смешного по-детски. До сих пор Бенито думал, что так дерутся малыши. Но Франко разинул рот в беззвучном вопле и повалился на песок, схватившись за голову.

Раньери выстрелил второй раз. Однако на том месте, где только что стоял его противник, уже никого не было.

Это походило на танец, понял ошеломленный, не верящий собственным глазам Бенито. На смертоносный танец, исполняемый маленькой змеей. Очень старой, много раз терявшей кожу змеей.

Первый удар выбил револьвер из рук Доменико Раньери. Тот отскочил в сторону и ударился о камень.

Грохнул выстрел. Бенито, забыв о боли в простреленной ноге, рванулся к сестре и упал на нее всем телом, молясь, чтобы случайная пуля не задела ее. Поэтому второго удара он не видел.

Раньери был моложе, но он был калека. Ему не помогла даже ненависть, которой он готов был испепелить врага.

Йаков вскинул трость — Раньери не успел заметить, как она оказалась в его руках, — и обрушил ее на голову бывшего друга.

В последний момент он изменил направление удара. Тяжелый набалдашник, который должен был встретиться с виском Папы, скользнул по касательной, и основной удар пришелся серединой трости.

Однако этого оказалось достаточно. Без единого вскрика Доменико упал на песок рядом со своим дергающимся помощником. Лысый старик склонился над Франко, прижал пальцы к его шее, подержал немного и отпустил. Тот перестал содрогаться в конвульсиях.

Но когда победитель выпрямился, оказалось, что расстановка сил не в его пользу.

Напротив него стоял Сергей Бабкин, а в стороне — Макар Илюшин, только что поднявший оружие Франко.

Трое мужчин встретились лицом к лицу. Не веря своим глазам, Бенито смотрел, как пятится Йаков, только что без труда расправившийся с двумя вооруженными людьми. Даже сквозь загар было видно, как сильно он побледнел.

Но еще более сильная метаморфоза произошла с Бабкиным. У него отвисла челюсть, он поднял руку, словно собираясь перекреститься.

— Ёперный пельмень... — ошеломленно протянул Сергей, не спуская глаз со знакомого по недавним приключениям на бригантине «Мечта» лица. Лица Якова Семеновича по прозвищу Боцман.

— В переводе это значит «господи помилуй», — машинально объяснил Илюшин, забыв, что Бенито не говорит по-русски. Но он тоже был поражен.

Боцман первым пришел в себя.

— Везет мне на встречи со старыми друзьями! — усмехнувшись, сказал он.

— Да ты вообще, как я погляжу, везучий! — фыркнул Бабкин, тоже возвращаясь к реальности. В первые секунды у него мелькнула дикая мысль, что перед ним оживший покойник. Они своими глазами видели, как он пошел ко дну вместе с бригантиной!

Но здравый смысл быстро возобладал. Этот живучий черт ухитрился не только спастись, но и добраться до Италии.

— Яков Семенович, какая встреча! — дружелюбно приветствовал его Илюшин, успевший овладеть собой. — Что, набираете новую команду?

Боцман сделал шаг назад.

— Ты мне тут не вытанцовывай. Я тебе не Папа, со мной эти фокусы не пройдут, — предупредил Бабкин. — Прыгнешь — башку прострелю.

Яков Семенович покачал головой, словно говоря: нет, не прыгну. Два дула были нацелены на него.

Медленно пятясь, Боцман дошел до дочери и Бенито. Алессия открыла глаза и с изумлением озиралась вокруг.

— Малыш, возьми! — Яков оторвал рукав от рубахи и бросил Бенито. — Перевяжи ногу. Рана поверхностная, но будет болеть.

— Лихо ты, Яков Семеныч, по-итальянски шпрехаешь, — одобрил Бабкин. — А теперь подними руки вверх и оставайся на месте.

Боцман не обратил на его слова никакого внимания. Он повернулся к Алессии.

— Малышка, посмотри на меня!

К удивлению Бенито, девушка послушалась. Она вскинула голову и уставилась на старика. То ли ее заворожила синева его глаз, то ли что-то еще, но только она поднялась и сделала шаг ему навстречу.

Боцман долго смотрел на нее, будто забыв о существовании всех остальных.

— Она больная, — тихо сказал Бенито, как будто старик не мог разглядеть этого сам.

Яков не ответил. Он поднял руку — Сергей Бабкин предупреждающе вскрикнул — и провел пальцами по испачканной щеке девушки точно таким же жестом, который Бенито наблюдал у матери.

Алессия не дернулась, не отстранилась.

— Отойди от нее, старче! — потребовал Сергей.

Боцман склонил голову набок и беззвучно что-то шепнул. «Леона», — прочел по губам Бенито.

— Яков Семеныч, не дури!

Боцман долго молчал. Наконец он заговорил, но слова его были адресованы не сыщикам.

— Есть яхта, — очень медленно произнес Боцман, обращаясь к Бенито. Ни на Макара, ни на Бабкина, державших его на прицеле, он не смотрел. — Далеко отсюда. В другом полушарии. Поедешь со мной туда, малыш? Твою сестру я забираю с собой.

— Что он говорит? — спросил Бабкин. — Э, Яков Семеныч! Если ты натравливаешь пацана на нас, то напрасно!

Боцман не повернул головы.

— С тобой? — непонимающе переспросил Бенито. — И с Алес?

— Я забираю ее с собой, — повторил Боцман, роняя слова с той же медлительностью, будто каждое из них давалось ему мучительно. — Я позабочусь о ней. Жить нам будет очень скучно. И очень счастливо. Решай, остаешься ты или идешь с нами.

Юноша приподнялся, не до конца осознавая происходящее. Боцман шепнул что-то Алес, взял за руку, и девушка неуверенно двинулась за ним.

— Макар, этот сукин сын уходит! — предостерегающе крикнул Бабкин, как будто Илюшин не видел этого сам.

— Яков Семеныч, далеко ли ты собрался? — весело окликнул Макар. — Серега, стреляй ему по ногам, если начнет двигаться. Я надеюсь, Боцман, ты не станешь закрываться девочкой?

Старик остановился. Повернулся к ним, отодвинул Алессию в сторону. Та не кинулась к Бенито, а осталась стоять на месте.

Боцман посмотрел прямо в глаза Макару.

— Не отбирай! — с видимым усилием проговорил он. — Не отбирай ребенка.

— Что? — расхохотался Илюшин.

— Это моя дочь.

Улыбка исчезла с губ Макара. Он взглянул на Алессию. Илюшин знал от Бенито, что его сестра больна, но только сейчас увидел, что перед ним слабоумная.

— Хорош очки втирать! — грубо потребовал Бабкин. — Отойди от нее и руки за голову заложи.

— Двоих, — с тем же усилием продолжал Боцман, будто не слыша его, — двоих только любил в своей жизни. Леону и «Мечту». Больше никого. Обе мертвы. Прошу тебя. Отпусти. Дай уйти с дочерью. Я смогу позаботиться о ней. Я знаю, что надо делать.

— Да ты сдурел, старый хрыч?! — не выдержал Сергей.

— Если бы. Знал раньше. Что есть ребенок. — Голос старика зазвучал как отрывистый лай. — Все по-другому. Иначе. Не могу исправить.

— Макар, что он несет?!

Илюшин молчал.

Перед ними стоял убийца. Ни Макар, ни Бабкин не знали, сколько крови на руках Боцмана.

— На край мира... — выдавил Яков, и стало ясно, что слова действительно даются ему с огромным трудом. — Никогда... здесь... не появлюсь... Отпусти!

— Макар, он же врет и не краснеет, — рявкнул Бабкин. — Ты посмотри на него, какой ему край мира! Разве что туземцев перебить и вернуться!

Боцман нашел в себе силы дернуть углами губ. Должна была получиться усмешка, но вместо этого вышла мучительная гримаса.

— Нет... возвращаться... незачем... Все... нашел.

Он протянул руку, нащупал ладонь Алессии. Лицо его от этого простого прикосновения исказилось так, что Бабкин испугался: было похоже, что старик вот-вот скончается от разрыва сердца.

Боцман попятился.

Илюшин молчал. Бабкин бросил на друга короткий взгляд и понял, что ему тоже нечего сказать.

Яков уходил, уводя за собой дочь.

Бенито вдруг приподнялся и, припадая на раненую ногу, похромал за ним следом. Но на полпути остановился, рванулся сначала к Бабкину, потом к Макару, махнул рукой и снова пустился догонять старика из последних сил.

Все трое приближались к катеру.

— Там же еще один! — с тоской сказал Бабкин. — В катере. Ну, твою ж мать! Его же пристрелят, старого хрыча!

— Да, — очень ровно сказал Макар. — Его сейчас убьют.

Сергей заметался. Он не мог, не имел права спасать убийцу. Но с ним были девушка и ее брат, ни в чем не виноватые, и эта простая мысль помогла ему принять решение.

— Боцман! — заорал Бабкин во весь голос и бросился за уходящими следом. Ветер относил его вопли в сторону — никто из троих даже не оборачивался. — Стой, идиот! Стой, сволочь! Не подходи к катеру! Не подходи...

Грянул выстрел.

Бабкин встал как вкопанный. Он смотрел на троих человек, из которых один сейчас на его глазах осядет на песок...

Вместо того чтобы упасть, Боцман обернулся.

— Вот теперь можешь орать, — разрешил Илюшин, только что выстреливший в воздух.

Бабкин испепелил его взглядом и приложил руки рупором к губам:

— Еще! Один! В катере!

Он успел как раз вовремя. Бандит начал подниматься из лодки, и тогда Боцман ударил его.

— Плюс еще труп к имеющимся, — прокомментировал Илюшин. — Ну, одним больше, одним меньше...

Бабкин молчал. Он видел, как бесчувственное тело оттащили в сторону. Затем все трое забрались в катер. Взвыл мотор — и вскоре лодка скрылась в море.

Только тогда Сергей обернулся к Илюшину.

— Он его не убил, а оглушил. Ребром ладони по шее — где ты видел, чтобы так убивали?

Но последнее слово всегда оставалось за Макаром.

— Что? — ехидно осведомился он. — Жалко стало упыря синеглазого?

— Не его, а этих двоих, — пробормотал Бабкин, отводя взгляд.

— То есть если бы он один шел к катеру, ты бы не стал вмешиваться? Верно я понимаю?

Сергей не ответил. У него был ответ на этот вопрос, но произносить его вслух он не хотел.

— Ладно, свяжи этих козлов! — Илюшин кивнул на валяющихся на песке Раньери и Франко. — А я пойду нашу узницу совести выпущу. И, кстати, не забудь кольцо подобрать!

— Какое кольцо?

В суматохе происходящего Бабкин и думать забыл про перстень.

Макар укоризненно покачал головой и пошел выручать Вику и слепого как крот Леонардо, тщетно пытавшегося спуститься с башни крана.

Эпилог

1

Когда самолет набрал высоту, Макар раскрыл газету с кричащим заголовком «Перстень Паскуале Чиконья — триумфальное возвращение!».

— Ты читаешь или делаешь вид, что читаешь? — поддел его Бабкин.

— Картинки смотрю, — невозмутимо отозвался Илюшин.

Сергей заглянул через его плечо, как будто мог что-то разобрать. Впрочем, подумал он, к чему разбирать текст, если заранее знаешь, что там написано? В этом отношении итальянская пресса вряд ли принципиально отличается от русской. Если газета оппозиционная, то пишет о беспомощности полиции и спрашивает, будут ли наказаны те, из-за чьего попустительства стало возможным преступление. А если владелец издания занимает сторону властей, то в статье говорится о безупречной работе отдела по расследованию краж и подчеркивается, что неимоверно сложное дело было закончено всего за несколько дней. «Любопытно только, как они обошли тот факт, что перстень был возвращен анонимно».

Макар аккуратно сложил газету и сунул в кармашек на спинке кресла с таким скучающим видом, словно и он не узнал из статьи ничего нового.

Бабкин все-таки не утерпел:

— Расскажешь, кто тебя учил итальянскому?

— В другой раз.

— А представь, — не мог успокоиться Сергей, — если это вообще не итальянский. И ты теперь знаешь, например, суахили.

— Тогда мы можем поехать и расследовать что-нибудь в Уганде, — пробормотал Макар.

— Нет уж, лучше они к нам.

— Нтака пилзнер бариди.

— Чего?

— Это в переводе с суахили «Хочу холодного “пилзнера”». Вооруженные этой фразой — единственной, которую я знаю на суахили, кстати, — мы можем смело ехать в Уганду.

— Вооруженные этой фразой, мы можем ехать вообще в любую страну, — усмехнулся Бабкин.

Друзья посмотрели друг на друга и рассмеялись.

— Тихо, разбудишь ее, — Сергей кивнул на женщину, которая сидела с закрытыми глазами, привалившись к стенке.

— Я не сплю.

Вика выпрямилась, потерла виски.

— Даже задремать не могу, как ни стараюсь.

Бабкин вынужден был признать, что она хорошо держалась все время, эта маленькая женщина с серо-зелеными глазами под цвет вод венецианской лагуны. Правда, увидев Макара, в первую секунду попыталась обмякнуть и съехать на пол ржавого контейнера. Но Илюшин удивился: «Ты что это задумала, Невецкая?» — и она ограничилась тем, что облегченно расплакалась.

В самолете они посадили ее возле иллюминатора, и, пока взлетали, Вика неотрывно смотрела вниз, где все уменьшался и уменьшался город-остров, окруженный зеленым кольцом воды, пока его не закрыли облака.

— Все закончилось, — мягко сказал ей Илюшин. — Поспи.

— Ничего не закончилось! — она зачем-то схватила газету и принялась нервно мять и скручивать. — Он ждет меня! Встречает в аэропорту! А я не могу, ты понимаешь, не могу!

Сергей понял, что речь идет о ее муже. Олег Маткевич за последние двое суток оборвал телефон Илюшину, но Вика поговорила с ним единственный раз: устало сказала, что все в порядке, они возвращаются. И еще спросила, как дети.

— Это большая проблема — супруг, встречающий в аэропорту, — то ли утвердительно, то ли вопросительно заметил Илюшин.

— Макар, проблема не в этом!

Бабкин откинулся на спинку кресла и мысленно вздохнул. Меньше всего он хотел выслушивать историю чужих семейных отношений. «И кино не показывают... Черт знает что!»

Вика Маткевич говорила тихо, но разборчиво — до него доносилось каждое слово.

— Я веду себя как ребенок, понимаешь? Я на все спрашиваю у него разрешения! Макар, я так больше не могу. Это не брак, а какое-то... какое-то кладбище несбывшихся желаний!

— Твой муж — сатрап и деспот! — согласился Илюшин.

Вика Маткевич с подозрением уставилась на него. Бабкин про себя ухмыльнулся.

— Ты надо мной издеваешься!

— Всего-навсего поддакиваю. Решил, что это именно то, что тебе нужно.

— Мне нужно понимание! — яростным шепотом обрушилась на него Вика. — А не иллюзия участия!

Илюшин повернул к ней голову.

— Участие? Какое еще участие? Ты сама выбрала роль ребенка, потому что это очень удобно. Ни за что не отвечаешь, а вину всегда можно повесить на другого. На взрослого.

Вика открыла рот от возмущения, а Илюшин спокойно продолжал:

— Ты и мужчину выбрала подходящего: того, которому с детства внушали, что он главный просто по факту наличия у него тестикул. И стала поддерживать в нем это заблуждение. В итоге ты оказалась обиженной стороной, которая много лет возила на себе воду, а потом топнула ногой и сказала: довольно! Что же тебе мешало сделать это раньше?

— Я... Я... О чем ты говоришь?!

— Хочешь сыграть в игру «жертва и муж-мучитель»? — пожал плечами Илюшин. — Ради бога. Но не проси меня подыгрывать. Последний утренник в моей жизни состоялся в старшей группе детского сада.

Он вытянул ноги и ослабил ремень.

Бабкину показалось, что маленькая хрупкая женщина сейчас изобьет Макара газетой. Но этого не случилось.

— Ты нарочно так говоришь, — после недолгого молчания сказала она. — Чтобы вывести меня из себя.

Бабкин про себя признал, что Виктория неплохо знает Илюшина. Похоже, за те годы, что они не виделись, он мало изменился.

Макар слегка улыбнулся.

— Почти. Но не совсем. Я всего лишь показываю тебе другую сторону вопроса. Говоришь, твой Олег —

черствая эгоистичная скотина, подавлявшая тебя? Допустим. Но ты-то где была все эти годы?

— Мой муж...

— Твой муж, — перебил Илюшин, — в ситуации, которая требовала немедленных действий, именно так и поступил: немедленно начал действовать. Поверь мне, далеко не все мужья на это способны! А если бы я не пригрозил ему, что откажусь от дела, он полетел бы с нами в Венецию и перетряхнул бы весь остров, чтобы найти тебя. Сваи деревянные зубами бы подгрыз!

Бабкин подумал, что насчет свай, Илюшин, конечно, загнул. Но в остальном Сергей признавал правоту друга. Ему этот несчастный Маткевич, к которому не хотела возвращаться жена, скорее понравился. Ну, туповат местами, снисходительно рассуждал Сергей, а кто не туповат? Разве что Илюшин. Ну, так он и не женат.

— Ты меня выставляешь какой-то дурой, — напряженным и несчастным голосом сказала Вика. — Которая сама поощряла... все это!

— Не поощряла, — мягче возразил Илюшин. — Лишь каждый раз выбирала то, что требовало от тебя меньших затрат. Ты не переносишь скандалов и ссор. Уверен, в любой ситуации, когда надо было настаивать на своем, ты просто отступала без спора.

— Я не хотела, чтобы семейная жизнь превращалась в войну!

— И поэтому теперь сидишь в руинах?

— Я не...

Она осеклась. Бабкин искоса посмотрел на нее и увидел, как на щеках расползаются красные пятна.

«Сейчас заревет».

Но она не заревела. Только отвернулась к иллюминатору, на ощупь сунув в карманшек измятую газету.

Повисла неловкая тишина.

Илюшин сидел как ни в чем не бывало, Бабкин мучился. Больше всего он опасался, что сейчас услышит всхлипы. Успокаивать плачущих женщин Сергей категорически не умел.

Чтобы не сидеть без дела, он вытащил газету и сделал вид, что рассматривает статью. На фотографии перстень выглядел совсем не так впечатляюще, как в действительности.

— Слушай, Макар, — позвал Бабкин, обрадовавшись, что нашел тему для разговора, — у тебя есть идеи насчет того, что случилось с кольцом?

— В смысле?

— Ну, я об этой истории с выбрасыванием его в море. А потом он исчезает, а спустя тучу лет снова всплывает... В переносном смысле. В общем, непонятно, где и как его подменили. Головоломка! А еще эта лодка! У тебя есть объяснение, как он оказался в борту галеры дожа? Как там ее...

— Бучинторо, — вдруг подсказала Вика, не оборачиваясь.

— Точно, оно самое. Кто его туда спрятал, а?

Илюшин пожал плечами:

— Это очевидно. Его спрятал туда сам дож.

Бабкин, затеявший этот разговор исключительно для того, чтобы отвлечься от тягостных ощущений, повернулся к нему всем корпусом.

— Как это — дож? Ты все перепутал. Кольцо у него украли.

— Да ничего у него не крали, — с прежним легкомыслием возразил Илюшин и даже рукой махнул пренебрежительно.

Теперь обернулась и Вика. Глаза у нее были покрасневшие, но она хотя бы не плакала.

— Ты все путаешь! Перстень украли у Паскуале Чиконья, — твердо сказала она. Похоже, решила поставить всезнайку Илюшина на место, одобрительно подумал Сергей. — Подозреваемых было трое: брат Паскуале, аббат, помогавший дожу в библиотеке, и старый слуга. Поверь мне, я очень внимательно прочитала все, что нашла об этой истории!

— Я прекрасно помню эти факты. Как и тот, что дож догадался привязать к перстню нитку.

— Вот именно! И отдал ее аббату!

— Нет, — сказал Илюшин.

— Что — нет? — хором спросили Вика с Сергеем.

— Он ее не отдал аббату. Вернее, он отдал не ее, а другую нить.

— С чего ты взял?

Теперь настала очередь Илюшина удивленно смотреть на обоих:

— Потому что это единственно возможное объяснение! Дож бросает в воду перстень, а потом другой человек вытаскивает из моря вместо перстня ракушку. Вариантов только три. Либо кто-то на дне лагуны отвязал драгоценность и привязал раковину. Либо тот, кто вытащил кольцо, подменил его уже в лодке, а всем остальным солгал. Либо у этого бедолаги и не было шансов вытащить что-нибудь иное, потому что дож передал ему в руки другую нить. Первый вариант отвергаем: в те времена это было технически невозможно. Второй мне не нравится, потому что я не вижу выгоды, которую извлек бы аббат из кражи. Остается третий. Он самый логичный.

— Да неужели? И как же кольцо оказалось в ладье?

Илюшин взглянул на Бабкина с обидной снисходительностью.

— Пока галера плыла к берегу, дож выудил свой перстень. Потом перегнулся за борт, открыл тайник в барельефе, который смастерили по его приказу, спрятал кольцо и задвинул плашку. Все действо заняло меньше минуты! Старикан бы дольше притворялся, что его тошнит за борт. Потом лодка причалила, перстень остался в ней, а дож сошел на берег. Все!

Илюшин непринужденно щелкнул пальцами.

Вика с Бабкиным помолчали, осмысливая сказанное.

— И зачем же Паскуале такой финт ушами? — осторожно спросил Сергей.

На этот раз Макар сделал паузу, прежде чем ответить.

— Я почти уверен, что дож убивал двух зайцев сразу. Во-первых, он избавился от шпиона в своем доме. Ты помнишь, что Педро Россини был подослан к дожу его врагами? Дож был умница и светлая голова, отлично разбирался в людях, так что рано или поздно он должен был догадаться об этом. Он мог просто отказать аббату от места, но старик решил поступить хитрее. Фактически он обвинил Россини в краже. До самой смерти тот жил с клеймом вора. Я читал, что на монастырь, где он провел последние годы, нападали трижды — хотели выведать, куда Россини спрятал перстень. Бедолага всякий раз прятался.

— Подожди, но подозреваемых было трое!

Илюшин рассмеялся.

— Отличный ход! Дай людям одного возможного преступника — и они могут усомниться в его вине. Но предложи им троих, чтобы они сами сделали вывод, кто вор, — и их не свернуть с этой убежденности. Дож назвал три имени: имя брата, который был слишком богат, чтобы красть, имя слуги, который был слишком предан, и имя аббата, который не был ни богат, ни предан. И какой вывод должны были сделать зрители, наблюдавшие за спектаклем?

— Хочешь сказать, со стороны дожа это было косвенное ложное обвинение?

— Хочу сказать, что дож получил законное основание вышвырнуть шпиона из своего дома, ничего не объясняя. Потому что окружающим и так все было понятно. Мы не знаем, что Паскуале Чиконья любил, но зато точно знаем, что он ненавидел.

— И что же?

— Предательство, — коротко ответил Илюшин.

— Дож отомстил тому, кого считал крысой?

— Вот именно! Заодно это стало предостережением для следующего шпиона. «Я найду способ избавиться от тебя». Нравится мне этот старикан, — заключил Макар, словно говорил об одном из действующих политиков. — Хитрый, умный, мстительный. Задумал испортить жизнь предателю — и испортил.

— Ну, допустим, — согласился Сергей. — А какой второй заяц? Ты сказал, дож убивал двоих.

Илюшин почесал нос.

— У меня есть версия, что дож оставил перстень в ладье для кого-то третьего. Этот человек должен был прийти, открыть тайник и забрать драгоценность. Возможно, они условились об этом заранее. Встречаться на людях им было нельзя, а передать кольцо через слуг дож, видимо, опасался. И он выбрал такой хитрый способ.

— И почему же наш таинственный незнакомец не забрал перстень? — спросила Вика.

Макар покачал головой:

— Не имею ни малейшего понятия. Ясно лишь, что случилось что-то, помешавшее ему. Может быть, он погиб. А может, его что-то задержало на пути к Бучинторо. Как бы там ни было, дож оставил перстень в тайнике. Из чего следует, что он верил во вторую версию. Но мы-то знаем больше дожа. Кольцо никогда не покинуло больше галеру, так что я склоняюсь к первой: тот, кому предназначался перстень, умер. Почему? И кто он был такой? Эту часть истории мы никогда не узнаем, если только не всплывут чьи-нибудь мемуары. Зато нам известно другое. Не было никакой кражи! Был только старый лис, сымитировавший похищение и избавившийся от врага.

Самолет поднялся над облаками. Вика взглянула в окно. Неужели Илюшин прав? Если так, то ей даже отчасти жаль Педро Россини, павшего жертвой мстительности дожа. Хитроумный старикан, должно быть, подменил нить виртуозно, раз аббат ничего не заметил. Но он наверняка что-то подозревал. Бедняга!

Острый серп месяца вспорол голубое небо над пеной облаков. Месяц был бледный, едва заметный. Вика прижалась носом к стеклу, чтобы лучше разглядеть его, и вздрогнула.

Ей почудилось, что под крылом самолета мелькнула знакомая фигура с волнистой гривой и расправленными крыльями. Но стоило Вике моргнуть, как огромный облачный лев растаял. И слился с другими облаками, скрывавшими внизу Венецию.

2

В аэропорту Бабкин начал торопить друга уже на выдаче багажа.

— Живее! — требовал он. — Бери свою котомку и пошли! Ну что ты копаешься?

Илюшин шевелился со скоростью улитки.

— Шнелле, шнелле! — подгонял Сергей. — Престо!

— Куда ты так несешься? Нам еще Вику передавать на руки супругу.

Именно этого Бабкин и пытался избежать. «От итальянской мафии спасли — и будет с нее», — рассуждал он. Ему страшно не хотелось становиться свидетелем семейной сцены. А, судя по всему, сцена была неизбежна.

Зато Илюшин — тот, похоже, только развлекся бы, устрой Виктория с мужем посреди аэропорта истерику и мордобой. О чем он прямо и сообщил другу.

— Может, я хочу посмотреть спектакль!

— У людей трагедия, — возмутился Бабкин. — А тебе развлечение?

— Одно другого не исключает, — хладнокровно возразил Макар. — Кстати, вот и наша прима.

Вика шла к ним с напряженным и очень несчастным лицом, катя за собой маленький чемоданчик.

— Я подарков детям не купила, — подойдя, каким-то зажатым, чужим голосом сказала она. — И соседке. У меня такая соседка замечательная, знаете, бывшая учительница...

Бабкину показалось, что она может очень долго стоять здесь, рассказывая про свою соседку, про что угодно, лишь бы не выходить в зал аэропорта, где толпились встречающие. Но Илюшин не позволил ей этого сделать.

— А я, было дело, школьникам биологию преподавал, — весело сказал он, увлекая ее за собой. — Целых два дня, а потом меня выгнали.

В другое время Бабкин не преминул бы зацепиться за эту новую информацию об Илюшине. Однако сейчас он даже не вспомнил, что еще в самолете собирался расспросить Вику о хоре железнодорожников. Ему хотелось как можно скорее уйти отсюда, оставив бедную женщину одну разбираться со своей несложившейся личной жизнью.

Они прошли зеленый коридор, миновали таксистов, напористо предлагавших свои услуги. В толпе не было ни одного знакомого лица. Сергей уже решил, что Олег Маткевич передумал встречать блудную жену. Но стоило ему облегченно выдохнуть, как в десяти шагах впереди словно из ниоткуда возникла знакомая высокая фигура.

Олег стоял прямо перед ними. Вокруг него образовалось пустое пространство: люди отчего-то обтекали неподвижного мужчину по кругу.

— А вот и наш клиент! — беззаботно сказал Илюшин.

Но Олег Маткевич не взглянул ни на него, ни на Бабкина. Сергей вообще не был уверен, что этот тип в своем нынешнем состоянии способен кого-нибудь заметить. Он смотрел только на жену.

— Хоть сейчас его в английский парк, — пробормотал Макар. Бабкин про себя вынужден был согласиться с ним: Маткевич походил на статую.

Он крепко взял Илюшина под локоть и потащил в сторону.

— Куда? — возмутился тот. — А поздороваться?

— Дома поздороваешься, — сквозь зубы ответил Сергей.

— С кем?!

— Со мной. А тут нечего людям кайф от встречи обламывать.

— Какой кайф?! Он ее придушит — глазом не моргнет!

Бабкин остановился.

— Или пристрелит, — подлил масла в огонь Илюшин.

Сергей с той же решительностью развернулся и пошел назад. Однако что-то в лице Олега Маткевича заставило его замедлить шаг.

— Отощал мужик, — заметил Макар, словно прочитав его мысли.

Но дело было не только в худобе. Глаза у Маткевича запали, подбородок и щеки покрыла синяя щетина. Вместо красавца, сидевшего в квартире Илюшина всего несколько дней назад, перед ними стоял измученный и постаревший человек.

Вика остановилась, не дойдя до мужа трех шагов.

— Как даст она ему в морду, — вполголоса предсказал Бабкин. — Пропали даром твои проповеди.

Вика и Олег молча смотрели друг на друга. Напряжение вокруг них казалось физически ощутимым: поднеси лампочку — и вспыхнет. Люди по-прежнему обходили их далеко стороной.

Вика подняла руку странным, каким-то неосмысленным жестом, словно не вполне понимала, зачем это делает. Взгляд переметнулся с лица мужа на собственные пальцы.

— Кольцо, — с детским удивлением сказала она. — Обручальное... Потерялось!

Всхлипнула — и заревела.

Статуя, которой только что был Олег Маткевич, внезапно ожила. Дрожащими руками он снял с пальца собственное кольцо.

Посетители аэропорта Шереметьево с изумлением наблюдали, как высокий, хорошо одетый мужчина опустился на колени прямо в размазанную по полу грязь перед маленькой плачущей женщиной с золотыми волосами.

— В-виктория М-маткевич, — сильно заикаясь, проговорил он. — С-согласна ли ты...

Голос у него пресекся.

— Пошли отсюда, — сказал Бабкин.

— Кто бы мог подумать, что ты окажешься таким трепетным, — удивленно сказал Макар, когда они шли по стоянке к машине Сергея. — Сразу ведь было ясно, что помирятся.

— А кто зудел «задушит, пристрелит»?

— Сразу — это с того момента, как Маткевич появился у нас, — снисходительно пояснил Илюшин. — А зудел я, чтобы поиздеваться над тобой.

— Катись к черту, — беззлобно огрызнулся Бабкин.

И ухмыльнулся — но так, чтобы Илюшин не заметил.

Год спустя

Сначала на выдаче багажа чуть не посеяли Колькину сумку, потом Димка разнылся, что ему надо в туалет, и Олегу пришлось носиться с ним по всему аэропорту в поисках уборной. После этого Колька захотел есть, Димка пить, а Олег выразил желание дать обоим по шеям.

— В Венеции поедите и попьете, — пообещала Вика. — Дотерпите?

Мальчишки неожиданно решили, что потерпят.

Но пока они шли к пристани, Вику терзали сомнения. Зря она это затеяла, ох зря...

К тому же ей было немного тревожно за Анчоуса. Котенка оставили на соседку, и та клятвенно пообещала не перекармливать прохвоста, но Вика не без оснований подозревала, что Анчоус быстро поработит Ольгу Семеновну и будет хватать куски с ее стола.

Насчет Джека волноваться, пожалуй, не стоило. Джека взяла к себе свекровь, неожиданно для всех, включая себя, проникшаяся к этому дальнему потомку спаниелей пылкой любовью. Пес наверняка вернется от нее горделивый, как шах, и некоторое время по инерции будет страдать манией величия.

Мальчишки недолго шли молча.

— Ты мне на ногу чемоданом наехал! — оскорбился Димка.

— А ты не суй свои копыта под мой чемодан!

— Сейчас оба получите! — пригрозил Олег.

Димка, кажется, собрался захныкать. Но впереди показался причал, и он передумал.

«Не понравится им Венеция, — мучилась Вика. — И Олегу не понравится. Зачем я их с собой потащила!»

Когда катер отошел от берега, Вика перебралась на нос лодки, не обращая внимания на брызги, и стала ждать. Позади снова ссорились дети, время от времени сурово взрыкивал Олег, но ее тревога понемногу вытеснялась волнением совсем иного рода. Из моря выросли огромные деревянные сваи со сторожевыми чайками на верхушках, и Вику вдруг перестало заботить, понравится ли город ее семье. Она не может отвечать за их чувства. Она может лишь показать им то, что кажется прекрасным ей самой.

— У нас ливень был недавно, — сообщил по-итальянски водитель, словно знал, что она поймет.

— Зато на ближайшие три дня обещают хорошую погоду! — крикнула Вика, перекрывая шум мотора.

Обессилевшее от дождя небо голубело над ними — шелковое, нежное, как лепесток цикория. Справа по борту снова показался уже знакомый Вике остров. Они прошли очень близко. Ей бросилась в глаза каменная стена полуразрушенного дома.

Скала и море, думала она, вот в чем разгадка. Тайна этого города — в сочетании незыблемости и призрачности. Он ускользает от тебя! Шершавые своды мостов, камень, покрытый подушечками изумрудного мха, — что может быть долговечнее! Но снизу беззвучно поднимается вода. Молоко, разведенное с абсентом. Болотная зелень, заманчивость омута. Тихий плеск, тайна, вечное волшебство...

Венеция!

Стоило Вике произнести про себя имя города, как моторка заложила крутой вираж — и он показался вдалеке. Изменчивый, как море. Прекрасный, как небеса над его башнями и крышами.

Тишина, воцарившаяся за спиной, заставила ее обернуться.

Колька и Димка, забыв о распрях, смотрели, широко раскрыв глаза, на выросший из воды остров. Олег стоял за ними, прищурившись, и в эту секунду Вика поняла, что все будет хорошо. Напрасно она волновалась.

— Здесь люди живут? — недоверчиво спросил Колька. В первый миг ему показалось, что перед ними огромная декорация, но чем ближе подходил катер, тем яснее ощущалась *настоящесть* города.

— Живут, — отозвалась Вика. — Смотри — вон площадь Сан-Марко. Видишь, сколько там людей?

— Ага! А мы там будем гулять?

— Обязательно. Станем пить кофе с пирожными и бросать монетки в воду. И на гондоле прокатимся.

Димка подергал мать за рукав.

— Мам, а мам!

— Да?

— А что это там, на колонне?

Оба мальчика посмотрели на мать, не понимая, отчего она смеется.

— Вон там! — повторил Димка и для верности еще раз ткнул пальцем. — Видишь? Смотри! Смотри!

— Это мой друг, — сказала Вика, счастливо улыбаясь.

Венецианский лев поднялся им навстречу и распахнул крылья.

Литературно-художественное издание

16+

Елена Ивановна Михалкова

ОХОТА НА КРЫЛАТОГО ЛЬВА

Роман

Редакционно-издательская группа «Жанры»
Зав. группой *М.С. Сергеева*

Руководитель направления *И.Н. Архарова*
Редактор *Е.Ю. Пайсон*
Корректор *Г.Б. Костромцова*

Общероссийский классификатор продукции
ОК-005-93, том 2; 953000 — книги, брошюры

Подписано в печать 25.12.2014 г. Формат 84×108 $^{1}/_{32}$.
Усл. печ. л. 18,48. Тираж 17 000 экз. Заказ № 4843.

ООО «Издательство АСТ»
129085, г. Москва, Звездный бульвар,
д. 21, строение 3, комната 5

Отпечатано с электронных носителей издательства.
ОАО "Тверской полиграфический комбинат". 170024, г. Тверь, пр-т Ленина, 5.

"Баспа Аста" деген ООО
129085 г. Мәскеу, жұлдызды гүлзар, д. 21, 3 құрылым, 5 бөлме
Біздің электрондық мекенжайымыз: www.ast.ru
E-mail: astpub@aha.ru

Қазақстан Республикасында дистрибьютор және өнім бойынша арыз-талаптарды қабылдаушының өкілі «РДЦ-Алматы» ЖШС, Алматы қ., Домбровский көш., 3«а», литер Б, офис 1.
Тел.: 8(727) 2 51 59 89,90,91,92, факс: 8 (727) 251 58 12 вн. 107; E-mail:RDC-Almaty@eksmo.kz
Өнімнің жарамдылық мерзімі шектелмеген.

Өндірген мемлекет: Ресей
Сертификация қарастырылмаған